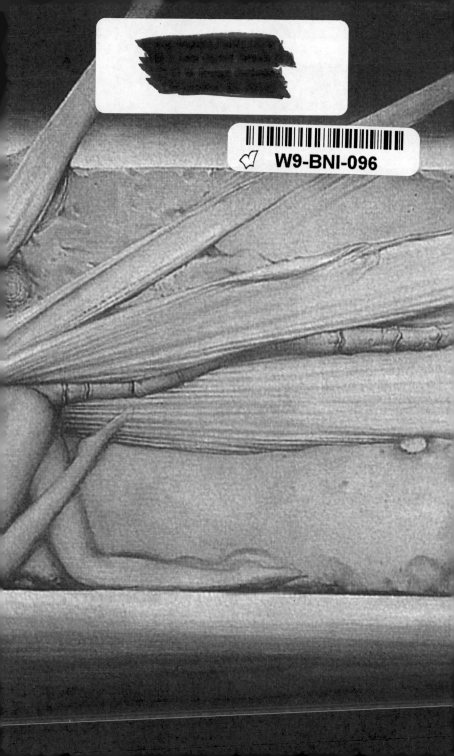

ВИКТОР ПЕЛЕВИН

МОСКВА

ЭКСМО
издательство

2004

УДК 82-3
ББК 84(2Рос-Рус)6-4
  П 23

Оформление переплета
художников *А. Марычева, П. Северцева*

Пелевин В. О.

П 23   Священная книга оборотня: Роман. — М.: Изд-во
Эксмо, 2004. — 384 с.

УДК 82-3
ББК 84(2Рос-Рус)6-4

ISBN 5-699-08445-2

Комментарий эксперта

Настоящий текст, известный также под названием «А Хули», является неумелой литературной подделкой, изготовленной неизвестным автором в первой четверти XXI века. Большинство экспертов согласны, что интересна не сама эта рукопись, а тот метод, которым она была заброшена в мир. Текстовый файл, озаглавленный «А Хули», якобы находился на хард-диске портативного компьютера, обнаруженного при «драматических обстоятельствах» в одном из московских парков. О срежиссированности этой акции свидетельствует милицейский протокол, в котором описана находка. Он, как нам представляется, дает неплохое представление о виртуозных технологиях современного пиара.

Протокол подлинный, все печати и подписи на нем присутствуют, хотя неизвестно точное время его составления — верхняя часть заглавного листа с датой срезана при брошюровке и подшивке протокола в папку перед отправкой на хранение в конце календарного года, как требует служебная должностная инструкция. Из протокола следует, что интерес сотрудников милиции был вызван странными явлениями природы в Битцевском парке Южного административного округа города Москвы. Граждане наблюдали над деревьями голубоватое свечение, шаровые молнии и множество пятицветных радуг. Некоторые из ра-

дуг были шарообразными *(по показаниям свидетелей происшествия, цвета в них как бы просвечивали друг сквозь друга).*

Эпицентром аномалии был обширный пустырь на границе парка, где расположен трамплин для прыжков на велосипеде. Рядом с трамплином обнаружены полурасплавленная рама от велосипеда *«Canondale Jekyll 1000»* и остатки колес. Трава в радиусе десяти метров вокруг трамплина выжжена, причем выгоревшее пятно имеет форму правильной пятиконечной звезды, за границами которой трава не пострадала. Рядом с велосипедной рамой найдены предметы женской одежды: джинсы, пара кроссовок, трусики типа «неделька» со словом «Воскресенье» и майка с вышитой на груди надписью «скиf».

Если судить по фотографиям из протокола, третья буква этого слова больше похожа на кириллическое «И», чем на латинское «U». Можно предположить, что перед нами не анаграмма *«fuck»,* как утверждает в своей монографии М. Лейбман, а слово «скиф». Это подтверждает строка «да, азиаты мы» на спине футболки — несомненная аллюзия на стихотворение А. Блока «Скифы», которого М. Лейбман, судя по всему, не читал.

Среди предметов одежды находился рюкзак с портативным компьютером, о котором уже говорилось в протоколе. Все эти вещи не пострадали, и на них не обнаружено следов огня, что свидетельствует — они были подброшены на место происшествия уже после того, как на траве было выжжено звездообразное пятно. По факту данного события уголовного дела возбуждено не было.

Судьба находившегося (якобы) на хард-диске текста хорошо известна — сначала он имел хождение в кругах оккультных маргиналов, а затем был издан в качестве книги. Оригинальное название текста показалось непристойным даже нынешним барышникам от книготорговли, поэтому при издании он был переименован в «Священную Книгу Оборотня».

Этот текст не заслуживает, конечно, серьезного литературоведческого или критического анализа. Тем не менее отметим, что в нем просматривается настолько густая сеть заимствований, подражаний, перепевов и аллюзий (не говоря уже о дурном языке и редкостном инфантилизме автора), что вопроса о его аутентичности или подлинности перед серьезным специалистом по литературе не стоит, и интересен он исключительно как симптом глубокого духовного упадка, переживаемого нашим обществом. А псевдовосточная поп-метафизика, шапочным знакомством с которой автору не терпится похвалиться перед такими же унылыми неудачниками, способна вызвать у серьезных и состоявшихся в жизни людей разве что сострадательную улыбку. Хочется уверить москвичей и гостей столицы, что чистота и порядок в Битцевском парке поддерживаются на должном уровне и московская милиция днем и ночью охраняет покой и безопасность прогуливающихся. А самое главное, друзья — чтобы в вашей жизни всегда нашлось место радостной песне!

Тенгиз Кокоев,
майор, начальник О/М «Битца-центр»

Майя Марачарская, Игорь Кошкодавленко
кандидат филологических наук

Пелдис Шарм,
ведущий телепрограммы «Караоке о Главном»

> В чистом безветрии звездных пространств
> Много у Господа светлых убранств.
>
> *Неизвестный источник*

> Кто твой герой, Долорес Гейз?
> Супермен в голубой пелерине?
> О, дальний мираж, о, пальмовый пляж!
> О, Кармен в роскошной машине!
>
> *Гумберт Гумберт*

Клиент, на которого меня нацелил бармен Серж, ждал в Александровском баре «Националя» в семь тридцать вечера. Было уже семь сорок, а такси еле ползло, перемещаясь из одной пробки в другую. Я даже готова была поверить, что у меня есть душа — так муторно на ней было.

— I want to be forever young[1], — в который раз пропел по радио Alfaville.

Мне б твои проблемы, подумала я. И тут же вспомнила о своих.

Вообще-то я о них думаю редко. Я только знаю, что они хранятся где-то там, в черной пустоте, и к ним в любой момент можно вернуться. Убедиться лишний раз, что решения у них нет. Если поразмыслить над этим, приходишь к интересным выводам.

Допустим, я решу их. Что тогда? Они просто исчезнут — то есть уплывут навсегда в то самое небытие, где и так хранятся большую часть времени. Будет только одно практическое следствие — мой ум перестанет вытаскивать их из этой черной пустоты. Так не состоят ли мои неразрешимые проблемы единственно в том, что я про них думаю, и не соз-

---

[1] Я хочу быть вечно молодым (*англ.*).

даю ли я их заново в тот момент, когда про них вспоминаю?

Самая смешная из моих проблем — мое имя. Она возникает у меня только в России. Но, поскольку я здесь живу, приходится признать, что это очень реальная проблема.

Меня зовут А Хули.

Раньше, при старой орфографии, была возможность хоть на письме уйти от непотребства. Я записывала свое имя «А Хулі». На печати, которую мне подарил в тринадцатом году один петербургский меценат, знавший тайну, оно слито в два знака:

Это интересная история. Первая печатка, которую он для меня заказал, была вырезана на рубине, и все пять букв были совмещены в один символ:

Он подарил мне этот рубин, когда мы катались на яхте в Финском заливе, и я бросила его в воду, как только рассмотрела. Он побледнел и спросил, отчего я его ненавижу. Не потому, конечно, что правда думал, будто я его ненавижу. Просто в ту эпоху в моде были театральные движения души, из-за чего, кстати, случились Первая мировая война и русская революция.

Я объяснила, что все буквы можно наложить друг на друга и разместить на небольшом камне, получится недорого, но тогда непонятно, какая из букв первая. Через день был готов второй вариант,

на продолговатом опале — «с таинственным и сума-
сбродным «АХ», как изящно заметил меценат в стихотворении, приложенном к подарку.

Вот какие люди жили раньше в России. Впрочем, я подозреваю, что он не сам написал стихотворение, а заказал его поэту Кузмину, поскольку после революции ко мне несколько раз приходили на-
кокаиненные пидоры из чрезвычайки и искали
какие-то брильянты. Потом мою квартиру на
Итальянской улице уплотнили слесарями и прачка-
ми, а у меня самой отняли последнюю опору само-
уважения, букву «i». Поэтому коммунистов я не
любила с самого начала, еще с тех дней, когда им верили многие светлые умы.

Мое имя на самом деле очень красивое и
не имеет никакого отношения к своему русскому
смыслу. «А Хули» по-китайски означает «лиса А».
По аналогии с русскими именами можно сказать,
что «А» — это мое имя, «Хули» — фамилия. Что я
могу сказать в свое оправдание? Меня так звали
еще тогда, когда слов «а хули» вообще не было в
русском языке, и самого русского языка тоже.

Кто мог подумать в те дни, что моя благородная
фамилия станет когда-нибудь бранным словом?
Имени, кстати, тоже достается, даром, что одна буква. Идешь по улице, видишь очередь и вздрагиваешь:
А? Х...й на. Альфа-банк экспресс. Впрочем, говорил
же Людвиг Витгенштейн, что в мире есть только
имена. Обижаться не на кого.

Мы, лисы, счастливые существа, поскольку у
нас короткая память. Мы ясно помним только последние десять-двадцать лет, а все, что было раньше, спит в черной пустоте, о которой я уже говорила. Но оно не исчезает совсем. Прошлое для нас —

как темная кладовая, из которой мы можем при желании извлечь любое воспоминание, что достигается особого рода усилием воли, довольно мучительным. Это делает нас интересными собеседницами. Мы многое можем сказать почти по любому поводу; кроме того, мы знаем все главные мировые языки — было время выучить. Но мы не расчесываем болячку памяти без необходимости, и повседневный поток мыслей у нас практически такой же, как у людей. То же касается и нашей рабочей личности — она делает лису неотличимой от бесхвостой обезьяны.

Многие не понимают, как такое может быть. Попробую объяснить. В каждой культуре принято связывать особенности внешности с определенными чертами характера. Прекрасная принцесса добра и сострадательна; злобная колдунья уродлива, и на носу у нее огромная бородавка. Есть и более тонкие связи, которые не так просто сформулировать — именно вокруг них строится искусство живописного портрета. Со временем эти связи меняются, поэтому красавицы одной эпохи часто вызывают у другой недоумение. Так вот, если сказать просто, личность лисы — это тот человеческий тип, с которым у среднего представителя текущей эпохи ассоциируется ее внешность.

Каждые лет пятьдесят или около того мы подбираем под свои неизменные черты новый симулякр души, который предъявляем людям. Поэтому с человеческой точки зрения внутреннее у нас в любой момент тождественно внешнему на сто процентов. Другое дело, что оно не тождественно настоящему, но кто ж это поймет? У большинства людей настоящего нет вообще, а есть только это внешнее и внутреннее, две стороны одной монеты, которую, как человек искренне верит, где-то действительно положили на его счет.

Знаю, звучит странно, но все именно так: чтобы угодить современникам, мы подгоняем себе под личико новое «я», совсем как сшитое по другой моде платье. Прежние отправляются в чулан, и вскоре нам уже надо напрягаться, чтобы вспомнить, какими мы были раньше. А живем мы веселыми пустяками, забавными скоротечностями. Мне кажется, это своего рода эволюционный механизм, задачей которого было облегчить нам мимикрию и маскировку. Ведь лучшая мимикрия — когда становишься похож на других не только лицом, но и ходом мыслей. Впрочем, мимикрия это только для лис. Для человека это судьба.

На вид мне можно дать от четырнадцати до семнадцати — ближе к четырнадцати. Мой физический облик вызывает у людей, особенно мужчин, сильные и противоречивые чувства, которые скучно описывать, да и нет нужды — «Лолиту» в наше время читали даже лолиты. Эти чувства меня и кормят. Вероятно, можно сказать, что я кормлюсь мошенничеством: на самом деле я совсем не малолетка. Для удобства я определяю свой возраст в две тысячи лет — их я могу вспомнить более-менее связно. Это можно считать кокетством — на самом деле мне значительно больше. Истоки моей жизни теряются очень далеко, и припомнить их так же трудно, как осветить фонариком ночное небо. Мы, лисы, не рождались, подобно людям. Мы происходим от небесного камня и состоим в отдаленном родстве с самим Сунь-у-Куном, героем «Путешествия на Запад» (впрочем, не стану утверждать, что все так и есть — никаких личных воспоминаний об этой баснословной поре у меня не осталось). В те дни мы были другими. Я имею в виду, внутренне, а не внешне. Внешне мы с возрастом не меняемся — если не считать того, что каждые сто восемь лет у нас в хвосте появляется новый серебряный волосок.

Я не оставила в истории такого заметного следа, как другие представители моего рода. Тем не менее я упомянута в одном из памятников мировой литературы, и про меня можно прочесть даже по-русски. Для этого надо зайти в магазин «Академкнига», купить книгу Гань Бао «Записки о поисках духов» и найти в ней историю о том, как во времена Поздней Хань наместник Сихая искал сбежавшего начальника охраны. Наместнику сказали, что того увела нечисть, и на поиски пропавшего был послан военный отряд. Дальнейшее (я ношу с собой этот листок как талисман) я до сих пор не могу читать без волнения:

«...наместник с несколькими десятками пеших и конных, захватив охотничьих собак, стал рыскать за стенами города, выслеживая беглеца. И в самом деле Сяо был обнаружен в пустом могильном склепе. Оборотень же, услыхав голоса людей и собак, скрылся. Люди, посланные Сянем, привели Сяо назад. Обликом он совершенно уподобился лисицам, человеческого в нем почти ничего не осталось. Мог только бормотать: «А-Цзы!» (А-Цзы — это кличка лисы.) Дней через десять он постепенно начал приходить в разум и тогда рассказал:

— Когда лисица пришла в первый раз, в дальнем углу дома между куриных насестов появилась женщина, красивая собой. Назвавшись А-Цзы, она стала

манить меня к себе. И так было не один раз, пока я, сам того не ожидая, последовал ее призыву. Тут же она стала моей женой, и в тот же вечер мы оказались в ее доме... Встречу с собаками не помню, но рад был как никогда.

— Это горная нечисть, — определил даос-гадатель.

В «Записках о прославленных горах» говорится: «Лиса в глубокой древности была развратной женщиной, и имя ей было А-Цзы. Потом она превратилась в лисицу».

Вот почему оборотни этого рода по большей части называют себя А-Цзы».

Я помню этого человека. Его голова была похожа на желтое яйцо, а глаза казались двумя наклеенными на это яйцо бумажками. Он не совсем точно передал историю нашего романа, да и повествователь заблуждается, говоря, что меня звали А-Цзы. Начальник охраны называл меня «А», по имени, а «Цзы» получилось из звука, который он стал непроизвольно издавать, когда его жизненность пришла в упадок: во время разговора он с шумом всасывал воздух, словно стараясь притянуть на место отвисшую нижнюю челюсть. Кроме того, неправда, что я когда-то была развратной женщиной, а потом превратилась в лису — такого, насколько я знаю, вообще не бывает. Но все равно, перечитывать этот отрывок древнекитайской прозы для меня так же волнительно, как для старой актрисы — глядеть на самую раннюю из сохранившихся фотографий.

Почему меня зовут «А»? Один книжник-конфуцианец с наклонностью к мальчикам, который знал, кто я такая, но все равно прибегал к моим услугам до самой своей смерти, придумал интересное объяснение. Мол, это самый короткий звук, который может издать человек, когда ему перестают повиноваться мышцы горла. Действительно, некоторые люди, на которых я насылаю морок, успевают произнести нечто вроде сдавленного «А-а...». Этот конфуцианец даже написал мне дарственную каллиграфию — она начиналась со слов «А Хули ива над ночной рекой...».

Кому-то может показаться, что жить в России и называться А Хули — довольно грустная судьба. Примерно как жить в Америке и зваться Whatze Phuck. Да, имя окрашивает мою жизнь в угрюмые тона, и какой-нибудь из внутренних голосов всегда готов спросить — а х... ты ждала от жизни, А Хули? Но это, как я уже сказала, самая мелкая из моих забот, даже не забота, поскольку работаю я под псевдонимом, а скорее что-то юмористическое — правда, из области черного юмора.

Работать проституткой мне тоже не в тягость. Моя сменщица из «Балчуга» Дуня (известная там как Адюльтера) однажды так определила, чем проститутка отличается от приличной женщины: «Проститутка хочет иметь с мужчины сто долларов за то, что сделает ему приятно, а приличная женщина хочет иметь все его бабки за то, что высосет из него всю кровь». Я не до конца согласна с этим радикальным мнением, но зерно истины в нем есть: нравы в сегодняшней Москве такие, что, если перевести выражение «по любви» с гламурно-щучьего на юридический, получится «за сто тысяч долларов с геморроем». Стоит ли обращать внимание на мнение общества, в котором господствует подобная мораль?

У меня есть проблемы посерьезней. Например, совесть. Но об этом я буду думать в какой-нибудь другой пробке, а сейчас мы уже подъезжаем.

*

Цилиндр — это кастовый знак, указывающий на принадлежность к элите, как бы мы к ней ни относились. И если у входа в гостиницу тебя встречает человек в цилиндре и, низко кланяясь, распахивает перед тобой дверь, тем самым тебя поднимают на такую социальную высоту, что это накладывает серьезные финансовые обязательства перед людьми, которым не так повезло в жизни.

Что сразу отражается в меню. Сев за столик у бара, я углубилась в дринк лист, пытаясь найти свою нишу среди сорокадолларовых виски и шестидесятидолларовых коньяков (это за сорок-то грамм!). Названия лонг-дринков складывались в остросюжетную повесть: Tekila Sunrise, Blue Lagoon, Sex on the Beach, Screwdriver, Bloody Mary, Malibu Sunset, Zombie[1]. Готовая заявка на фильм.

Но я заказала коктейль под названием Rusty Nail[2]— не в честь надвигающейся встречи, как мог бы подумать человек с психоаналитическим складом ума, а из-за непонятного Drambuie, которое входило в его состав вместе со скотчем. В жизни каждый день надо узнавать что-то новое. Кроме того, меню было на двух языках, и по-русски этот коктейль назывался «Расти Наил». Трогательный такой

[1] Текильный рассвет, Голубая лагуна, Секс на пляже, Отвертка, Кровавая Мэри, Закат в Малибу, Зомби.
[2] Ржавый гвоздь.

Наил, растет себе где-то в Жмеринке, строит большие планы и не подозревает, что после эмиграции дорога ему одна — в ржавые гвозди... Еще одна заявка: история руссо-американца, уехавшего к огням великой мечты, но попавшего vProzak. И почему я не в кинобизнесе?

В баре сидели две мои соратницы — Карина из бывших моделей и транссексуалка Нелли, которая перешла сюда из гостиницы «Москва» после ее закрытия. Несмотря на то что Нелли недавно стукнул полтинник, дела у нее шли очень даже ничего. Вот и сейчас она окучивала какого-то галантного скандинава, а Карина в одиночестве дотягивала уже не первую сигарету, это было видно по перемазанным помадой окуркам в пепельнице. Я до сих пор окончательно не поняла, почему так происходит, но происходило это постоянно — Нелли, уродина с комсомольским прошлым, делала больше бабок, чем молодые девочки с модельной внешностью. Причины могли быть разными:

1) западный человек, с молоком впитавший идеалы женского равноправия, не способен отвергнуть женщину из-за возраста или внешнего несовершенства, поскольку в первую очередь видит в ней человека.

2) удовлетворять половую потребность при помощи фотомодели означает для мыслящего западного человека пойти на поводу у идеологов потребительского общества, а это пошло.

3) западный человек ставит социальный инстинкт настолько выше биологического, что даже в таком интимном деле, как секс, заботится прежде

всего о наименее конкурентоспособных участниках рыночных отношений.

4) западный человек полагает, что уродина обойдется дешевле и после часа позора останется больше денег на рассрочку по «Ягуару».

Как и велел бармен Серж, я даже не глядела в его сторону. У них в «Национале» все стучат на всех, поэтому вести себя надо осторожно. К тому же Серж в эту минуту был мне малоинтересен, меня больше занимал клиент.

В баре на эту должность было два кандидата: похожий на шоколадного зайца сикх в темно-синем тюрбане и мужчина средних лет в тройке и золотых очках. Оба сидели в одиночестве — очкастый пил кофе, разглядывая сквозь стеклянную крышу четырехугольник двора, а сикх читал «Financial Times», покачивая носком лакированной туфли в такт пианисту, мастерски перегонявшему культурное наследие девятнадцатого века в звуковые обои. Играла прелюдия Шопена, «Капли дождя», та самая вещь, которую исполняет злодей в фильме «Moonraker» при появлении Бонда. Я обожала эту музыку. Ах, не зря Софья Андреевна Толстая, работавшая в последние годы жизни над опровержением «Крейцеровой сонаты», собиралась назвать свой труд «Прелюдии Шопена»...

Лучше бы тот в очках, подумала я. Он явно на «Ягуар» не копит, у него уже есть. Для таких все приключение в том, чтобы потратить деньги, они от этой трансакции возбуждаются больше, чем от всего остального, которого вообще может не быть, если напоить как следует. А вот сикх — серьезная нагрузка.

Я улыбнулась очкарику, и тот улыбнулся в ответ. Вот и славно, уже подумала я, и тут сикх сложил свою финансовую газету, встал и пошел к моему столу.

— Lisa? — спросил он.

Это был мой сегодняшний псевдоним.

— That's right, — радостно ответила я.

А что делать.

Он сел напротив и сразу принялся ругать местную кухню. Английский у него был очень хороший, не такой, как обычно бывает у выходцев из Индии, — настоящее оксфордское произношение, которое своей сухостью чуть напоминает русский акцент. Вместо «fucking» он, словно бойскаут, говорил «freaking», что звучало смешно, поскольку он вставлял это слово в каждое второе предложение. Возможно, браниться ему запрещала религия, был в сихизме такой пунктик. По профессии он оказался портфельный инвестор, и я еле удержалась от вопроса, где его портфель. Портфельные инвесторы не любят таких шуток. Я это знаю, поскольку каждый третий мой клиент в «Национале» — портфельный инвестор. Не то чтобы в «Национале» было так много портфельных инвесторов, просто я очень юно выгляжу, а каждый второй портфельный инвестор — педофил. Я их не люблю, скажу честно. Это профессиональное.

Он начал с крайне старомодных комплиментов — дескать, не верит в свою удачу, и я похожа на девушку его мечты из голубого детского сна, так он и сказал. И еще что-то в этом роде. Затем он захотел увидеть мой паспорт — убедиться в моем совершеннолетии. К таким просьбам я привыкла. Паспорт у меня был — заграничный и, естественно, фальшивый, на имя «Алиса Ли». Это я сама придумала — с одной стороны, распространенная корейская фамилия, подходит к моему азиатскому личику. А с другой — как бы намек: *«Алиса ли?»* Сикх пролистал его очень внимательно — видимо, боялся за свое доброе имя. По паспорту мне было девятнадцать.

— Хотите выпить? — спросил он.

— Я уже заказала, — ответила я. — Сейчас принесут. Скажите, а вы всем девушкам так говорите — про голубой детский сон?

— Нет, только вам. Я такого раньше не говорил ни одной девушке.

— Понятно. Я тогда вам тоже скажу одну вещь, которую до этого не говорила ни одному мужчине. Вы похожи на капитана Немо.

— Из «Восемьдесят тысяч лье под водой»?

Ого, подумала я, какой начитанный портфельный инвестор.

— Нет, из американского фильма «Общество выдающихся джентльменов». Там был похожий на вас выдающийся джентльмен. Бородатый подводный каратист в синем тюрбане.

— Что, фильм по Жюль Верну?

Мне принесли коктейль. Он оказался маленьким — всего шестьдесят грамм.

— Нет, в нем собрали вместе всех суперменов девятнадцатого века — Капитана Немо, человека-невидимку, Дориана Грея и так далее.

— Да? Оригинально.

— Ничего оригинального. Экономика, основанная на посредничестве, порождает культуру, предпочитающую перепродавать созданные другими образы вместо того, чтобы создавать новые.

Я слышала эту фразу от одного левого француз-

ского кинокритика, который кинул меня на триста
пятьдесят евро. Не то чтобы я была с ним полностью согласна, просто каждый раз, когда я повторяла эти слова в разговоре с клиентом, мне казалось,
что кинокритик отрабатывает несколько условных
единиц. Но для сикха это было слишком.

— Простите? — наморщился он.

— Короче, удивительно похожий на вас персо-
наж был этот Немо. Усы, борода... Он еще на своей
подводной лодке молился богине Кали.

— Тогда вряд ли между нами много общего, —
улыбнулся он. — Я не поклоняюсь богине Кали.
Я сикх.

— Я очень уважаю сикхизм, — сказала я. — Мне
кажется, это одна из самых совершенных религий в
мире.

— Вам известно, что это такое?

— Да, конечно.

— Слышали, наверно, что сикхи — это такие бо-
родачи в тюрбанах? — засмеялся он.

— Меня в сикхизме привлекают не его внешние
атрибуты. Меня восхищает его духовная сторона,
особенно бесстрашие перехода от опоры на живых
учителей к опоре на книгу.

— Но ведь так же обстоит и во многих других
религиях, — сказал он. — Просто у нас вместо Ко-
рана или Библии — Гуру Грант Сахиб.

— Но нигде больше к книге не обращаются как
к живому наставнику. Кроме того, нигде нет такой
революционной концепции Бога. Меня больше
всего поражают две черты, которые радикально от-
личают сикхизм от всех остальных религий.

— Какие же?

— Во-первых, признание того факта, что Бог

создал этот мир вовсе не с какой-то возвышенной целью, а исключительно для своего развлечения. На такое никто до сикхов не отваживался. И, во-вторых, богонаходительство. В отличие от других систем, где есть только богоискательство.

— А что это такое — богоискательство и богонаходительство?

— Помните эту апорию с казнью на площади, которая часто приводится в комментариях к сикхским священным текстам? Кажется, она восходит к гуру Нанаку, но полной уверенности у меня нет.

Сикх выпучил коричневые глаза и сразу сделался похож на рака.

— Представьте себе базарную площадь, — продолжала я. — В ее центре стоит окруженный толпой эшафот, на котором рубят голову преступнику. Довольно обыкновенная для средневековой Индии картина. И для России тоже. Так вот, богоискательство — это когда лучшие люди нации ужасаются виду крови на топоре, начинают искать Бога и в результате через сто лет и шестьдесят миллионов трупов получают небольшое повышение кредитного рейтинга.

— О да, — сказал сикх. — Это огромное достижение вашей страны. Я имею в виду улучшение кредитного рейтинга. А что такое богонаходительство?

— Когда Бога находят прямо на базарной площади, как сделали учителя сикхов.

— И где же он?

— Бог в этой апории является казнящим и казнимым, но не только. Он является толпой вокруг эшафота, самим эшафотом, топором, каплями крови на топоре, базарной площадью, небом над базарной площадью и пылью под ногами. И, разумеется, он является этой апорией и — самое главное — тем, что сейчас ее слышит...

Я не уверена, что такой пример можно назвать апорией, поскольку в нем нет неразрешимого противоречия — хотя, может быть, оно как раз в том, что Бога находят посреди крови и ужаса. Но у сикха этот термин не вызвал возражений. Он выпучил глаза еще сильнее и стал похож не просто на рака, а на такого рака, который догадался наконец, почему вокруг стоят эти огромные пивные кружки. Пока он размышлял над моими словами, я спокойно допила коктейль — что такое Drambuie, мне так и не стало ясно. Сикх, надо сказать, выглядел живописно — он словно бы балансировал на границе озарения, и легкого внешнего толчка могло хватить, чтобы неустойчивое равновесие его рассудка сместилось.

Так оно и вышло. Как только мой стакан коснулся стола, он пришел в себя. Достав из бумажника карточку «Diners Club Platinum» с голографическим Че Геварой, он постучал ей по столу, подзывая официанта. Потом положил руку мне на ладонь и прошептал:

— А не пора ли в номер?

*

Название «Националь» предполагает репрезентацию национального вкуса. В России он эклектичный, что и отражает обстановка: ковер на лестнице покрыт классическими королевскими лилиями, витражи в окнах — модерн, а в подборе картин на стенах вообще трудно обнаружить какой-нибудь принцип. Церкви, букеты цветов, лесные чащи, крсстьянские старушки, сцены из версальского быта, среди которых вдруг мелькнет Наполеон, похожий на синего попугая с золотым хвостом...

Впрочем, это только с первого взгляда между картинами нет ничего общего. На самом деле их объединяет главная художественная особенность — они продаются. Как только вспоминаешь об этом, становится видно удивительное стилистическое единство интерьера. Больше того, понимаешь, что нет никакой абстрактной живописи, а только конкретная. Глубокая мысль, я даже хотела записать ее, но при клиенте было неловко.

Мы остановились у стеклянной двери в номер триста девятнадцать, и сикх, знойно улыбнувшись, вставил в замок ключ-карточку. У него был номер VIP — такие здесь стоят долларов шестьсот в сутки. За двойной дверью была маленькая бизнес-гостиная: полосатый диван с высокой спинкой, два кресла, факс и принтер, пальма в кадке и шкафчик с антикварной посудой. Из окна открывалась панорама улицы, с которой виден Кремль. Это категория «Б». Здесь есть еще категория «С» — когда из окна видна улица, с которой видна другая улица, с которой виден Кремль.

— Где ванная? — спросила я.

Сикх принялся развязывать галстук.

— Мы спешим? — спросил он игриво. — Вон там.

Я открыла дверь, на которую он указал. За ней была спальня. Почти все пространство занимала огромная двуспальная кровать, а в углу комнаты была маленькая дверь в ванную, которую я даже не сразу заметила. Все правильно, размеры вещей должны быть пропорциональны месту, которое они занимают в жизни. Номер приближался к идеальному, поскольку был структурирован в точности как VIP-жизнь. Работе соответствовала бизнес-гостиная — получил факс, отправил факс, посидел на полосатом диванчике, поглядел на пальму в кадке, а если пальма надоела, повернул голову и глядишь на посуду в шкафчике. Личной жизни соответствовала спальня с кроватью во всю комнату: принял снотворное и спать. Ну или как сейчас.

Войдя в ванную, я включила душ и стала готовиться к работе. Это было нетрудно — я просто чуть приспустила штаны и высвободила хвост. Воду я включила для маскировки.

Я чувствую, что дошла до точки, где необходимы некоторые пояснения, иначе мое повествование будет звучать диковато. Поэтому мне придется сделать паузу и сказать о себе несколько слов.

У лис нет пола в строгом смысле, и если про нас говорят «она», это в силу внешнего сходства с женщинами. На самом деле мы подобны ангелам, то есть у нас нет репродуктивной системы. Мы не размножаемся, потому что не стареем и можем жить до тех пор, пока нас что-нибудь не убьет.

Если описать нашу внешность, тело у нас тонкое и стройное, без капли жира, с великолепной рельефной мускулатурой — как бывает у некоторых спортивных подростков. Волосы огненно-рыжего цвета, тонкие, шелковистые и блестящие. Рост у нас высокий, и в древние времена это нас часто выдавало, но сейчас люди стали выше, и мы совершенно не выделяемся среди них по этому признаку.

Хоть пола в смысле способности к воспроизводству у нас нет, все его внешние признаки присутствуют — за мужчину лису не примешь. Нормальные женщины обыкновенно считают нас лесбиянками. Что думают про нас лесбиянки, тоже понятно: «я сошла с ума, я сошла с ума...» И неудивительно. Даже самые красивые женщины рядом с нами кажутся грубыми заготовками — как наспех обтесанная глыба камня рядом с готовой скульптурой.

Грудки у нас небольшие, совершенной формы, с маленькими темно-коричневыми сосками. Там, где у женщины расположена главная фабрика грез, у нас нечто внешне похожее — орган-симулякр, о назначении которого я расскажу позже. Для деторождения он не служит. А сзади у нас хвост, пушистая гибкая антенна огненно-рыжего цвета. Хвост может становиться больше и меньше: в спящем состоянии он похож на пони-тэйл длиной в десять-пятнадцать сантиметров, а в рабочем — может вытянуться почти до метра длиной.

Когда лисий хвост увеличивается, рыжие волоски на нем тоже становятся гуще и длиннее. Это похоже на фонтан, напор которого увеличили в несколько раз (параллели с мужской эрекцией я бы проводить не стала). Хвост играет в нашей жизни особую роль, и не только из-за своей удивительной красоты. Я не зря назвала его антенной. Хвост — орган, с помощью которого мы создаем наваждения.

Как мы это делаем?

С помощью хвоста. И больше ничего тут не скажешь. Я не собираюсь утаивать правду, но к этому действительно трудно что-нибудь добавить. Разве человек, если он не ученый, может объяснить, как он видит? Или слышит? Или думает? Видит глазами, слышит ушами, а думает головой, вот и все. Так и мы — наводим морок хвостом. Ощущение от этого такое же простое и ясное, как в приведенных примерах. А объяснить механику происходящего в научных терминах я не берусь.

Что касается наваждений, то они могут быть разной природы. Здесь все зависит от личных качеств лисы, ее воображения, духовной силы и особенностей характера. Большую роль играет то, сколько человек должны увидеть наваждение одновременно.

Когда-то мы могли многое. Мы могли наводить иллюзии волшебных островов, показывать пляшущих в небе драконов тысячным толпам. Могли создавать видимость огромного войска, приближающегося к стенам города, и все горожане видели эту армию одинаково, вплоть до деталей экипировки и надписей на знаменах. Но это были великие, несравненные лисы древности, которые заплатили за свое чудотворство жизнью. А в целом наш род с тех пор сильно деградировал — наверно, из-за постоянной близости к людям.

У меня силы, конечно, совсем не те, что у великих лис. Скажем так, одного человека я могу заставить увидеть все что угодно. Двух? Почти всегда. Трех? Это уже зависит от обстоятельств. Здесь нет четких правил, и все решает ощущение: я чувствую свои возможности, примерно как скалолаз, стоящий у расщелины в горах. Он знает, где можно перепрыгнуть с одного края на другой, а где нет. Если не допрыгнешь, сорвешься в пропасть — аналогия с нашим колдовством очень точная.

Лучше не пытаться выйти за свои границы, потому что наваждение, сила которого недостаточна, чтобы полностью подчинить чужое сознание, выдает нас с головой. Механизм происходящего сложен, но внешний результат всегда один — когда человек внезапно выходит из-под гипнотического контроля (соскакивает с хвоста, как мы говорим), с ним случается припадок с непредсказуемыми последствиями. Чаще всего он пытается убить лису, которая в этот момент совсем беззащитна.

Дело в том, что в нашем спорте есть одна пикантная особенность. В нерабочем состоянии наш хвостик совсем маленький, поэтому мы прячем его между ног. Чтобы антенна заработала на полную мощность, ее нужно раскрыть. Для этого надо спустить штаны (или поднять юбку) и распустить хвост в огненно-рыжий шлейф. Сила внушения при этом возрастает во много десятков раз, и все серьезные вопросы решаются именно так.

Необходимость заголяться была бы чревата неловкими и двусмысленными ситуациями — но, на счастье лис, здесь есть одно удобное обстоятельство. Если успеть заголиться достаточно быстро, реципиент забудет все, что видел. Существует как бы зона сумрака, десяток-другой выпадающих из памяти секунд, за которые мы должны успеть осуществить этот маневр. То же самое бывает и при обмороке — придя в себя, человек не помнит случившегося непосредственно перед приступом.

Ну и последнее, что мне следует сказать. Мы питаемся обычной пищей (довольно близко к диете Аткинса). Но кроме этого мы в состоянии напрямую усваивать человеческую сексуальную энергию, которая выделяется во время акта любви — реального или воображаемого. И если обычная пища просто поддерживает химическое равновесие нашего тела, то сексуальная энергия похожа на главный витамин, который делает нас обворожительными и вечно юными. Вампиризм? Не уверена. Мы ведь просто подбираем то, чем разбрасывается неразумный человек. И если своей расточительностью он доводит себя до смерти, стоит ли обвинять нас?

В некоторых книгах про лис пишут, что они не моются — мол, так их и узнают. Это не потому, что мы грязнули. Просто избыток сексуальной энергии пропитывает нас бессмертной природой изначальной основы, и наше тело очищается само за счет вдыхаемой утренней свежести. А легкий запах, который оно источает, чрезвычайно приятен и напоминает одеколон «Essenza di Zegna», только прозрачнее, легче и без этого жаркого чувственного мистраля на дальнем заднем плане.

Теперь, надеюсь, мои действия станут яснее. Итак, я включила воду, чтобы клиент слышал ее шум, потом расстегнула штаны и чуть спустила их, высвободив хвост. Затем, стараясь не спешить, сосчитала до трехсот (пять условных минут) и открыла дверь.

*

В популярных изложениях теории относительности часто предлагается сравнить, что снимут две камеры — одна в независимой системе координат, а другая па голове астронавта. В нашем случае правильнее было бы говорить «в голове». Что показала бы камера в голове сикха? Дверь ванной раскрылась, и в комнату шагнула девушка его мечты из голубого детского сна. Вокруг ее тела было обернуто ослепительно белое полотенце.

Выйдя из ванной, девушка подошла к кровати,

откинула одеяло и спряталась под него, еле заметно покраснев: по всему было видно, что она в бизнесе недавно и еще не научилась профессиональному бесстыдству. Это увидел сикх.

Я не знаю, есть ли в номерах «Националя» камеры, установленные в независимой системе координат. Персонал уверяет, что нет. Но если бы они были, то показали бы следующее:

1) никакого полотенца на девушке не было. Она вообще не думала раздеваться, только чуть спустила штаны, над которыми торчал похожий на плюмаж хвост.

2) девушка не вошла в комнату, а вползла в нее на четвереньках, и ее хвост, качнувшись в воздухе, застыл над спиной рыжим вопросительным знаком.

3) она походила не столько на невесту, сколько на изготовившегося к прыжку зверя — ее зеленые глаза глядели зло и внимательно, и на лице не было даже тени улыбки.

4) поскольку слово «невеста» в современном русском языке означает нечто весьма близкое к выражению «изготовившийся к прыжку зверь», противопоставление здесь неуместно.

Увидев меня, сикх поднял брови и покачнулся. Когда человек попадает под гипноудар, по его лицу проходит словно бы тень тонкого отвращения, как при щелчке пули по черепу: если кто видел документальные съемки вьетнамских расстрелов, он поймет, о чем я говорю. Только после моей пули клиент не падает.

Улыбнувшись, сикх побрел к пустой кровати, по

дороге стаскивая с себя пиджак. Дождавшись, пока он устроится на ней поудобнее, я села на стул рядом и раскрыла свою сумочку.

Я занимаюсь нравственным самоусовершенствованием, поэтому избегаю смотреть на клиента после того, как начинается платное время. Даже рассказывать о том, что происходит с человеком во время свидания с лисой, стыдно. Стыдно прежде всего за человека, так как выглядит он ужасно. Ну и за себя немного неловко, поскольку с человеком все это происходит не просто так.

Я не желтая пресса, чтобы углубляться в скабрезные детали, поэтому скажу только, что человек ведет себя особенно неприглядно тогда, когда начинает воплощать в жизнь свои сексуальные фантазии. Его одиночество на ринге возводит эту непристойность в квадрат. Если же этот человек к тому же носит на голове синий тюрбан и настолько волосат, что его борода кажется растущей по всему телу, можно смело говорить не о квадрате, а о кубе.

Поддерживать наваждение значительно проще, чем создавать его, врываясь в чужой ум. Все решает первая секунда, дальше начинается рутина. Тем не менее, пока клиент находится в мире иллюзий, далеко отходить от него не следует, поскольку приходится выполнять функции сиделки. Смотреть же на пациента, как я уже объяснила, бывает тяжело. Поэтому я обыкновенно беру с собой книгу. Так было и на этот раз — устроившись рядом с кроватью, я открыла «Краткую историю времени» Стивена Хокинга, где написано много интересного о разных системах координат. Я несколько раз прочла эту книгу от корки до корки, но она до сих пор мне не надоела, и я каждый раз смеюсь так, будто читаю ее впервые. У меня даже есть подозрение, что это постмодернистская забава, этакий розыгрыш. Даже само имя Stephen Hawking подозрительно напоминает другого автора ужастиков, которого зовут Stephen King. Только ужасы здесь иного рода.

Сикх оказался сравнительно смирным — он бормотал что-то на родном языке и елозил в самом центре кровати. Можно было не опасаться, что он упадет на пол. Все-таки я, как и положено сиделке, изредка поглядывала на больного. Когда ему надоело обнимать пустоту сверху, он принялся прижиматься к ней сбоку. Потом опять залез наверх.

К этому зрелищу трудно привыкнуть. У людей происходят мышечные спазмы, и клиент в эти минуты выглядит так, словно действительно лежит на невидимом теле. Весь его вес покоится на неловко подвернутых кистях, а иногда и пальцах. Специально человек и нескольких секунд не продержался бы в такой позе, а в трансе может находиться в ней часами. Но подобные феномены многократно описаны в литературе, посвященной гипнозу, и нобелевки мне за это открытие не дадут. Да и не нужна мне людская слава. Мне от людей вообще ничего не нужно, кроме любви и денег.

Тот способ поддержания вечной юности, который открыт для меня на Всеобщем Пути Вещей, всегда казался мне немного постыдным, хотя обвинения в вампиризме я отвергаю. Никакого удовольствия от воровства чужой жизненной силы я не получаю и не получала. Морального удовольствия, я хочу сказать. Физиологический аспект здесь непобедим, но нравственной оценке он не подлежит: самый сострадательный к животным человек может с урчанием поедать на обед кровавый стейк, и противоречия здесь нет. Кроме того, в отличие от людей, которые убивают животных, я уже несколько веков никого не лишаю жизни. Сознательно, во всяком случае. Несчастные случаи бывают, но проведенная со мной ночь менее опасна, чем полет на российском вертолете в условиях средней видимости. Люди ведь летают на вертолетах в условиях средней видимости? Летают. Вот и я такой вертолет.

Кроме того, я не считаю, что забираю энергию у кого-то персонально. Человек, который ест яблоко, вовсе не вступает с этим яблоком в личные взаимоотношения, он следует установленному порядку вещей. Я рассматриваю свою роль в пищевой цепочке аналогично. Энергия, которая служит для зарождения жизни, не принадлежит людям. Вовлекаясь в акт любви, человек становится ее каналом, превращаясь из закупоренного сосуда в трубу, которая на несколько секунд соединяется с бездонным источником жизненной силы. Мне нужен только доступ к этому источнику, и все.

— А теперь ляг на животик, детка, — сказал сикх. — Пора заняться кое-чем посерьезнее.

Анальный секс — любимый спорт портфельных инвесторов. У этого есть простое психоаналитическое объяснение — достаточно сравнить тюремный жаргонизм «толкать говно» с выражением «вкладывать деньги», и все станет ясно. Я к анальному сексу отношусь положительно. При нем из мужского организма выбрасывается особенно много жизненной силы, и это лучшее время для сбора энергии.

Отложив книгу, я закрыла глаза и сделала обычную визуализацию — инь-ян, окруженный восемью пылающими триграммами. Затем я представила себя в виде черной половинки этого знака, а сикха — в виде белой. В центре черной половинки зажглась белая точка, а в центре белой — появилась такая же черная. Белая половинка стала темнеть, а черная светлеть, пока они не поменялись местами. Вся энергия ситуации теперь была у меня. На взгляд дилетанта это самый выгодный момент для расстыковки. Но я работаю только по методу «невеста возвращает серьгу» — как его поэтично назвали в Серединном Государстве лет шестьсот тому назад.

Если вы крадете чужую жизненную силу, важно не разгневать небо и духов своей жадностью. Поэтому я позволила ситуации войти в фазу переразвития. Поток энергии остановился, затем повернул назад. Моя визуализация стала быстро меняться: в центре светлой половинки инь-яна возникло черное пятнышко, а в темной появилось такое же белое. И только когда они стали отчетливо видны, я разорвала энергетическую связь и растворила визуализацию в пустоте.

После крупного выигрыша в казино не следует сразу уходить — лучше немного проиграть, чтобы не вызывать в людях злобы. То же и в нашем деле. В древние времена множество лис было убито исключительно из-за жадности. Тогда мы поняли — надо делиться! Небо не так хмурится, когда мы проявляем сострадание и отдаем часть жизненной силы назад. Это может показаться пустяком, но разница здесь — как между воровством и залоговым аукционом. Формально духам в этом случае карать не за что. А совесть все равно не обманешь, поэтому про нее можно не думать.

Поднявшись с кровати, сикх побрел в ванную.

Вернувшись, он лег на спину, закурил сигарету и стал расслабленно рассказывать соседней подушке какую-то историю из жизни. Мужчины после коитуса становятся словоохотливыми и добрыми примерно на полчаса, это связано с мозговым выбросом допамина, награждающего за выполненный долг. Я не особо слушала. Мне хотелось дочитать, как ведет себя черная дыра, когда из-за гравитационного коллапса ее диаметр становится меньше горизонта событий.

В этих астрофизических моделях мне чудился эротический подтекст, и у меня зрело убеждение, что Стивен Хокинг пишет не о физике, а о сексе — но не о жалком человеческом соитии, а о грандиозном космическом коитусе, от которого зародилась материя. Недаром ведь по-английски «большой взрыв» звучит так же, как «большой трах» — Big Bang. Все самое сокровенное во вселенной скрыто мраком черных дыр, но в сингулярность нельзя заглянуть, поскольку оттуда, как из спальни с выключенным торшером, не доходит свет... В сущности, думала я, астрофизики те же вуайеристы. Но вуайеристам иногда удается увидеть чужой акт любви в просвете между занавесками, а физики настолько обделены судьбой, что им приходится воображать абсолютно все, глядя в чернильную тьму...

Докурив и договорив, сикх снова принялся за дело — устроился на боку и надолго ушел в работу. Мерный скрип пружин убаюкивал. И я совершила самую глупую оплошность, на которую только способна лиса в рабочее время. Я заснула.

Я, собственно, только клюнула носом и сразу проснулась опять. Но этого было достаточно. Я почувствовала, что контакта с сикхом у меня нет.

Подняв взгляд, я встретила его выпученные глаза. Он видел меня, видел как есть, сидящей на стуле со спущенными штанами и торчащим из-за спины хвостом. А такой меня не должен наблюдать никто, кроме зеркал и духов.

*

Я первым делом подумала, что передо мной даос-заклинатель. Эта мысль была предельно нелепой, потому что:

1) последний даос, умевший охотиться на лис, жил в восемнадцатом веке.

2) даже если кто-нибудь дотянул бы до нашего времени, он вряд ли сумел бы замаскироваться под бородатого сикха с оксфордским выговором — too freaking much.

3) поскольку я работаю по методике «невеста возвращает серьгу», у даосов нет формального права открывать на меня охоту.

4) даосы никогда не кончают три раза подряд.

Но наш генетический страх перед заклинателями нечисти очень силен, и в минуту опасности мы всегда думаем о них. Как-нибудь я расскажу пару историй об этих типах, тогда мои чувства станут понятнее.

Через секунду я поняла, что никакой это не даос, а просто мой клиент соскочил с хвоста. Зрелище было жуткое. Сикх открывал и закрывал рот, словно рыба на берегу. Потом, пытаясь подчинить себе непослушное тело, он поднял перед собой руки и стал сжимать и разжимать пальцы. Затем издал несколько хриплых стонов и вдруг резво вскочил на ноги.

Тут мое оцепенение прошло, и я кинулась в ванную. Сикх бросился за мной, но я успела запереть дверь перед его носом. В минуту опасности мой ум работает быстро; я сразу поняла, что надо делать.

В каждой ванной комнате «Националя» есть красно-белый шнурок, свисающей из дырочки в стене. Я не знаю, к чему он подключен, но если за него дернуть, через десять секунд в номере зазвонит телефон, а еще через минуту в дверь постучат. Я дернула сигнальный шнур и кинулась назад к двери.

Следующие несколько минут были довольно волнительны. Вздрагивая от толчков, я ждала охрану и считала про себя, стараясь не спешить. Сикх бился в дверь изо всех сил, но мне удавалось сдерживать его без особого труда — мужчина он был некрупный.

Телефон зазвонил на двадцатой секунде. Сикх, естественно, к нему не подошел. Когда через минуту или две удары прекратились, я поняла, что в номере люди. Это было очень кстати — петли уже начинали выворачиваться. Донесся шум опрокидываемой мебели, звон выбитого стекла и неразборчивый крик, похожий на «кали ма!». Кричал сикх. Затем наступила тишина, которую нарушали только далекие гудки машин.

— Все, пиздец, — сказал мужской голос. — Не уберегли.

— Хорошо, сами убереглись, — сказал другой.

— Тоже верно, — ответил первый.

Лучше было дать о себе знать самой, чем дожидаться, пока меня найдут. Я жалобно позвала:

— Помогите!

Дверь открылась.

На пороге ванной стояли два шкафа — темные очки, костюмы, провода телесного цвета, спускающиеся из ушей... Просто культ агента Смита, подумала я. Кстати, была бы отличная религия для служб безопасности — ведь поклонялись римские легионеры Митре.

Один из охранников забормотал себе под нос — я разобрала только «триста девятнадцатый» и «вызов». Он обращался не ко мне.

Насколько я знаю, микрофон у них спрятан за лацканом пиджака, поэтому часто кажется, что они говорят сами с собой. Иногда это выглядит очень смешно. Один раз я видела, как такой громила осматривал женский туалет — распахивал двери в кабинки и говорил нараспев: «Здесь никого... Здесь тоже никого... Окно закрыто выступом стены...» Если б я не знала, в чем дело, могла бы решить, что он грустит о несостоявшейся встрече, отливая свою печаль в ямб.

— За шнур ты дергала? — спросил второй охранник.

— Я, — сказала я. — А где...

Охранник кивнул на распахнутое окно с выбитым стеклом.

— Вон там.

— Он что, — я сделала круглые глаза, — он...

— Да, — сказал охранник. — Как бешеный кинулся, когда нас увидел. Наркотики принимали?

— Какие наркотики? Я уже год здесь работаю. Меня все знают, проблем никогда не было.

— Появились. Чего он от тебя хотел?

— Я даже не поняла, — сказала я. — Хотел, чтобы я ему какой-то фистинг сделала. Я сказала, что не умею, тогда он стал... Ну, в общем, я спряталась в ванной и дернула сигнализацию. А остальное вы видели.

— Да уж. Документы с собой?

Я отрицательно покачала головой. Дашь таким паспорт, назад не получишь.

— Может, я пойду? Пока менты не приехали?

— Куда — пойду? С ума сошла? Ты главный свидетель, — сказал охранник. — Будешь показания давать, чем вы тут занимались.

Это в мои планы не входило. Я оценила ситуацию. Пока передо мной были всего двое, сохранялся шанс замять дело. Но с каждой секундой он уменьшался — я знала, что скоро народу здесь будет полная комната.

— Можно мне в туалет?

Охранник кивнул, и я вернулась в ванную. Действовать следовало быстро, поэтому я не колебалась ни секунды. Спустив штаны, я высвободила хвост, нагнулась и распахнула дверь. Я сделала это резко, и охранники немедленно повернули ко мне лица.

Я считаю, что человек лучше всего раскрывается в ту секунду, когда он уже заметил лисий хвост, но еще не попал под власть внушения. Обычно клиенту хватает времени показать свое отношение к увиденному. Этого достаточно, чтобы понять, с кем имеешь дело.

Ограниченные и пошлые неудачники кривят лицо в гримасу хмурого недоверия. Зато на лицах людей, у которых есть потенциал для внутреннего роста, отражается нечто похожее на удивленную радость.

Один из охранников наморщился. Второй выпучил глаза (видно было даже сквозь очки) и открыл рот, словно ребенок, который увидел обещанную фотографом птичку. Выглядело это очень мило.

Я не могла, конечно, совсем убрать свой отпечаток из их памяти — для этого надо стрелять из пистолета в голову. Я могла только поменять контекст воспоминания — и я внушила им, что они встретили меня в коридоре по пути в номер. Затем я заставила их войти в ванную. Как только за ними закрылась дверь, я подняла с пола книгу Стивена Хаукинга, кинула ее в сумочку, натянула штаны и выскочила в коридор.

На лестнице стоял еще один охранник. Увидев меня, он сделал мне знак подойти. Когда я приблизилась, он провел ладонью по моим ягодицам, заставив меня как можно плотнее вжать между ними хвостик. В другой ситуации он получил бы за это как минимум синячный щипок. Но сейчас было неясно, чем все закончится, и я предпочла шлепнуть его по руке. Он погрозил мне пальцем, а затем этот жест плавно перетек в другой: его большой и указательный пальцы соединились и потерлись друг о друга.

Я поняла. Обычно девушки вроде меня отдают сто долларов на выходе, но тут, в силу форс-минорных обстоятельств, предлагалось осуществить расчет на месте. Я вынула из кошелька бенджаминку, которую охранник подцепил теми же пальцами, которые только что терлись друг о друга. В экономичности этого движения была своеобразная красота — погрозил, напомнил, взял. Ни одного лишнего сокращения мышц. Как говорил японский фехтовальщик Минамото Мусаси, мастера видно по стойке.

Спустившись по украшенной лилиями лестнице, я без приключений выбралась на улицу. Справа от выхода уже собралась толпа, в которой было несколько милиционеров — видимо, там лежал бедняжка сикх. Я пошла в другую сторону и через несколько шагов оказалась за углом. Теперь оставалось поймать такси. Оно остановилось почти сразу.

— Битца, — сказала я. — Конно-спортивный комплекс.

— Триста пятьдесят, — ответил шофер.

Сегодня у него был удачный день. Я прыгнула на заднее сиденье, захлопнула дверь, и такси повезло меня прочь от беды, которая еще пять минут назад казалась неотвратимой.

Мне не в чем было себя упрекнуть, но настроение у меня испортилось. Мало того, что погиб ни в чем не повинный человек. Я потеряла работу в «Национале» — соваться туда в обозримом будущем не следовало. Это значило, что мне придется искать другие виды заработка. Причем прямо с завтрашнего дня — средства были на исходе, и отданная охраннику сотка уже означала бюджетный дефицит.

Один мой знакомый говорил, что зло в нашей жизни могут победить только деньги. Это интересное наблюдение, хотя и не безупречное с метафизической точки зрения: речь надо вести не о победе над злом, а о возможности временно от него откупиться. Но без денег зло побеждает в течение двух-трех дней, это проверенный факт.

Я могла бы разбогатеть, если бы занималась плутовством. Но добродетельная лиса должна зарабатывать только проституцией и ни в коем случае не использовать свой гипнотический дар в других

целях — это закон неба, нарушать который не доз-
воляется. Конечно, иногда приходится это делать.
Я сама только что запорошила глаза двум охранни-
кам. Но так себя вести можно только тогда, когда в
опасности твоя жизнь и свобода. Лиса не должна
даже думать о доверчивых инкассаторах или обще-
ствах с ограниченной ответственностью. А если со-
блазн становится слишком силен, надо вдохновлять
себя примерами из истории. Жан-Жак Руссо мог
бы купаться в деньгах, а чем зарабатывал всю жизнь?
Перепиской нот.

Пристроиться в другую гостиницу было непросто, и в обозримом будущем я видела всего два ва-
рианта: панель и интернет. Интернет казался более
привлекательным, все-таки он был главным на-
правлением прогресса, и торговать собой на его оп-
товолоконных панелях было футуристично и стильно. Как интересно, думала я, все без конца рассуж-
дают о прогрессе. А в чем он заключается? В том,
что древнейшие профессии обрастают электрон-
ным интерфейсом, вот и все. Природы происходящего прогресс не меняет.

Шофер заметил мое мрачное расположение духа.

— Что, — спросил он, — обидел кто, дочка?

— Угу, — сказала я.

Последний раз меня обидел он сам, когда на-
значил триста пятьдесят рублей за дорогу.

— А ты наплюй, — сказал шофер. — Меня за
день знаешь сколько раз обижают? Если бы я все в
голову брал, она бы у меня была как воздушный
шар с говном. Наплюй, точно говорю. Завтра уже
не вспомнишь. А жизнь знаешь какая длинная.

— Знаю, — сказала я. — А как это сделать — на-
плевать?

— Просто наплюй, и все. Думай о чем-нибудь приятном.

— А где его взять?

Таксист покосился на меня в зеркало.

— У тебя ничего приятного нет в жизни?

— Нет, — сказала я.

— Как так?

— Да вот так.

— Что ж, одно страдание?

— Да. И у вас тоже.

— Ну, — засмеялся таксист, — об этом ты знать не можешь.

— Могу, — сказала я. — Иначе вы бы здесь не сидели.

— Почему?

— Я бы объяснила. Только не знаю, поймете ли вы.

— Ишь ты какая, — фыркнул шофер, — что, думаешь, я глупее тебя? Уж наверно, пойму, если ты поняла.

— Хорошо. Ясно ли вам, что страдание и есть та материя, из которой создан мир?

— Почему?

— Это можно объяснить только на примере.

— Ну давай на примере.

— Вы знаете историю про барона Мюнхгаузена, который поднял себя за волосы из болота?

— Знаю, — сказал шофер. — В кино даже видел.

— Реальность этого мира имеет под собой похожие основания. Только надо представить себе, что Мюнхгаузен висит в полной пустоте, изо всех сил сжимая себя за яйца, и кричит от невыносимой боли. С одной стороны, его вроде бы жалко. С другой стороны, пикантность его положения в том, что стоит ему отпустить свои яйца, и он сразу же исчезнет, ибо по своей природе он есть просто сосуд боли с седой косичкой, и если исчезнет боль, исчезнет он сам.

— Это тебя в школе так научили? — спросил шофер. — Или дома?

— Нет, — сказала я. — По дороге из школы домой. Мне ехать очень долго, всякого наслушаешься и насмотришься. Вы пример поняли?

— Понял, понял, — ответил он. — Не дурак. И что же твой Мюнхгаузен, боится отпустить свои яйца?

— Я же говорю, тогда он исчезнет.

— Так, может, лучше ему исчезнуть? На фиг нужна такая жизнь?

— Верное замечание. Именно поэтому и существует общественный договор.

— Общественный договор? Какой общественный договор?

— Каждый отдельный Мюнхгаузен может решиться отпустить свои яйца, но...

Я вспомнила рачьи глаза сикха и замолчала. Кто-то из сестричек говорил — когда во время неудачного сеанса клиент соскакивает с хвоста, он несколько секунд видит истину. И эта истина так невыносима для человека, что он первым делом хочет убить лису, из-за которой она ему открылась, а потом — себя самого... А другие лисы говорят, что человек в эту секунду понимает: физическая жизнь есть глупая и постыдная ошибка. И первым делом он старается отблагодарить лису, которая открыла ему глаза. А затем уже исправляет ошибку собственного существования. Все это чушь, конечно. Но откуда берутся такие слухи, понятно.

— Что «но»? — спросил шофер.

Я пришла в себя.

— Но когда шесть миллиардов Мюнхгаузенов крест-накрест держат за яйца друг друга, миру ничего не угрожает.

— Почему?

— Да очень просто. Сам себя Мюнхгаузен может и отпустить, как вы правильно заметили. Но чем больней ему сделает кто-то другой, тем больнее он сделает тем двум, кого держит сам. И так шесть миллиардов раз. Понимаете?

— Тьфу ты, — сплюнул он, — такое только баба придумать может.

— И снова с вами не соглашусь, — сказала я. — Это предельно мужская картина мироздания. Я бы даже сказала, шовинистическая. Женщине просто нет в ней места.

— Почему?

— Потому что у женщины нет яиц.

Дальше мы ехали молча.

Бывает такое, чего скрывать — загрузишь человека, и легче становится на душе. Почему так? Ведь ничего от этого не меняется — ни в твоей жизни, ни в чужой. Тайна. Ничего, пускай подумает о главном, это никому еще не вредило.

* * *

Утром на следующий день история с сикхом была в новостях. Я полезла в интернет не за этим, но какой-то наглый червь прописал мне «слухи.ру» в качестве стартовой страницы, и у меня все не доходили руки поменять ее. Я заставила себя дочитать заметку до конца:

БИЗНЕСМЕН ИЗ ИНДИИ ПОКОНЧИЛ С СОБОЙ
НА ГЛАЗАХ У СЛУЖБЫ БЕЗОПАСНОСТИ

Московская гостиница «Националь» скоро станет в общественном сознании зоной повышенного риска. У москвичей еще не стерся из памяти теракт у ее входа, и вот новое громкое дело: сорокатрехлетний бизнесмен из индийского штата Пенджаб покончил с собой, выбросившись из окна пятого этажа. Так, во всяком случае, утверждают два находившихся с ним в момент трагедии охранника, постоянно работающие в этой гостинице. По их словам, гость из Индии вызвал их, дернув за шнур спецсигнализации, а когда они вошли в номер, безо всякой видимой причины разбежался и выпрыгнул в окно. Смерть при ударе о мостовую наступила мгновенно. Установлено, что незадолго до гибели бизнесмена посещала девушка полусвета. Ведется расследование.

Почему пятый этаж, подумала я, у него ведь был триста девятнадцатый номер. Хотя да, у них такая с понтом европейская нумерация — первые два этажа не считаются, и триста девятнадцатый будет как раз на пятом...

Затем мои мысли переключились на таинственное слово «полусвет». Почему, интересно, не «четверть-свет»? Такой метод словообразования позволил бы математически точно определить глубину женского падения. Наверно, за две тысячи лет у меня образовался серьезный знаменатель...

Тут мне, наконец, стало стыдно за свою бесчувственность. Погиб некоторым образом близкий мне человек — а я считаю этажи и дроби. Пусть условно-временно-галлюцинаторно близкий. Все равно полагалось бы испытать сострадание, хотя бы такое же зыбкое, как наша близость. Но его не было совсем — сердце напрочь отказывалось его выделять.

Как говорят мои юные соратницы из провинции, сухостой. Вместо этого я еще раз задумалась о причинах вчерашнего эксцесса:

1) дело могло быть в астральном фоне гостиницы «Националь», где в фотогалерее «почетные постояльцы» Айседора Дункан висит рядом с Дзержинским.

2) случившееся могло быть кармическим эхом какого-нибудь кровавого бизнес-ритуала, которые так любят в Азии.

3) оно было косвенным следствием отката Индии от учения Будды, случившегося в Средние века.

4) сикх все-таки поклонялся тайком богине Кали — не зря же он крикнул «кали ма», бросаясь в окно.

Хочу пояснить, что у меня бывает до пяти внутренних голосов, каждый из которых ведет собственный внутренний диалог; кроме того, они могут начать спор между собой по любому поводу. Я в этот спор не вмешиваюсь, а только прислушиваюсь, ожидая намека на разгадку. Имен у этих голосов нет. В этом смысле я простая душа — у некоторых лис таких голосов до сорока, с многосложными красивыми именами.

Старые лисы говорят, что эти голоса принадлежали душам, поглощенным нами во времена первозданного хаоса: по легенде, такие души прижились в нашем внутреннем пространстве, войдя в подобие симбиоза с нашей собственной сущностью. Но это скорее всего просто басни, поскольку каждый из этих голосов — мой, хотя все они разные. А если рассуждать, как эти старые лисы, можно сказать, что и я сама — душа, которую кто-то съел в глубокой древности. Все это пустая перестановка слагаемых, от которых суммарная А Хули не меняется.

Из-за этих голосов лисы думают не так, как люди: разница в том, что вместо одного мыслительного процесса в нашем сознании разворачивается несколько. Ум одновременно идет по разным дорогам, вглядываясь, на какой из них раньше блеснет истина. Чтобы передать эту особенность моей внутренней жизни, я обозначаю разные этажи своего внутреннего диалога цифрами 1), 2), 3) и так далее.

Эти мыслительные процессы никак не пересекаются друг с другом — они совершенно автономны, но мое сознание вовлечено в каждый из них. Есть циркачи, которые одновременно жонглируют большим количеством предметов. То, что они проделывают с помощью тела, я делаю умом, вот и все. Из-за этой особенности я склонна составлять списки и разбивать все на пункты и подпункты — даже там, где с точки зрения человека в этом нет никакой нужды. Прошу меня извинить, если такие разбиения и перечисления будут встречаться на этих страницах. Именно таким образом все происходит в моей голове.

Как можно отчетливей представив себе покойного сикха, я трижды прочитала заупокойную мантру и отправилась на «reuters.com» узнать, что нового в мире. В мире все было точно так же, как последние десять тысяч лет. Порадовавшись заголовку «America Ponders Mad Cow Strategy»[1], я отправилась на свой почтовый сервер.

---

[1] Дословно «Америка обдумывает стратегию сумасшедшей коровы». Имеется в виду стратегия действий по сдерживанию коровьего бешенства.

Вместе с предложением увеличить длину полового члена и зазипованным файлом, который я не стала открывать несмотря на заманчивую тему сообщения («Britney Blowing a Horse»)[1], меня ждала нечаянная радость — письмо от сестрички И Хули, от которой давно уже не было никаких вестей.

Я знала сестричку И со времен Сражающихся Царств. Это была жуткая пройдоха. Много веков назад она прославилась на весь Китай как императорская наложница по имени Летящая Ласточка. В результате наблюдений за ее полетами император прожил лет на двадцать меньше, чем мог бы. И Хули после этого наказали духи-охранители, и она стала держаться в тени, специализируясь на богатых аристократах, которых она незаметно для мира выдаивала в тишине загородных поместий. Последние несколько сотен лет она жила в Англии.

Письмо было совсем коротким:

«Здравствуй, рыженькая.

Как ты? Надеюсь, у тебя все хорошо. Извини, что дергаю тебя по пустяковому поводу, но мне срочно нужна твоя консультация. По моим сведениям, в Москве есть храм Христа Спасателя, который сначала разрушили до последнего камня, а потом восстановили в прежнем виде. Правда ли это? Что ты об этом знаешь? Ответь побыстрее!

Люблю и помню,
твоя И».

Странно, подумала я, с чего бы вдруг? Однако она просила ответить срочно. Я кликнула по кнопке «reply».

---

[1] Бритни Спирс сосет у коня.

«Здравствуй, рыжик.

У нас на севере все по-прежнему. Как-нибудь напишу подробнее, а пока отвечаю на твой вопрос. Да, в Москве есть храм Христа Спасителя (так правильно), который взорвали после революции и восстановили в конце прошлого века. От него действительно не осталось камня на камне — на его месте долгое время был бассейн. А теперь бассейн засыпали и храм построили заново. С культурной точки зрения это неоднозначное событие — я видела на одной демонстрации лозунг: «Требуем восстановить варварски уничтоженный клептократией бассейн «Москва»!» Что касается меня, то я ни разу не посещала ни первого, ни второго заведения, и собственного мнения по этому вопросу у меня нет.

Люблю и помню,
твоя А».

Послав письмо, я отправилась на сайт «шлюхи.ру».

Он выглядел живописно — даже рекламные pop-ups в большинстве были тематическими:

Увидеть Париж и жить!
Durex anal extra strong.

Свои джипы появились и здесь. Рынок искал новые подходы и ниши: мне попадались презервативы «Occam's Razor» с портретом средневекового схоласта и слоганом «Не следует умножать сущности без необходимости». Вильяма Оккама я знала лично. В четырнадцатом, кажется, веке я сказала ему при встрече, что от его принципа-бритвы всего один шаг до духовной кастрации. Он долго гонялся за мной по своему мюнхенскому дому, а через два века началась Реформация. Но мне некогда было отвлекаться на воспоминания — надо было быстрее сочинить объявление, а для этого следовало ознакомиться с имеющимися образцами.

Их, к счастью, было огромное количество. Мне показалась занятной одна особенность жанра: многие девушки украшали свои объявления несколькими стихотворными вставками, не имевшими отношения к списку услуг — своего рода словесный пирсинг, в котором мне тоже захотелось поупражняться.

Через час мой текст был готов. Взыскательный критик, возможно, назвал бы его компиляцией, но я не собиралась делать себе имя в литературных кругах. Мое объявление начиналось так:

> *А я шустрая девица,*
> *и в интиме мастерица!*

> *Улыбка, гибкий стан, чего еще ты ждал?*
> *Есть классика, анал и страстности запал!*

Второе двустишие, отделенное от первого пустой строкой, не было связано с ним ни рифмой, ни размером — словно две разные сережки в мочке уха. Выглядело вполне аутентично, остальные девочки делали так же. Стихи были набраны жирным шрифтом, а информационный блок шел за ними следом:

«Сказка с Вашим Концом!
Маленькая грудь за большие деньги. Рыжий котеночек ждет звонка от состоятельного господина. Классический секс, глубокий и королевский минет, анал, петтинг, бандаж, порка (в т.ч. Русская

*Плеть), фут-фетиш, страпон, ветка сакуры, лесбис,
оральная и анальная стимуляция, куннилингус (в т.ч.
принудительный), перемена ролей, золотой и серебряный дождь, фистинг, пирсинг, катетер, копро, клиз-
ма, легкое и глубокое доминирование, услуги Госпожи
и Рабыни. Face control. Выезд по договоренности. Возможно многое. Почти все. Трахни меня и забудь! Если
сможешь...»*

Ничего себе котеночек, подумала я, перечитав
написанное. Признаться, я не до конца понимала,
при чем здесь бандаж и зачем нужна ветка сакуры.
Фистинг я тоже плохо себе представляла — но, судя
по тому, что в других объявлениях он был либо
оральным, либо вагинальным, это была такая же
мерзость, как и все остальное. Фистинг... Может, от
слова fist — когда кулак засовывают? Значит, бывает
и per oris? А в одном объявлении я вообще видела
такое вот перечисление — «минет, пиар, куннилингус». Что тут имелось в виду? Или «страпон». Похоже на что-то космическое, из романтических шестидесятых прошлого века. Только вряд ли. Но, к
счастью, мне и не надо знать, что такое страпон —
главное, чтобы представлял себе клиент.

Думаю, никто кроме лисы не поймет, как я могу
оказать услугу «страпон», не зная, что это такое.
Объяснить такое сложно, тут можно только приводить аналогии. Я чувствую сознание клиента как
упругую теплую сферу, и, чтобы направить бедняжку в мир его мечты, мне надо сначала выдавить своим хвостиком вмятинку в самом горячем месте этой
сферы, а потом сделать так, чтобы вмятинка разгла-
дилась и пошла по сфере рябью. Это будет просто

страпон. А вот если мягко заставить вмятинку вывернуться в другую сторону и стать тонкой пипочкой, это будет такой страпон, о котором клиент, пуская слюни, будет вспоминать до тех пор, пока его ум не погрузится в холодный океан болезни Альцгеймера.

То же самое относится к фистингу, легкой доминации и прочему — даже если вы хотите до смерти избить бейсбольной битой пожилого трансвестита с высшим музыкальным образованием и золотым зубом во рту, то и с этим сомнительным проектом я могу вам помочь. Но мне самой лучше не знать до конца, что происходит в чужом сознании — так легче сохранить душу в чистоте.

По этой причине у меня не было сомнений в своей способности справиться с перечнем объявленных услуг, какими бы они ни были. Но все же в тексте чего-то недоставало. Подумав, я вписала после «Рыжий котеночек ждет звонка от состоятельного господина» следующее:

«Транссексуалка, универсалка, penis 26x4. Всегда следовать правилам — значит лишить себя всех удовольствий! Нужно уметь делать глупости, которых требует от нас наша природа».

Эх, знали бы они, что такое наша природа, вздохнула я и убрала транссексуалку. Как говорил повар великого князя Михаила Александровича, каши маслом не испортишь, но вот масло легко испортить кашей. Требовалось другое... Поразмыслив, я решила заменить «услуги Госпожи и Рабыни» на «услуги Госпожи, Рабыни и Прекрасной Дамы». Это не обязывало к дополнительным физическим усилиям, пусть даже воображаемым, но распахивало простор для фантазии.

Может, залакировать классикой? Александром Блоком?

«Страны счастья, чужого доселе, мне раскрыли объятия те, и, спадая, запястья звенели громче, чем в его нищей мечте...»

Или так:

«Страны нового дивного счастья он увидел в смеженных очах, и, спадая, звенели запястья громче, чем в его нищих мечтах...»

Мечты... Моя знакомая куртизанка времен Поздней Хань часто повторяла, что слабое место мужчины — его мечтательный ум. Когда она состарилась, ее отдали вождю кочевников в качестве отступного, и тот сварил бедняжку в кобыльем молоке в надежде вернуть ей юность. Вот так слабость иногда становится страшной силой.

Нет, решила я, Блока ставить не стоит — его стихи очищают душу и будят в ней самое высокое. А если в клиенте проснется самое высокое, мы потеряем клиента, это знает любой маркетолог. Поэтому вместо цитаты из «Соловьиного сада» я поставила в конце следующее двустишие:

Бурлящий ток, без ласки я скучаю,
Я страстное знакомство обещаю!

Совершенствовать текст можно было до бесконечности — известно, что этот процесс у настоящего поэта продолжается до момента, когда издатель приходит за рукописью. В данном случае мне следовало забрать рукопись у себя самой. Поэтому я решилась поставить точку.

Раньше я никогда не работала с сайтом «шлюхи.ру». Процедура размещения информации оказалась такой же, как и на других подобных ресурсах, но было одно неприятное отличие — объявление и снимки оплачивались раздельно. Разместить голый текст стоило сто пятьдесят долларов, фотографии были по двадцатке каждая. У меня было три WMZ-карты, которые принимали к оплате на сайте — сто, пятьдесят и двадцать долларов. Видно, под эти номиналы все и было заточено. Я могла разместить только одну фотку — или следовало ехать на Павелецкую за новым запасом интернет-денег. Я решила ограничиться одним снимком, но послать его немедленно, чтобы утром он уже висел на проводах. Но быстро все равно не вышло — я подбирала фотографию почти час.

Выбор оказался трудным, потому что каждый вариант окрашивал услуги из моего списка в другой тон, освещая *страпон* и *фистинг* новыми смысловыми зарницами. В конце концов я остановилась на старой черно-белой фотографии — на фоне книжных полок, с томиком Ходасевича в руках. Это была «Тяжелая лира», а сам снимок, сделанный в сороковых годах, выглядел дивно и загадочно — на нем словно мерцал прощальный отблеск Серебряного века, что уместно перекликалось с последней из объявленных услуг. Как хорошо, что я успела оцифровать самые ценные негативы и дагерротипы!

Оставалось выбрать творческий псевдоним. Найдя через «Google» подходящий список, я взяла из самого его начала имя «Адель». В аду родилась елочка, в аду она росла...

Фотография была хорошего качества и занимала четверть мегабайта. Я нажала на кнопку «send».

Мое личико покорно улыбнулось, нырнуло по проводам в стену, унеслось в телефонный кабель, проскочило по электрическому позвоночнику улицы, переплелось с другими именами и лицами, несущимися бог весть откуда и куда, и умчалось к далекому сетевому шлюзу, к еле видным на горизонте громадам сине-серых атлантических серверов.

* * *

Звонок по объявлению раздался на следующее утро, в одиннадцать с небольшим. Клиента звали Павел Иванович. Интересной ему показалась та строчка в моем объявлении, где говорилось про Русскую Плеть. Как выяснилось, Русская Плеть у него была своя, даже не одна, а целых пять — четыре на специальной резной стойке и одна в теннисной сумке.

Хочу сразу оговориться — я бы с удовольствием выкинула из своих записок все упоминания о Павле Ивановиче, но без него повествование будет неполным. Он сыграл в моей жизни важную роль, как может сыграть ее заплеванный подземный переход, по которому героиня случайно переходит на другой берег судьбы. Поэтому рассказать о нем все же придется, и я прошу извинения за неаппетитные подробности. В некоторых компьютерных играх есть такая кнопочка «Тх2», после нажатия на которую время течет в два раза быстрее. Вот и я — нажму на такую кнопочку и постараюсь упарить его в минимальный объем.

Кажется, это Диоген Лаэртский рассказывал о философе, который три года обучался бесстрастию, платя монету каждому оскорбившему его человеку. Когда его ученичество кончилось, философ перестал раздавать деньги, но навыки остались: однажды его оскорбил какой-то невежа, и он, вместо того чтобы наброситься на него с кулаками, захохотал. «Надо же, — сказал он, — сегодня я бесплатно получил то, за что платил целых три года!»

Когда я впервые прочитала об этом, я испытала зависть, что в моей жизни нет подобной практики. После знакомства с Павлом Ивановичем я поняла, что такая практика у меня есть.

Павел Иванович был пожилым гуманитарием, похожим на оплывшую волосатую свечу розового цвета. Раньше он был *правым либералом* (я не понимала смысла этого дикого словосочетания), но после известных событий раскаялся настолько, что взял на себя личную ответственность за беды Отчизны. Чтобы успокоить душу, ему надо было раз или два в месяц принять бичевание от *Юной России*, которую он обрек на нищету, вынудив вместо учебы в университете зарабатывать на жизнь бичеванием пожилых извращенцев. Получался замкнутый круг, о котором я, возможно, задумалась бы всерьез, не мастурбируй он во время сеанса. Это убивало всю тайну.

Если бы *Юной Россией* при нем состояла реальная секс-работница откуда-нибудь с Украины, он никогда не договорился бы о часовом сеансе за пятьдесят долларов. Бичевание — тяжелый труд, даже если процедура просто внушается. Но я стала ездить к Павлу Ивановичу не только ради денег, а еще и потому, что он невероятно меня раздражал, вызывая во мне настоящие спазмы ярости. Приходилось собирать всю волю, чтобы держать себя в руках. По практическим соображениям мне следовало ориентироваться на спонсоров побогаче. Но характер следует упражнять именно в трудные периоды жизни, когда смысла в этом не видно. Вот тогда это приносит пользу.

Чтобы я понимала свою роль в происходящем, Павел Иванович подробно рассказал мне о причинах своего покаяния. Я хотела потребовать за понимание еще пятьдесят долларов в час и ждала момента, когда можно будет заговорить о таксе. Но он все никак не наступал: Павел Иванович говорил необыкновенно долго. Зато я почерпнула из его объяснения массу интересной информации:

— Между 1940 и 1946 годами, милочка, объем промышленного производства в России упал на двадцать пять процентов. Это со всеми ужасами войны. А между 1990 и 1999 годами он сократился больше чем наполовину... Посерьезней Чингисхана и Гитлера вместе взятых. И это не коммуняки клевещут, пишет Джозеф Стиглиц, главный экономист Мирового банка и нобелевский лауреат. Не читали «Globalization and its Discontents»?[1] Страшная книга. А что касается Америки, то ей атомная бомба вообще не нужна, пока есть ВТО и Международный валютный фонд...

Я даже стала забывать, зачем я сижу в его квартире, и только кожаная плеть, которая лежала между нами на столе, напоминала мне об этом. Скоро выяснилось, что покаяние Павла Ивановича было тотальным — оно затрагивало не только экономический аспект российской реформы, но и культурную историю последних десятилетий.

— А знаете ли вы, — говорил он, пристально глядя мне в глаза, — что ЦРУ в свое время финан-

---

[1] Глобализация и ее беды.

сировало движение битников и психоделическую революцию? Целью было создать привлекательный образ Запада в глазах молодежи. Надо было притвориться, что America has fun[1]. И притворились — даже сами на время поверили. Но самое смешное в том, что все эти дети генералов ЛСД, которые пробовали КГБ и старательно косили под битников, действительно шли на поводу у ЦРУ, то есть совершали тот самый грех, в котором обвиняла их партия! А ведь это была будущая интеллигенция, нервная система нации...

Говоря о вине интеллигенции перед народом, он постоянно употреблял два термина, которые казались мне синонимами, — «интеллигент» и «интеллектуал». Я не выдержала и спросила:

— А чем интеллигент отличается от интеллектуала?

— Различие очень существенное, — ответил он. — Я берусь объяснить только аллегорически. Понимаете, что это значит?

Я кивнула.

— Когда вы были совсем маленькая, в этом городе жили сто тысяч человек, получавших зарплату за то, что они целовали в зад омерзительного красного дракона. Которого вы, наверно, уже и не помните...

Я отрицательно покачала головой. Когда-то в юности я действительно видела красного дракона, но уже забыла, как он выглядел, — запомнился только мой собственный страх. Павел Иванович вряд ли имел в виду этот случай.

— Понятно, что эти сто тысяч ненавидели дра-

---

[1] В Америке есть кайф.

кона и мечтали, чтобы ими правила зеленая жаба, которая с драконом воевала. В общем, договорились они с жабой, отравили дракона полученной от ЦРУ губной помадой и стали жить по-новому.

— А при чем тут интелл...

— Подождите, — поднял он ладонь. — Сначала они думали, что при жабе будут делать точь-в-точь то же самое, только денег станут получать в десять раз больше. Но оказалось, что вместо ста тысяч целовальников теперь нужны три профессионала, которые, работая по восемь часов в сутки, будут делать жабе непрерывный глубокий минет. А кто именно из ста тысяч пройдет в эти трое, выяснится на основе открытого конкурса, где надо будет показать не только высокие профессиональные качества, но и умение оптимистично улыбаться краешками рта во время работы...

— Признаться, я уже потеряла нить.

— А нить вот. Те сто тысяч назывались интеллигенцией. А эти трое называются интеллектуалами.

У меня есть одна труднообъяснимая особенность. Я терпеть не могу, когда при мне произносят слово «минет» — во всяком случае, вне рабочего контекста. Не знаю почему, но меня это бесит. К тому же сравнение Павла Ивановича показалось мне настолько хамским намеком на мою профессию, что я даже забыла о надбавке, которую хотела попросить.

— Вы про глубокий минет говорите, чтобы я понять могла? В силу своего жизненного опыта?

— Какое там, милая, — сказал он снисходительно. — Я в таких терминах объясняю, потому что сам при этом начинаю понимать, в чем дело. И дело тут не в вашем жизненном опыте, а в моем...

В другой раз во время порки он начал читать журнал. Это само по себе было оскорбительно. А когда он стал тыкать пальцем в статью и бормотать «молчал бы, сволочь», я почувствовала раздражение и прекратила процедуру — то есть внушила ему паузу.

— Что такое? — спросил он удивленно.

— Я не пойму, у нас здесь флагелляция или изба-читальня?

— Извините, милочка, — сказал он, — тут интервью одно возмутительное. Это просто черт знает что такое!

И он щелкнул пальцами по журналу.

— Не имею ничего против детективов, но терпеть не могу, когда детективщики начинают объяснять, как нам обустроить Россию.

— Почему?

— Это как если бы малолетка, которую шофер-дальнобойщик подвозит минета ради, вдруг подняла голову от рабочего места и стала давать указания, как промывать карбюратор на морозе.

Видимо, Павел Иванович даже не понимал, как оскорбительно это звучит при разговоре с секс-работником. Но я успела осознать волну гнева до того, как она завладела мной, отчего в душе сразу разлилось веселое спокойствие.

— А что такого, — сказала я как ни в чем не бывало. — Может, она стольких дальнобойщиков обслужила, что вошла во все тонкости и теперь действительно может научить промывать карбюратор.

— Мне, милая, жалко таких дальнобойщиков, которым в качестве консультанта нужна говорливая минетчица. Далеко они не уедут.

«Говорливая минетчица», вот как. Какой же все-таки... Я снова поймала вспышку ярости в момент ее возникновения, и гнев опять не успел проявиться.

Это было здорово. Словно во время бури прыгаешь на доску для серфинга и мчишься на ней по волнам разрушительных эмоций, которые ничего не могут тебе сделать. Всегда бы так, подумала я, сколько народу осталось бы живо... Возражать Павлу Ивановичу по существу я не стала. Нам, лисам, идущим надмирным дао-путем, лучше не иметь по таким поводам собственного мнения. Ясно было одно: Павел Иванович — бесценный тренажер духа.

К сожалению, я поздно поняла, что для меня это слишком большой вес. Когда я первый раз потеряла контроль над собой, обошлось без увечий. Меня вывела из себя одна его фраза про Набокова (это не говоря о том, что на его столе лежала ксерокопия статейки под названием *«Явление парикмахера официантам: феномен Набокова в американской культуре»*).

Я любила Набокова с тридцатых годов прошлого века, еще с тех пор, когда доставала его парижские тексты через высокопоставленных клиентов из НКВД. Ах, каким свежим ветром веяло от этих машинописных листов в жуткой сталинской столице! Особенно, помню, меня поразило одно место из «Парижской поэмы», которая попала ко мне уже после войны:

> *В этой жизни, богатой узорами*
> *(Неповторной, поскольку она*
> *По-другому, с другими актерами,*
> *Будет в новом театре дана),*
> *Я почел бы за лучшее счастье*
> *Так сложить ее дивный ковер,*
> *Чтоб пришелся узор настоящего*
> *На былое, на прошлый узор...*

Это Владимир Владимирович написал про нас, лис. Мы действительно без конца смотрим представление, исполняемое суетливыми актерами-людьми, которые уверены, что играют его на земле первыми. Они с невообразимой быстротой вымирают, и на их место заступает новый призыв, который начинает играть те же роли с тем же самым пафосом.

Правда, декорации все время свежие, даже чересчур. Но сама пьеса не меняется уже давным-давно. А поскольку мы помним более возвышенные времена, нас постоянно гложет тоска по утраченной красоте и смыслу. В общем, эти слова били сразу по многим струнам... Кстати сказать, насчет струн — этот ковер из «Парижской поэмы» был вывешен в стихотворении Гумберта Гумберта:

> *Где разъезжаешь, Долорес Гейз?*
> *Твой волшебный ковер какой марки?*
> *Кагуар ли кремовый в моде здесь?*
> *Ты в киком запаркована парке?*

Я знаю, какой марки. Он был соткан в Париже, году в тридцать восьмом, летним днем, под белыми гигантами облаков, застывшими в лазури, и потом рулоном доехал до Америки... Нужна была вся мерзость Второй мировой войны, вся чудовищность продиктованных ею выборов, чтобы его повесили в приемной у Гумберта. А тут этот гуманитарий возьми и брякни:

— Счастье, милочка, такая противоречивость. Достоевский вопрошал, мыслимо ли оно, если за него заплачено слезой ребенка. А Набоков, наоборот, сомневался, бывает ли счастье без нее.

Такого плевка в могилу писателя я не вынесла и бросила плетку на пол. Я имею в виду, не просто перестала внушать Павлу Ивановичу бичевание, а заставила его увидеть, как плеть ударилась о пол с такой силой, что на паркете появилась ссадина. Ее мне пришлось потом накорябать вручную, когда он пошел в душ. Я избегаю спорить с людьми, но в этот раз меня прорвало, и я заговорила серьезно, как будто передо мной была другая лиса:

— Меня оскорбляет, когда Набокова путают с его героем. Или называют крестным отцом американской педофилии. Это глубоко ошибочный взгляд на писателя. Запомните, Набоков проговаривается не тогда, когда описывает запретную прелесть нимфетки. Страницами не проговариваются, страницами сочиняют. Он проговаривается тогда, когда скупо, почти намеком упоминает о внушительных средствах Гумберта, позволявших ему колесить с Лолитой по Америке. О том, что на сердце — всегда украдкой...

Я опомнилась и замолчала. Я принимала историю Лолиты очень лично и всерьез: Долорес Гейз была для меня символом души, вечно юной и чистой, а Гумберт — председателем совета директоров мира сего. Кроме того, стоило заменить в стихотворной строчке, описывающей возраст Лолиты

(«Возраст: пять тысяч триста дней»), слово «дней» на «лет», и получалось ну совсем про меня. Естественно, я не стала делиться этим наблюдением с Павлом Ивановичем.

— Продолжайте, продолжайте, — изумленно сказал он.

— Писателю мечталось, конечно, не о зеленой американской школьнице, а о скромном достатке, который позволил бы спокойно ловить бабочек где-нибудь в Швейцарии. В такой мечте я не вижу ничего зазорного для русского дворянина, понявшего всю тщету жизненного подвига. А выбор темы для книги, призванной обеспечить этот достаток, дает представление не столько о тайных устремлениях его сердца, сколько о мыслях насчет новых соотечественников, и еще — о степени равнодушия к их мнению о себе. То, что книга получилась шедевром, тоже несложно объяснить — таланту себя не спрятать...

Заканчивая эту тираду, я мысленно ругала себя последними словами. И было за что.

Я профессионально имперсонирую девочку пограничного возраста с невинными глазами. Такие создания не произносят длинных предложений о творчестве писателей прошлого века. Они говорят односложно и просто, в основном о материальном и видимом. А тут...

— Разошлась, разошлась, — удивленно пробормотал Павел Иванович. — Глазки горят, а? Ты где всего этого набралась?

— Так, — сказала я сумрачным голосом, — делала одному филологу анальный фистинг...

Я дала себе торжественное слово больше не

вступать с ним в спор о культуре, а использовать его только по прямому назначению, как снаряд для развития силы духа. Но было уже поздно.

*

В современном обществе пагубно поддаваться инстинктам, приобретенным в другие времена, да еще в очень непохожей культуре. Это как выставленные на погибшей планете гироскопы: лучше не думать, куда они показывают курс.

В древнем Китае жили люди высокого духа. Покажи я любому ученому подобное знание классического канона, он залез бы в долги, но наградил бы меня двойной оплатой и еще прислал бы домой стихотворное письмо, привязанное к ветке сливы. Возможно, по старой памяти я рассчитывала на нечто подобное, когда заговорила с Павлом Ивановичем о Набокове. Но результат оказался совсем другим.

При следующей встрече Павел Иванович попросил провести сеанс в долг, поскольку он только что купил холодильник. Свою просьбу он высказал тоном тайного сообщника, давнего испытанного товарища по странствиям в предгорьях духа. Так мог бы говорить поэт, одалживающий у собрата флакон чернил. Отказать я не сумела.

Новый холодильник, занявший половину его кухни, походил на выступ айсберга, пробивший борт корабля и вмявшийся в трюм. Капитан корабля тем не менее был пьян и весел. Я давно заметила — ничто так не радует российского гуманитарного интеллигента (на интеллектуала Павел Иванович не тянул), как покупка нового бытового электроприбора.

Я не люблю пьяных. Поэтому я вела себя немного хмуро. Он, должно быть, отнес это к тому, что порка производилась в долг, и не проявил особой навязчивости. Мы перешли к делу молча, словно пара сработавшихся эстонских яхтсменов: вручив мне измочаленную плеть, которую он хранил в теннисной сумке с автографом Бориса Беккера, он разделся, лег на тахту и открыл свежий «Эксперт».

Я догадывалась, что дело здесь не в пренебрежительном отношении к моему искусству, и даже не в любви к печатному слову. Видимо, покаяние перед Юной Россией соседствовало в его душе с неведомыми мне вибрациями, и всех своих секретов он мне не раскрыл. Но я не стремилась проникнуть в его внутренний мир дальше оплаченной глубины, поэтому не задавала вопросов. Все шло как обычно — шлепая по его заду воображаемой плеткой, я думала о своем, а он тихо приборматывал, иногда начиная стонать, иногда смеяться. Было скучно, и мне казалось, что я одалиска в восточном гареме, мерными ударами опахала отгоняющая мух от туши господина. Вдруг он сказал:

— Надо же, какое имечко у адвоката — Антон Дрель. Как это он с таким выжил... Вот его, наверно, в школе мучили... Люди с такими именами вырастают с душевным отклонением, факт. Все Козловы, например, нуждаются в помощи психотерапевта. Это вам любой экспорт скажет.

Мне, конечно, не следовало поддерживать разговор — незачем было выводить ситуацию за рамки профессиональных отношений. Не сдержалась я потому, что имена для меня — больная тема.

— Ничего подобного, — сказала я. — Мало ли кого как зовут. Вот у меня есть одна подруга, у нее

очень-очень неблагозвучное имя. Такое неблагозвучное, что вы смеяться будете, если я скажу. Можно считать, почти матерное слово, вот какое имя.
А сама она — красивая, умная и добрая девушка.
Имя — еще не приговор.

— Может, милая, вы свою подругу плохо знаете.
Если у нее в фамилии матерное слово, так оно и в
жизни вылезет. Подождите, она еще себя проявит.
От имени зависит все. Есть научная гипотеза, что
имя каждого человека является первичной сугге-
стивной командой, которая в предельно концен-
трированной форме содержит весь его жизненный
сценарий. Вы понимаете, что такое суггестивная
команда? Представляете себе немного, что такое
внушение?

— В общих чертах, — ответила я и мысленно
хлестнула его посильнее.

— Ух... По этой точке зрения, существует ограниченное количество имен, потому что обществу
нужно ограниченное количество человеческих ти-
пов. Несколько моделей рабочих и боевых муравьев, если так можно выразиться. И психика каждого
человека программируется на базовом уровне теми
ассоциативно-семантическими полями, которые
задействует имя и фамилия.

— Чепуха, — сказала я раздраженно. — В мире
нет двух похожих людей с одинаковыми именами.

— Как нет и двух похожих муравьев. Но тем не
менее муравьи делятся на функциональные клас-
сы... Нет, имя — серьезная вещь. Бывают имена —
бомбы замедленного действия.

— Что вы имеете в виду?

— Вот вам история из жизни. В Архивном ин-
ституте работал шекспировед Шитман. Защитил он

докторскую — «Онтологические аспекты «была не
была» как «быть или не быть» в прошедшем времени», или что-то в этом роде — и решил выучить английский, чтобы почитать кормильца в оригинале.
И еще в Англию хотел съездить — «увидеть Лондон
и умереть», как он выражался. Начал заниматься.
И через несколько уроков выяснил, что shit по-английски — дерьмо. Представляете? Будь он, к примеру, преподаватель химии, было бы не так страшно. А у гуманитариев все вокруг слов вертится, это
еще Деррида подметил. Шекспировед Шитман —
все равно что пушкинист Говнищер. Трудно слу-
жить прекрасному с таким орденом в петлице. Стало ему казаться, что на него в Британском Совете
косо смотрят... Британскому Совету тогда вообще
не до шекспироведов было, на них налоговая на-
ехала, а Шитман решил, что лично к нему такое отношение. Вы ведь понимаете, милочка, когда человек ищет, чем подтвердить свои параноидальные
идеи, он всегда находит. В общем, если опустить
грустные подробности, за месяц сошел с ума.

К этому моменту во мне бушевал гнев — мне казалось, что он пытается меня оскорбить, хотя никаких рациональных оснований для такого предположения не было. Но я помнила, что важнее всего сохранять контроль. Что мне вполне удавалось.

— Неужели? — спросила я вежливо.

— Да. В сумасшедшем доме он ни с кем не разго-
варивал, только орал на всю больницу. Иногда «same
shit different day!»[1], а иногда «same shite different
night!»[2]. Не зря, значит, английским занимался —

---

[1] То же самое дерьмо, другой день!

[2] То же самое дерьмо, другая ночь!

кое-что запомнил. В конце концов, увезли этого Шитмана на машине с военными номерами, понадобился спецслужбам, скажем так. И что с ним теперь — никто не в курсе, а кто в курсе, тот не скажет. Такой вот сон в летнюю ночь, деточка. А говорите, ничего от имени не зависит. Зависит, еще как. Если у вашей подруги в фамилии матерное слово, путь у нее один. Сумасшедший дом рано или поздно. Кстати, Шитману еще повезло, что он спецслужбам понадобился. Ведь слышали, наверно, про наши сумасшедшие дома. Там за сигарету минет делают...

Тренировка духа с помощью человека-раздражителя похожа на азартную игру, в которой все ставится на кон. Выигрыш в ней велик. Но если не выдерживаешь и срываешься, проигрываешь все начисто. Я вынесла бы и работу в долг, и пушкиниста Говнищера, и его мат, не брось он на чашу весов этот минет за сигарету. К нему я оказалась не готова.

— Деточка! — закричал Павел Иванович. — Деточка, ты что? Ты что делаешь, гадина? Милиция! Люди! Помогите!

Когда он стал звать милицию, я опомнилась. Но было поздно — Павел Иванович получил три таких плетки, которых не постыдился бы и Мэл Гибсон. И хоть эти три плетки были гипнотическими, по его спине потекла настоящая кровь. Конечно, я пожалела о содеянном, но это всегда случается секундой позже, чем надо. К тому же я опять схитрила в своем сердце — зная, что меня вот-вот охватит раскаяние, и уже как бы принимая всей душой позу кающейся грешницы, я напоследок с мстительным сладострастием прошептала:

— Вот тебе от Юной России, старый козел...

Оглядывая сейчас свою жизнь, я нахожу в ней много темных пятен. Но за эту минуту я испытываю особенно острый стыд.

*

Многие храмы в Азии удивляют путника несоответствием между бедностью пустых комнат и многоступенчатой роскошью крыши — с загнутыми вверх углами, драгоценными резными драконами и алой черепицей. Символический смысл здесь понятен: сокровища следует собирать не на земле, а на небе. Стены символизируют этот мир, крыша следующий. Посмотреть на само строение — халупа. А посмотреть на крышу — дворец.

Контраст между Павлом Ивановичем и его крышей показался мне настолько же завораживающим — несмотря на то, что духовный символизм здесь отсутствовал полностью. Павел Иванович был мелким гуманитарным бесом. Но вот его крыша... Впрочем, все по порядку.

Звонок раздался через два дня после экзекуции, в восемь тридцать утра, слишком рано даже для клиента со странностями. Высветившийся номер ничего мне не сказал. Я встала в четыре утра и успела к тому моменту переделать множество дел, но все равно на всякий случай протянула заспанным голосом:

— Але-е...

— Адель? — раздался бодрый голос. — Это тебя по объявлению беспокоят.

Я уже сняла объявление с сайта, но кто-то вполне мог засейвить его на будущее, клиенты так часто делают.

— Дайте девочке поспать, а?

— Какое поспать, на выезд с теплыми вещами!

— Я еще не проснулась.

— Три тарифа за срочность. Если будешь на месте через час.

Услышав про три тарифа, я перестала ломаться и записала адрес. Одна из моих латиноамериканских сестричек рассказывала, что панамский генерал Норьега любил пить виски всю ночь напролет, а рано утром вызывал к себе для секса одну из шести постоянно состоявших при нем женщин — сестричка это знала, поскольку была одной из них. Но это Панама — кокаин, горячая кровь. А для наших широт такой ранний жар был странноват. Но опасности я не ощутила.

Для скорости я поехала на метро и минут через пятьдесят прибыла на место. Клиент жил в тихом центре. Войдя во двор нужного мне дома (высокой бетонной свечи с претензией на архитектурное новаторство), я сперва решила, что ошиблась и тут задворки какого-то банка.

Возле металлических ворот в стене стояли два охранника. Они смотрели на меня с хмурым недоумением, и я показала бумажку с адресом. Тогда один из них кивнул на неприметное крыльцо с домофоном. Я пошла к домофону.

— Адель? — спросил голос в динамике.

— Она самая.

— Иди на второй этаж, последняя дверь, — сказал домофон. — Там увидишь.

Дверь открылась.

Это не особо походило на жилой дом. Лифта не было; лестницы, собственно, тоже. То есть она была, но кончалась на втором этаже, упираясь в черную дверь без глазка и звонка, рядом с которой в стене блестела крохотная линза телекамеры: как будто кто-то скупил все квартиры в доме, начиная со второго этажа, и сделал общий вход. Впрочем, вульгарное сравнение, от отсутствия легитимной культуры крупной собственности. Звонить не потребовалось — как только я подошла, дверь открылась.

На пороге стоял крепкий мужик лет пятидесяти, одетый под бандита девяностых. На нем был адидасовский спортивный костюм, кроссовки и золото — браслет и цепь.

— Заходи, — сказал он, повернулся и пошел назад по коридору.

Место было странным и напоминало служебное помещение. Одна из дверей в коридоре была приоткрыта. В просвете виднелся никелированный металлический шест, нырявший в круглую дыру в полу. Но клиент захлопнул дверь перед моим носом, и я ничего не успела рассмотреть.

— Проходи, — сказал он, пропуская меня вперед.

Спальня в конце коридора выглядела вполне цивильно, только мне не понравился запах — пахло псиной, причем как-то очень конкретно, словно в собачьем love-отеле. Кроме обширной кровати в комнате был низкий журнальный стол с ящиком и два кресла. На столе стояла бутылка шампанского и бокалы, рядом — телефон с большим количеством клавиш и синяя пластиковая папка для бумаг.

— Где душ? — спросила я.

Мужчина сел в кресло и указал на соседнее.

— Погоди, успеешь. Давай познакомимся сначала.

Он отечески улыбался, и я решила, что попался клиент из *душевных*. Я так называю людей, которые за свои двести баксов хотят поиметь не только тело, но еще и душу. От таких особенно устаешь. Чтобы отсечь душевного клиента, надо держаться хмуро и необщительно. Пусть дядя думает, что у девочки переходный возраст. В период формирования личности подростки нелюдимы и неприветливы, и каждый педофил хорошо об этом знает. Поэтому в развратнике такая манера поведения быстро разжигает похоть, что ведет к экономии времени и помогает добиться лучшей оплаты труда. Но здесь важно вовремя закрыться в ванной.

Некоторые лисы, живущие в Америке и Европе, подходят к использованию этого эффекта по-научному. То есть думают, что подходят по-научному, поскольку готовятся по литературе, которая «раскрывает душу современного тинейджера». Особенно они ценят пятнадцатилетних сочинителей, с застенчивым румянцем снимающих перед читателем трусики с внутреннего мира своего поколения. Это, конечно, смешно. У подростков нет никакого общего внутреннего измерения — так же, как нет его у людей любого другого возраста. Каждый живет в своей вселенной, и эти инсайты в душу тинейджера — просто рыночный симулякр свежести для бюргера, которому душно от анального секса по видео, что-то вроде химического запаха ландыша для туалетных комнат. Лисе, которая хочет верно передать поведение современного подростка, такую литературу читать нельзя: будешь похожа не на тинейджера, а на старого театрального пидора, изображающего травести.

Правильная технология совсем другая. Как и все, что реально работает, она предельно проста:

1) при разговоре следует глядеть в сторону, лучше всего — в точку пола на расстоянии примерно два метра.

2) в ответ нужно говорить не больше трех слов, не считая предлогов и союзов.

3) каждая десятая или около того реплика должна нарушать правило номер два и быть слегка провокативной, чтобы у клиента не сложилось чувства, что он имеет дело с дауном.

— Как звать? — спросил он.

— Адель, — сказала я, косясь в угол.

— Лет сколько?

— Семнадцать.

— Не врешь?

Я помотала головой.

— Откуда сама, Адель?

— Из Хабаровска.

— Ну и как там у вас, в Хабаровске?

Я пожала плечами.

— Нормально.

— А чего ж приехала сюда?

Я опять пожала плечами.

— Так.

— Неразговорчивая ты.

— Может, я в душ?

— Да погоди ты. Надо же познакомиться сначала. Что мы, звери?

— Час двести долларов.

— Я учту, — сказал он. — И не противно тебе таким делом заниматься, Адель?

— Кушать-то надо.

Он взял со стола папку, раскрыл ее и некоторое время глядел внутрь, словно сверяясь с лежащей там инструкцией. Затем закрыл ее и положил на место.

— А где живешь? Снимаешь? — спросил он.

— Ну.

— И сколько вас в квартире, кроме мамочки? Пять? Десять?

— Когда как.

На этой стадии обычный развратник уже дошел бы до точки кипения. Похоже, и мой работодатель был от нее недалеко.

— Тебе семнадцать точно есть, детка? — спросил он.

— Есть, папашка, есть, — сказала я, поднимая на него глаза. — Семнадцать мгновений весны.

Это была провокативная реплика. Он заржал. Теперь мне снова следовало ограничиваться короткими смутными фразами. Но он, как оказалось, тоже умел быть провокативным.

— Хорошо, — сказал он. — Раз такой базар у нас пошел, пора представиться.

На стол передо мной легла раскрытая книжечка-удостоверение. Я внимательно прочитала написанное в ней, потом сличила его лицо с фотографией. На фотографии он был в кителе с погонами. Его звали Владимир Михайлович. Он был полковником ФСБ.

— Называй меня Михалыч, — сказал он и ухмыльнулся. — Так меня называют близкие люди. А мы, я надеюсь, сблизимся.

— Чем обязана, Михалыч? — спросила я.

— На тебя наш консультант пожаловался. Ты его вроде как обидела. Так что теперь придется искуплять. Или искупать. Не знаешь, как правильно?

*

У него была стереотипная внешность: волевой подбородок, стальные глаза, льняная челка. Но какая-то трапециедальность неблагородных пропорций делала это лицо похожим на западный типаж условного противника времен холодной войны. Киногерои такого рода обычно выпивали стакан водки, а затем закусывали стаканом, говоря сквозь хруст стекла, что это starinny russki obychai.

— Твою мать, — пробормотала я. — Субботник?

— Эй, — сказал он оскорбленно, — ты все-таки не путай ФСБ с ментами. Свои деньги ты получишь.

— Сколько вас? — спросила я усталым голосом.

— Один... Ну, максимум двое.

— А кто второй?

— Сейчас увидишь. Да ты не бойся, не обману.

Выдвинув ящик стола, он вынул из него коробку с разной медицинской всячиной — баночками, ватой и упаковкой одноразовых шприцев. Один шприц был заряжен — из-за ярко-красного колпачка на игле он походил на сигарету, которой затягивались так яростно, что огонек растянулся во всю ее длину.

— Ширяться с вами не буду, — сказала я. — Даже и за пять тарифов.

— Дура, — сказал он весело, — да кто ж тебе даст?

— И деньги вперед. А то кто его знает, какой вы через полчаса будете.

— Вот, возьми, — сказал он и кинул мне конверт.

Представители российского среднего класса часто дают доллары в конверте — так же, как получают. Это волнует. Словно тебя подняли на колесе социального обозрения, чтобы показать заветные звенья экономического механизма Родины... Я открыла конверт и пересчитала деньги. Там были обещанные три тарифа и еще пятьдесят долларов. Практически уровень «Националя». Таким клиентом следовало дорожить — или, во всяком случае, следовало делать вид, что дорожишь. Я очаровательно улыбнулась.

— Ладно, искуплять так искупать. Где ванна?

— Да подожди ты, — сказал он. — Успеешь. Сиди на месте.

— Я...

— Сиди на месте, — повторил он и принялся закатывать рукав.

— Вы сказали, еще второй будет. А где он?

— Да как уколюсь, так сразу и подойдет.

Надев на обнажившийся бицепс резинку, он несколько раз сжал-разжал кулак.

— Что колем? — хмуро поинтересовалась я.

Надо же мне было знать, к чему себя готовить.

— Едем по Каширке.

— Чего?

— Ширкаемся калькой, другими словами, — пояснил он.

Только тут я поняла, что в шприце был кетамин, он же калипсол, сильнейший психоделик, который в вену станет колоть только психопат или самоубийца.

— Что — внутривенно? — не поверила я.

Он кивнул. Мне стало страшно. Я терпеть не могла даже тех кетаминовых торчков, которые кололись внутримышечно. С ними от этих уколов происходило что-то очень мрачное. Они делались похожими на загробных троллей, придавленных вечным проклятием — вроде солдат призрачной армии из последнего «Властелина Колец». А этот собирался колоться внутривенно. Я даже не знала, что так делают. То есть я как раз знала, что нормальные люди так не делают. Второй жмур меньше чем за месяц мне совершенно точно не был нужен. Пора было сматываться.

— Так, давайте я вам деньги верну, — сказала я, — и разбежимся.

— А что такое?

— Вам хорошо, вы мертвый будете. А меня по судам затаскают. Пойду я.

— Я сказал, сидеть на месте?! — рявкнул Михалыч.

Встав, он подошел к двери, запер ее на ключ и спрятал его в карман.

— Встанешь — пожалеешь. Поняла?

Я кивнула. Он вернулся к столу, сел и достал из своей медицинской коробки странное устройство, похожее на дырокол советского дизайна. Устройство состояло из двух полукруглых пластин, соединенных простенькой механикой. На нижней пластине была большая присоска, а на верхней — выштампованная звездочка и инвентарный номер, как на пистолете. Михалыч свел пластины вместе, озабоченно лизнул присоску и прижал устройство к предплечью. Затем он вставил шприц в прорезь, осторожно ввел иглу в вену и сделал контроль — жидкость в шприце окрасилась в темно-красный цвет.

Тогда он тронул рычажок на странном устройстве, и оно громко затикало. Михалыч наморщился, как перед прыжком в воду, расставил ноги, чтобы они устойчивее упирались в пол, и до упора вдавил поршень в шприц.

Его тело почти сразу обмякло в кресле. Мне почему-то пришло в голову, что так уходили из жизни бонзы Третьего рейха. Я с тревогой слушала механическое тиканье — словно это была бомба, которая вот-вот взорвется. Через несколько секунд раздался щелчок, дырокол вместе со шприцем отскочил от его руки и упал на пол рядом с креслом. На локте Михалыча появилась маленькая капелька крови. Умно придумано, подумала я. И тут меня накрыло.

Хочу пояснить одну вещь. Я не могу читать мысли. И никто не может, потому что ничего похожего на отпечатанный текст ни у кого в голове нет. А ту непрекращающуюся мыслительную рябь, которая проходит по уму, мало кто способен заметить даже в себе. Поэтому читать чужие мысли — все равно что разбирать написанное по мутной воде вилами в руке сумасшедшего. Здесь я имею в виду не техническую трудность, а практическую ценность такой процедуры.

Но благодаря хвосту у лис часто случается своеобразный резонанс с чужим сознанием — особенно когда это чужое сознание совершает неожиданный кульбит. Это напоминает реакцию периферийного зрения на внезапное движение в полутьме. Мы видим короткую галлюцинацию, эдакий абстрактный компьютерный мультик. Пользы от такого контакта никакой, и большую часть времени наш ум просто отфильтровывает этот эффект — иначе невозможно было бы ездить в метро. Обычно он слаб, но принимаемые людьми наркотики его усиливают, поэтому мы терпеть не можем наркоманов.

При внутривенной инъекции кетамина с полковниками ФСБ творятся странные вещи. «Поездка по Каширке» была не метафорой, а довольно реалистическим описанием: хоть обмякшее тело Михалыча напоминало труп, его сознание неслось сквозь какой-то оранжевый туннель, заполненный призрачными формами, которые он умело огибал. Туннель постоянно разветвлялся в стороны, и Михалыч выбирал, куда ему свернуть. Это было похоже на бобслей — Михалыч управлял своим воображаемым полетом легкими, незаметными глазу поворотами ступней и ладоней, даже не поворотами, а просто микроскопическими напряжениями соответствующих мышц.

Я поняла, что эти оранжевые туннели были не только пространственными образованиями, они одновременно были информацией и волей. Весь мир превратился в огромную самовыполняющуюся программу вроде компьютерной, но такую, где hardware и software нельзя было разделить. Сам Михалыч тоже был элементом этой программы, но обладал свободой перемещения относительно других ее блоков. И его внимание двигалось по программе к самому ее началу, к люку, за которым пряталось что-то страшное. Влетев в последний оранжевый туннель, Михалыч приблизился к этому люку и решительно распахнул его. И то страшное, что было за ним, вырвалось на свободу и понеслось вверх — к свету дня, в комнату.

Я поглядела на Михалыча. Он оживал — но странно, нехорошо. Углы его рта подрагивали — на них выступили пятнышки не то слюны, не то пены, а из горла слышался звук, похожий на рычание. Рычание становилось все громче, затем тело Михалыча дернулось, выгнулось, и я почувствовала, что непонятная жуткая сила со дна его души через секунду вырвется на свободу. У меня не было времени на колебания — я схватила бутылку шампанского и с размаху ударила его по голове.

Внешне ничего особенного не произошло — Михалыч снова обмяк в кресле, а бутылка даже не разбилась. Но вот в его внутреннем измерении, с которым у меня до сих пор оставался контакт, случилось нечто удивительное. Сгусток злой силы, который рвался из его глубин наружу, потерял управление и врезался в сложную комбинацию мыслеформ, заполнявшую очередной туннель. Замелькали пульсирующие звезды и уходящие к горизонту полосы огня, похожие на разметку бесконечной взлетной полосы. Это было ослепительно красиво и напоминало виденную мной в шестидесятые годы хронику катастрофы скоростного катера-тримарана: катер оторвался от воды, сделал медленно-задумчивую мертвую петлю и расшибся о поверхность озера в мелкие дребезги. Здесь произошло почти то же самое, только вместо катера в мелкие дребезги расшиблось озеро: призрачные конструкции, заполнявшие оранжевый туннель, распались на части и с мелодичным звоном разлетелись в стороны, затухая, сворачиваясь и исчезая. А затем и вся вселенная оранжевых туннелей погасла и пропала из виду, словно отключили освещавшее ее электричество. Остался только обмякший мужик в кресле и мелодичный звук, который повторялся и повторялся до тех пор, пока я не поняла, что это телефон.

Я взяла трубку.

— Михалыч? — спросил мужской голос.

— Михалыч не может подойти, — сказала я. — Он очень занят.

— Кто это?

Короткого и простого ответа на этот вопрос у меня не нашлось. Через несколько секунд тишины на том конце линии повесили трубку.

*

Надо было додуматься — переименовать КГБ. Такой брэнд пропал! KGB во всем мире знали. А теперь не всякий иностранец и поймет, что это такое — «FSB». Одна американская лесбиянка, которая снимала меня на уик-энд, все время путала «FSB» с «FSD». «FSD» — это «female sexual dysfunction», болезнь, которую придумали фармацевтические компании, чтобы запустить в производство женский аналог виагры. Секс-дисфункция у женщин, конечно, блеф: в женской сексуальности важны не столько физические аспекты, сколько контекст — свечи, шампанское, слова. А если уж совсем честно, важнейшим условием современного женского оргазма является высокий уровень материальной обеспеченности. Но это пилюлей не решишь — it's the economy, stupid[1]. Впрочем, я отвлеклась.

Хоть название у КГБ поменялось, кадры оста-

---

[1] Дело в экономике, дурачок — предвыборный лозунг Билла Клинтона.

лись прежними, суровыми и закаленными. Нормальный человек от такого удара бутылкой по голове надолго отбросил бы коньки. А Михалыч довольно быстро стал приходить в себя. Возможно, дело было в том, что он получил удар в измененном состоянии сознания — при этом трансформируются физические свойства организма, как может подтвердить любой алкоголик.

Я поняла, что он в сознании, когда попыталась вытащить ключ от двери у него из штанов. Склонившись над ним, я увидела, что он смотрит на меня из-под приоткрытых век. Я сразу отскочила. Меня напугало происходившее с ним после укола — такого я раньше не видела, и рисковать мне не хотелось.

— Телефон, — прошептал Михалыч.

— Что телефон?

— Кто... Кто...

— Кто звонил? — догадалась я. — Не знаю. Какой-то мужчина.

Он застонал. Удивительно. Нормального человека после такого удара по голове волновали бы вечные вопросы. А этот думал о телефонных звонках. Как писал Маяковский, «гвозди бы делать из этих людей, всем бы в России жилось веселей» (это он потом исправил на «крепче бы не было в мире гвоздей», а в черновике было именно так, сама видела).

— Дайте ключ, — сказала я, — мне идти надо.

— Подожди ты, — выдохнул Михалыч, — разговор.

— Я с торчками не разговариваю.

— Не рассуждай...

Он говорил с усилием, делая большие паузы — будто каждое предложение было высокой горой, с которой он несколько раз срывался за время штурма.

— Ну да, — сказала я обиженным тоном. — Не рассуждай. Люське вон тоже говорили — не рассуждай. А как клиент у нее на ветке сакуры помер, попала под следствие. Адвокат говорит — перитонит, несчастный случай. А следователь клеит прорыв прямой кишки, непредумышленное убийство. И надо еще три штуки занести, тогда будет непредумышленное, а можно вообще налететь по полной... Давайте ключ, а то еще раз получите. И плевать, что вы из ФСБ. Мне ничего не будет, самозащита.

С этими словами я снова взялась за бутылку.

Он издал жутковатый звук — словно глубоко в омуте засмеялся водяной. Потом попытался что-то сказать, но получилось только:

— Сиди... Си...

— Слушайте, я последний раз по-хорошему прошу, — повторила я, — отдайте ключ!

— Сука, — сказал он неожиданно отчетливо.

Все-таки эти офицеры такие хамы. Не могут культурно поговорить с девушкой. Я занесла бутылку для удара, и тут дверь за моей спиной открылась.

На пороге стоял высокий молодой человек в темном плаще с поднятым воротом. Он был небрит, хмур и очень хорош собой — это я отметила без всякой личной вовлеченности, холодным взглядом художницы.

Немного портила его только надменно-гневная складка у губ. Она, однако, не вызывала к нему неприязни, а как бы устанавливала дистанцию. Впрочем, и со складкой он выглядел весьма и весьма привлекательно. Пожалуй, он чуть-чуть походил на молодого государя Александра Павловича — тот, помнится, тоже глядел волком в первые годы после восшествия на престол.

Меня поразило выражение его лица. Не знаю, как объяснить. Как если бы человек много лет жил с зубной болью и привык не обращать на нее внимания, хоть боль мучила его каждый день. Еще у него был запоминающийся взгляд: эти серо-желтые глаза отпечатывались на чужой сетчатке и глядели оттуда в душу еще несколько секунд. Самое же главное, мне показалось, что это лицо из прошлого. Похожих лиц было много вокруг в давние времена, когда люди верили в любовь и Бога, а потом такой тип почти исчез.

Некоторое время мы смотрели друг другу в глаза.

— Хотела шампанским отпаивать, — пояснила я, ставя бутылку на стол.

Гость перевел взгляд на Михалыча.

— Никак дочку привез? — спросил он.

— Не, — прохрипел из своего кресла Михалыч и даже пошевелил рукой (видно, присутствие гостя помогло ему собраться с духом). — Не... Шмара...

— А, — сказал гость и снова поглядел на меня. — Это и есть... которая нашего консультанта обидела?

— Она.

— А с тобой что случилось?

— Шеф, — залопотал в ответ Михалыч, — зуб, шеф, зуб! Наркоз!

Молодой человек втянул носом воздух, и на его лице появилась неодобрительная гримаса.

— Тебе чего, кетамином наркоз делали?

— Шеф, я...

— Или ты ветеринара вызывал уши обрезать?

— Шеф...

— Опять? Я понимаю, на объекте. Но здесь зачем? У нас был разговор на эту тему?

Михалыч опустил глаза. Молодой человек посмотрел на меня, мне показалось — с любопытством.

— Шеф, объясню, — заговорил Михалыч. — Честное...

Я физически чувствовала, каким усилием даются ему слова.

— Нет, Михалыч. Объяснять буду я, — сказал гость, взял со стола бутылку шампанского и изо всех сил ударил ею Михалыча по голове.

На этот раз бутылка лопнула, и гейзер белой пены окатил Михалыча с головы до ног. Я не сомневалась, что после такого удара он уже никогда не встанет с кресла — в человеческой анатомии я разбираюсь. Но, к моему изумлению, Михалыч помотал головой из стороны в сторону, будто алкаш, на которого вылили ведро воды. Потом поднял руку и вытер с лица брызги шампанского. Вместо того чтобы убить, этот удар привел его в чувство. Такого я раньше не видела никогда.

— В общем, так, — сказал молодой человек, — прими душ, потом садись на такси и езжай домой. Пусть тебе бульону дадут. Или крепкого чаю. А вообще, Михалыч, если по уму, то надо бы тебе прокапаться с релашкой.

Я не поняла, что значит эта фраза.

— Так точно, — сказал Михалыч, кое-как поднялся на ноги и поплелся в ванную, оставляя за собой дорожку из капель шампанского. Когда за ним закрылась дверь, молодой человек повернулся ко мне и улыбнулся.

— Здесь душно, — сказал он. — Позвольте проводить вас на свежий воздух.

Мне понравилось, что он заговорил со мной на «вы».

Мы вышли из квартиры другим путем. Как оказалось, стальной шест, который я видела в одной из комнат, вел на первый этаж. Похожие шесты встречаются в пожарных частях и go-go барах. По такому можно быстро соскользнуть вниз к большой красной машине и получить медаль «За отвагу на пожаре». А можно эротично потереться о него попкой и грудью и получить от зрителей несколько влажных банкнот. Вот сколько разных дорог открывает перед нами жизнь...

К счастью, сегодня мне не надо было делать ни первого, ни второго. Рядом с шестом оказалась узкая спиральная лестница — видимо, для менее срочных случаев. По ней мы и сошли вниз. Внизу был полутемный гараж, в котором стояла шикарная черная машина — «Майбах», самый настоящий. Таких, наверно, было в Москве всего несколько штук.

Остановившись возле машины, молодой человек поднял голову — так, что его нос оказался направленным на меня, — и с силой втянул воздух. Выглядело это диковато. Но вслед за этим на его лице изобразилось блаженство, просто даже какое-то умиление.

— Я хотел бы извиниться за случившееся, — сказал он, — и попросить вас об одолжении.

— Какого рода?

— Мне нужно подобрать подарок девушке примерно вашего возраста. Я сам не разбираюсь в дамской бижутерии и буду очень признателен за совет.

Секунду я колебалась. Вообще в таких ситуациях надо сматываться при первой возможности — но мне почему-то хотелось продолжить знакомство. И еще было интересно посмотреть на интерьер машины.

— Хорошо, — сказала я.

Но как только я села на переднее сиденье, я позабыла про интерьер — такое сильное впечатление произвел на меня пропуск на ветровом стекле.

Я давно заметила одну китчеватую тенденцию российской власти: она постоянно норовила совпасть с величественной тенью имперской истории и культуры, как бы выписать себе дворянскую грамоту, удостоверяющую происхождение от славных корней — несмотря на то, что общего с прежней Россией у нее было столько же, сколько у каких-нибудь лангобардов, пасших коз среди руин Форума, с династией Флавиев. Автопропуск на стекле «Майбаха» оказался свежим образчиком жанра. На нем был золотой двуглавый орел, трехзначный номер и надпись:

> *Но знаешь, эта черная телега*
> *имеет право всюду разъезжать.*
>
> *А.С. Пушкин*

Что тут сказать? Да, орел. Да, Пушкин. Но чувства причастности к судьбам великой страны, на которое рассчитывали криэйторы федеральной службы, не возникало. Наверно, дело было в неверном выборе эпохи для референций. Следовало обращаться не к имперским орлам, а к феодальным летописям. Там легче было найти маячки: Борис Большое Гнездо, Владимир Красная Корочка...

— О чем вы задумались?

— А? Я? — опомнилась я.

— Да, — сказал он. — Когда вы думаете, вы так трогательно морщите носик.

Мы уже выехали на улицу.

— Кстати, мы до сих пор не познакомились, — сказал он. — Александр. Можно Саша. Слышали про такого Сашу Белого? Ну а я — Саша Серый.

— Про Сашу Белого никогда не слышала. А вот Андрея Белого знала.

— Андрей Белый? — переспросил Александр с некоторым, как мне показалось, недоумением. — Впрочем, неважно. Как вас зовут?

— Адель.

— Адель? — спросил он, округлив глаза. — Вы не шутите?

Я отрицательно помотала головой.

— Невероятно. В моей жизни столько связано с этим именем! Вы даже представить себе не можете. Наша встреча — это судьба. Это совсем не просто так, что вы оказались в моей машине...

— У вас с собой нет вилки? — спросила я.

— Вилки? Зачем?

— Лапшу снимать. Которую вы мне на уши вешаете.

Он засмеялся.

— Вы не верите? Насчет Адели?

— Нет, — сказала я.

— Я могу объяснить, в чем дело. Если вам интересно.

— Интересно.

Мне правда было интересно.

— Вы знаете такую игру на «Playstation» — «Final Fantasy 8»?

Я отрицательно покачала головой.

— Я ее в свое время почти всю прошел — а это

долгое дело. И перед самым концом в ней появилась волшебница Адель. Красивая такая, намного выше человеческого роста. Зрелищная анимация — она просыпается, открывает глаза, покрывается веером лучей, примерно как логотип студии «Universal», и летит в своем саркофаге на Землю.

— Откуда летит?

— С Луны.

— Угу. И чем все кончается?

— Я не знаю, — ответил он. — В том-то и дело. Я не смог ее победить. Всех остальных замочил, а ее — никак. Так игра и кончилась...

— Почему это вам так запомнилось? — спросила я. — Мало ли игр.

— Мне раньше все в жизни удавалось, — сказал он.

— Все-все?

Он кивнул.

— Ну да, — сказала я. — Конечно.

— Не верите?

— Почему? Верю. По машине видно.

Несколько секунд прошли в молчании. Я поглядела в окно. Мы подъезжали к началу Тверского бульвара.

— Новый ресторан, — сказала я. — «Палаццо Дукале». Вы там бывали?

Он кивнул.

— И кто там собирается?

— Да как обычно.

— А о чем там люди говорят?

Он на секунду задумался. Потом сказал карикатурным женским голосом:

— Как вы думаете, а Жечкову не страшно жить на даче наркома Ежова?

И тут же ответил себе таким же карикатурным басом:

— Что вы, это нарком Ежов в гробу обделается, что на его даче теперь живет Жечков...

— А кто это — Жечков? — спросила я.

Он поглядел на меня с подозрением. Видимо, Жечкова следовало знать. Надо будет посмотреть в интернете, подумала я.

— Я просто пример привожу, — сказал он. — Того, о чем там говорят.

Я вспомнила дачу Ежова, какой она была в тридцатых годах прошлого века. Мне нравились охранявшие вход гипсовые львы с шарами под лапами — морды у них были чуть виноватые, словно они чувствовали, что хозяина им не уберечь. Почти такой же лев стоял за тысячу лет до этого возле храма секты Хуаянь — только сделан он был из золота, а на боку у него была надпись, которую я до сих пор помню наизусть:

«Причина заблуждения живых существ в том, что они полагают, будто ложное можно отбросить, а истину можно постичь. Но когда постигаешь себя самого, ложное становится истинным, и нет никакой другой истины, которую надо постигать после этого».

Какие люди были тогда вокруг! А сейчас — разве способен кто-нибудь понять смысл этих слов? Все, все ушли в высшие миры. Даже из сострадания никто не хочет больше рождаться в этом адском лабиринте, и я брожу тут одна в потемках...

Мы затормозили у перекрестка.

— Скажите, Александр, а куда мы едем? — спросила я.

— Вы знаете здесь рядом какой-нибудь хороший ювелирный магазин? Я имею в виду действительно хороший?

*

Когда я вижу в дорогом бутике девушку с кавалером, который покупает ей брошку стоимостью в небольшой самолет, я каждый раз убеждаюсь, что человеческие самки создают миражи не хуже нас. А может, и лучше. Надо же, выдать сделанную из мяса машину для размножения за дивный весенний цветок, достойный драгоценной оправы, — и поддерживать эту иллюзию не минуты, как мы, а годы и десятилетия, и все это без всякого хвостоприкладства. Такое надо уметь. Видимо, у женщины, как у мобильного телефона, есть небольшая встроенная антенна.

Вот что говорят по этому поводу мои внутренние голоса:

1) раз женщина может выдать машину для размножения за дивный весенний цветок, женскую природу нельзя сводить только к деторождению: как минимум это еще и умение промывать мозги.

2) дивный весенний цветок по своей природе — такой же точно механизм для размножения и промывания мозгов, только мясо у него зеленого цвета, а мозги он промывает пчелам.

3) драгоценная оправа все равно не нужна никому, кроме женщины, так что глупо рассуждать о том, достойна она ее или нет.

4) у мобильников со встроенной антенной удобный корпус, но неважный прием, особенно в железобетонных зданиях.

5) у мобильников-раскладушек внешняя антенна есть, корпус из-за этого неудобный, а прием в железобетонных зданиях еще хуже.

Женщина — мирное существо и морочит только своего собственного самца, не трогая ни птичек, ни зверей. Поскольку она делает это во имя высшей биологической цели, то есть личного выживания, обман здесь простителен, и не наше лисье дело в это лезть. Но когда женатый мужчина, постоянно проживающий в навеянном подругой сне с элементами кошмара и готики, вдруг заявляет после кружки пива, что женщина — просто агрегат для рождения детей, это очень и очень смешно. Мужчина даже не понимает, как он при этом комичен. Я в данном случае не намекаю на графа Толстого, перед которым преклоняюсь, я говорю вообще.

Но я отвлеклась. Я только хотела сказать, что гипнотические способности женщины очевидны, и любой, у кого есть в этом сомнения, может развеять их, зайдя в магазин дорогих безделушек.

До последней минуты я не догадывалась, что Александр подбирает подарок мне. У меня просто не было повода для таких мыслей. Я предполагала, что ему нужно купить сувенир для какой-нибудь гламурной фифы, и со всей серьезностью давала ему советы. Поэтому я почувствовала себя на редкость глупо, когда в конце он протянул мне пакет с двумя небольшими футлярами, за которые только что заплатил. Я этого не ожидала. А лисы должны предвидеть действия человека — если не все, то хотя бы касающиеся лично нас. От этого зависит наше выживание.

В двух одинаковых белых коробочках лежали

кольца за восемь и пятнадцать тысяч долларов, платина и бриллианты. Большой камушек — ноль восемь, маленький — ноль пятьдесят четыре карата. Tiffany. Нет, надо же — двадцать три тысячи долларов! Это сколько раз мне надо хвост напрягать, подумала я почти что с классовой ненавистью. И, самое главное, он ничего от меня не хотел. Кроме телефона. Он сказал, что летит на север и позвонит, когда вернется — через два дня.

Купить кольца было непросто. Продавщица не решалась сама осуществить такую серьезную трансакцию. Кассирша тоже.

— Без менеджера не могу, — говорила она.

Она произносила слово «менеджер» с ударением на второе «е» — так что слово отчетливо разбивалось на «минет» и «жир». Я не выношу слова «минет», но это было смешно и вполне в духе народных этимологий: вот так Родина пакует наши брильянты в классовую ненависть.

Только оказавшись у себя на Битце, я поняла, как устала — у меня даже не было сил проверить электронную почту. Я проспала до середины следующего дня. Мне снились подозрительные борхесианские сны про оборону крепости — что-то похожее на штурм города во время восстания Желтых повязок. Я была среди обороняющихся и метала со стены тяжелые дротики.

Не надо объяснять мне символику, я терпеть этого не могу. В двадцатых годах прошлого века я сама развлекалась тем, что сводила с ума романтических красных фрейдистов, рассказывая им выдуманные сны: «А потом наши хвосты отвалились, и нам сказали, что они лежат в кокосовом орехе, который висит над водопадом». Если я кидаю во сне дротики, это не значит, что я не отдаю себе отчета в символическом значении происходящего. Или, тем более, что я его отдаю. Я все эти отчеты давно сдала на вечное хранение, так пыли меньше.

После отдыха голова у меня работала ясно и четко, и первым, о чем я подумала, был финансовый аспект происходящего. Мой личный индекс нежно зеленел: два кольца стоили в магазине двадцать три тысячи, а значит, продать их можно было тысяч за пятнадцать.

Но продавать было жалко — за последние сто лет мне редко дарили такие красивые безделушки. В Советской России с этим было строго. Даже в поздние брежневские времена дела обстояли так: если в ювелирный магазин с улицы заходил мужик с авоськой и покупал брошку за тридцать тысяч рублей, про это неделю с негодованием писала вся центральная пресса, задаваясь вопросом, куда смотрят компетентные органы. Тридцать тысяч застойных рублей были безумные деньги, верно. Но зачем тогда клали эту брошку на витрину? В качестве приманки? Тогда хотя бы понятно становится негодование прессы — положили приманку, а рыбка ее съела и уплыла.

Так, во всяком случае, шептал с жарким хохотом в мое ухо директор Елисеевского гастронома, который мне эту брошку подарил. Он был осторожным человеком, но страсть сделала его романтиком. Беднягу расстреляли, и мне было его жалко, хотя надеть брошку я так и не сумела себя заставить. Это был уникальный пример советского кича: бриллиантовые колосья вокруг изумрудных огурцов и рубиновой свеклы. Вечное напоминание о единственной битве, которую проиграла Советская Россия — битве за урожай...

Налюбовавшись кольцами, я решила проверить электронную почту. Письмо в ящике было только одно, зато очень приятное — от сестрицы Е Хули, которую я не видела целую вечность.

«Привет, рыжая.

Как поживаешь? По-прежнему занимаешься нравственным самоусовершенствованием? Ищешь выход из лабиринтов иллюзорного мира? Так хочется, чтобы его нашел хоть кто-то из нашей большой непутевой семьи.

А я в этих лабиринтах совсем заблудилась. Я до сих пор в Таиланде, только уехала наконец из Паттайи. Море за последние тридцать лет стало совсем грязное. Кроме того, конкуренция со стороны местных женщин такая, что зарабатывать лисьим промыслом все труднее. Здесь все вывернуто наизнанку: если в большинстве стран радуются, когда рождается мальчик, здесь радуются девочке и говорят дословно следующее: «Как хорошо, у нас родилась дочка, значит, мы не будем голодать в старости!» Услышав такое, Конфуций повесился бы на собственной косичке.

Остров Пхукет, где я сейчас живу, пока еще чистый, но через пару лет здесь будет такая же Паттайя. Слишком много туристов. Я устроилась жить в бухте Патонг и работаю в массажном салоне «Christine's». Мы, массажистки, сидим на лавках в специальной смотровой комнате, намазанные румянами и похожие на злых духов. С улицы заходят обгорелые розовые фаранги (так мы называем туристов с Запада) и выбирают массажистку. Дальше — от-

дельный кабинет и сама знаешь что. Я считаюсь уникальным специалистом по тайскому массажу, поэтому такса у меня выше, чем у других, но все равно приходится подрабатывать по вечерам в барах на Бангла роуд, в пяти минутах от моего салона. За день так устанешь в салоне, а тут еще надо переодеться в цветные тряпочки и выйти на сцену. Это даже не сцена, а просто прилавок, по которому от шеста к шесту медленно движемся мы, девушки с номерами на груди. А в баре внизу сидят фаранги, пьют холодное пиво и выбирают, выбирают, выбирают. Если, работая в двух местах, отложишь за день пятьдесят долларов, это удача.

Основы жизни здесь искажены. Тайские девушки скромны и трудолюбивы, как пчелы. Но пчелы в естественной среде летают от цветка к цветку и упорным трудом добывают нектар. А если вылить возле улья ведро сахарной патоки, они устремятся на сахар, и никто не полетит к цветам. Вот так же и Запад губит наш тропический сад своими выделениями, выплескивая на него реки долларовой патоки из прибрежных отелей. Ваша Россия для нас, кстати, такой же точно секс-эксплуататор, и то, что она теперь просто сырьевой придаток развитых стран, ничуть не снимает с нее моральной вины. Хотя и Таиланд в определенном смысле можно считать сырьевым придатком... Не подумай, что я впадаю в догматизм, просто сегодня был жаркий день, и я очень устала.

Кстати, насчет России. Недавно я говорила с сестрой И, которая приезжала к нам на Пхукет с новым мужем, лордом Крикетом (дурачок совершенно счастлив). Я услышала от нее удивительную вещь.

*Помнишь предсказание о сверхоборотне? Она гово-
рит, что место, о котором идет речь в пророчестве, — это Москва. В остроумии ее рассуждениям не
откажешь. Пророчество гласит, что сверхоборотень
появится в городе, где разрушат Храм, а потом вос-
становят его в прежнем виде. Много веков все считали, что речь идет об Иерусалиме, а пришествие
сверхоборотня — предсказание, относящееся к самому концу времен, нечто вроде Апокалипсиса. Но И Хули уверена, что мы просто попали под гипноз иудео-
христианской символики: если Храм, то непременно
Иерусалимский...*

*Между тем, в пророчестве нет никаких указа-
ний на Иерусалим. А в Москве не так давно восстановили разрушенный в ходе культурной революции храм
Христа Спасателя (если сестрица И не путает его
название). Причем восстановили в точности в том
виде, в котором он был первоначально построен, —
здесь она ссылалась на информацию, полученную от
тебя. Я думаю, что скоро тебе надо ждать ее в гости вместе с мужем, который полностью поглощен
этими мистическими изысканиями.*

*Этот лорд Крикет — не только мистик. Он из-
вестный в Лондоне меценат и коллекционер искусства, сотрудничающий со многими художественными
галереями. Кроме того, он один из лидеров небезызве-
стного тебе Countryside Alliance — той самой организации, которая не дает запретить охоту на лис.
Я знаю, как трудно отпустить живым такого персо-
нажа. Но прошу тебя помнить, что сестренка И еще
не решила, кто будет следующим. Поэтому собери
волю в кулак, как сделала я. Лучше просто посмотри
на происходящее со стороны и посмейся — лорд погло-*

щен поисками оборотней где угодно, кроме собственной спальни. С людьми всегда так. Одного не понимаю, откуда в нем такой интерес к сверхъестественному? Впрочем, представители эксплуататорских классов часто впадают в оккультизм, чтобы найти в нем оправдание собственной паразитической сущности.

Хочу спросить твоего совета. Не перебраться ли мне в Россию? Русские туристы мне нравятся — они добродушные, дают много чаевых и быстро засыпают, потому что много пьют. Я видела у одного на груди красивую татуировку — Ленин, Маркс и серп с молотом, а он еще совсем молодой. Я ему очень понравилась. Он снимал меня на видеокамеру, а потом посоветовал приехать в Россию. «С твоей красотой в России можно сделать карьеру, — сказал он. — И не в каком-то массажном салоне. Покрутишься годик-два вокруг нашей элиты, заработаешь денег на всю жизнь». Он сказал, что в России теперь все иначе, вовсю идут реформы, и денег у народа много. Правда ли это? Что это за элита, возле которой надо покрутиться? Получится ли у меня?

Кроме того, по его словам, ваши рубли по отношению к доллару — практически то же самое, что наши баты, и большого культурного шока у меня не будет. Напиши, как обстоят дела в Москве и нет ли там местечка для Е Хули.

Люблю и помню,
твоя Е».

Сестричка Е... Я улыбнулась, вспомнив ее — серьезную, хмурую и очень искреннюю. Она была, пожалуй, лучшей из нас — и поэтому ей всегда выпадала самая тяжелая ноша. Она прошла всю освободительную войну рядом с председателем Мао, имела награды НОАК, а когда в Китае возродился капитализм, сожгла свой партбилет на площади Тяньанмэй и уехала в Таиланд. Теперь хочет в Россию — думает, здесь все та же родина Октября... Бедная, надо ее отговорить. А то ведь действительно прилетит и затоскует среди снегов. Или свяжется с какими-нибудь национал-большевиками. А когда национал-большевики подпишут наконец контракт с фирмой «Дизель», пойдет до честного конца и будет потом мотать *срока огромные* — сколько раз так с ней уже было...

Несколько секунд я искала образ, который мог бы точно подействовать на ее воображение. Наконец, как мне показалось, он нашелся. Я положила руки на клавиши.

*

«*Здравствуй, рыженькая.*

Ты даже представить себе не можешь, как мне приятно получить от тебя весточку в нашем снежном захолустье. Ты говоришь, тебе надоел Таиланд? Подумай вот о чем: в странах золотого миллиарда люди откладывают деньги целый год, чтобы на пару недель приехать в твой кокосовый рай. Я понимаю, что жизнь в пятизвездочных отелях сильно отличается от твоей. Но ведь море и небо одни на всех, а именно за этим они и приезжают из своих неоновых катакомб.

Ты говоришь, жизнь в Таиланде искажена, оттого что приезжие поливают невинных аборигенов ядовитой долларовой жижей, лишая их радостей простого труда. Я уважаю твои взгляды, но попробуй посмотреть на вещи чуть по-другому: эти самые развратители целый год грызут друг другу глотки в своих офисах и конторах, чтобы накопить достаточно ядовитой долларовой жижи. Скорее это их жизнь искажена, иначе зачем бы они приезжали в твой салон, моя радость? Низкие тарифы — да, с этим надо бороться. Но к чему эти вселенские обобщения, которые каждый раз кончаются убийством пятидесяти миллионов человек?

Ты спрашиваешь, как здесь дела. Если коротко, надежда на то, что обступившее со всех сторон коричневое море состоит из шоколада, тает даже у самых закаленных оптимистов. Причем, как остроумно замечает реклама, тает не в руках, а во рту.

В Москве строят небоскребы, съедают тонны суши и вчиняют миллиардные иски. Но этот бум имеет мало отношения к экономике. Просто сюда со всей России стекаются деньги и немного увлажняют здешнюю жизнь перед уходом в офшорное гиперпространство. Помнится, ты говорила, что основное противоречие современной эпохи — противоречие между деньгами и кровью. В Москве его остроту удается сгладить за счет того, что кровь пока еще льется далеко, а деньги всегда у кого-то другого. Но все это до поры до времени.

Здешняя жизнь настолько самобытна и неповторима, что нужен провидец вроде Освальда Шпенглера, чтобы верно ухватить ее суть. С точки зрения Шпенглера, в основе любой культуры лежит некий таинственный принцип, проявляющийся во множестве не связанных между собой феноменов. Например, есть глубокое внутреннее родство между круглой формой монеты и стеной, окружавшей античный го-

род, и так далее. Я думаю, займись Шпенглер современной Россией, его в первую очередь заинтересовал бы тот же вопрос, что и тебя — о местной элите.

Она действительно уникальна. Тебя дезориентировали: еще ни у кого не стало больше денег от того, что они «покрутились» вокруг этой публики. Денег от такой процедуры может стать только меньше, иначе элита не была бы элитой. В древние времена в Поднебесной любой чиновник стремился принести пользу на всеобщем пути вещей. А тут каждый ставит на этом пути свой шлагбаум, который поднимает только за деньги. И суть здешнего общественного договора заключена именно в таком подъеме шлагбаумов друг перед другом.

Элита здесь делится на две ветви, которые называют «хуй сосаети» (искаженное «high society»)[1] и «аппарат» (искаженное «upper rat»)[2]. «Хуй сосаети» — это бизнес-коммьюнити, пресмыкающееся перед властью, способной закрыть любой бизнес в любой момент, поскольку бизнес здесь неотделим от воровства. А «аппарат» — это власть, которая кормится откатом, получаемым с бизнеса. Выходит, что первые дают воровать вторым за то, что вторые дают воровать первым. Только подумай о людях, сумевших построиться в это завораживающее каре среди чистого поля. При этом четкой границы между двумя ветвями власти нет — одна плавно перетекает в другую, образуя огромную жирную крысу, поглощенную жадным самообслуживанием. Неужели ты захочешь крутиться вокруг этого чавкающего уробороса?

---

[1] Высшее общество.

[2] Верхняя крыса.

Так называется алхимический символ — кусающая себя за хвост змея, — но в нашем случае здесь прогля-дывают скорее урологические коннотации.

Реформы, про которые ты слышала, вовсе не что-то новое. Они идут здесь постоянно, сколько я себя помню. Их суть сводится к тому, чтобы из всех воз-можных вариантов будущего с большим опозданием выбрать самый пошлый. Каждый раз реформы начи-наются с заявления, что рыба гниет с головы, затем реформаторы съедают здоровое тело, а гнилая голова плывет дальше. Поэтому все, что было гнилого при Иване Грозном, до сих пор живо, а все, что было здо-рового пять лет назад, уже сожрано. Здешний «upper rat» мог бы рисовать на своих знаменах не медведя, а эту рыбью голову. Хотя медведь — тоже остроумный выбор: это международный символ экономической стагнации, к тому же есть выражение «брать на ла-пу». У эскимосов насчитывают тридцать слов для описания разных видов снега, а в современном рус-ском — примерно столько же идиом для обозначения дачи взятки должностному лицу.

Но русские все равно любят свою страну, а их пи-сатели и поэты традиционно сравнивают этот поря-док с гирей на ноге волшебного исполина — иначе, мол, помчался бы слишком быстро... Ох, не знаю. Уже дав-но не видно никакого исполина, а только нефтяная труба и висящая на ней крыса, делающая себе мисти-ческий автокефальный уроборос. Иногда мне кажет-ся, что единственная цель русского существования — тащить ее по заснеженной пустыне, пытаясь найти в этом геополитический смысл и вдохновить им ма-лые народы.

Если разобрать еще два связанных между собой аспекта местной культуры — строго табуированную лексику, на которой происходит повседневное общение между людьми, и законы, по которым общепринятый уклад жизни является уголовным преступлением (что накладывает на лица всех жителей несмываемую печать греха), — получится краткое описание гештальта, к которому ты собираешься в гости. Вообще этот список можно продолжать бесконечно: в него попадут сейфовые двери квартир, метафизические блокбастеры, в которых добро дает кормиться злу за то, что зло дает кормиться добру, и так далее. Но хватит об этом.

Лучше поделюсь профессиональными наблюдениями о перспективах здешней карьерной девушки («карьерная» от слова «карьера», а не «карьер»). Есть одна тюремная игра, которую интеллигенты называют «Робинзон», а интеллектуалы — «Ultima Thule». Заключается она в следующем: мужчина садится в бадью с водой таким образом, что над поверхностью оказывается только головка его пениса. Затем он вынимает из спичечного коробка заранее заготовленную муху с оторванными крылышками и выпускает ее на этот маленький островок. Наблюдение за бесцельными блужданиями несчастного насекомого по крайней плоти (отсюда название игры) и составляет суть этого мрачного северного развлечения. Это медитация над безысходностью существования, одиночеством и смертью. Катарсис здесь достигается за счет стимуляции головки члена, которую производит муха, быстро перебирая своими лапками. Существует разновидность этой игры, которую интеллигенты называют «Атлантида», а интеллектуалы — «Ки-

*теж духа». Но подробности здесь настолько мрачны,
что я не стану портить тебе сон, приводя их.*

*Поверь, сестричка, приехав сюда, ты будешь чувствовать себя бескрылой мухой, блуждающей по островам архипелага, о котором все главное уже сказал
человечеству Солженицын. Стоит ли менять твое
море и солнце на эту трудную судьбу? Да, денег здесь
больше. Но поверь, у здешних обитателей все они уходят на то, чтобы хоть понарошку, хотя бы в героиново-алкогольном дурмане, приблизиться к тому потоку счастья и радости, в котором проходит твоя
жизнь.*

*И последнее — раз уж ты заговорила о сверхоборотне. Я абсолютно уверена, что все легенды о нем
следует понимать как метафору. Сверхоборотень —
то, чем может стать любой из нас в результате
нравственного самоусовершенствования и максимального развития своих способностей. Ты являешься им в
потенции уже сейчас. Поэтому искать его где-то
снаружи — означает заблуждаться. Я не стала бы
тратить время, убеждая в этом И Хули или ее мужа
(на которого любопытно было бы взглянуть, пока еще
можно). Но ты, сестричка, с твоим ясным умом и
правдивым сердцем, должна это понимать.*

*Люблю и помню,
твоя А».*

Была такая китайская комедия семнадцатого века — «Две лисы в одном городе». Москва — очень
большой город. Значит, здесь могли быть очень
большие проблемы. Но меня ни капельки не останавливали подобные опасения — честное слово, я
думала только о счастье сестрицы. Если в своем

письме я и сгустила краски, то исключительно из
заботы о ней — пусть подольше погреется на сол-
нышке, счастье совсем не в деньгах. А про сверхоборотня я написала ей самое главное, в этом я была уверена полностью. В следующий раз надо будет
напомнить ей, чтобы она работала только по методике «невеста возвращает серьгу».

Серьга... Мне вдруг пришла в голову восхити-
тельная мысль, и я кинулась к металлическому ящи-
ку, где хранились украшения и всякая драгоценная
мелочь. То, что мне было нужно, нашлось сразу —
пара серебряных сережек лежала на самом верху.

Я открыла свой старенький «leatherman» с крохотными плоскогубцами (одна из первых моделей,
сейчас таких уже не делают), аккуратно отцепила от
сережек крючки, и вскоре у меня на ладони лежало
нечто потрясающее. Это были серьги в виде колец
на серебряных крючках, которые по цвету практически сливались с платиной. Одна серьга была с
брильянтом побольше, другая с брильянтом поменьше. Так, по-моему, никто еще не делал. Уви-
дят — украдут идею, подумала я. Но что с этим по-
делать...

Надев серьги, я посмотрела на себя в зеркальце.
Выглядело супер. Было ясно с первого взгляда: в
моем ухе не серьги, а именно кольца, подвешенные
вместо сережек. Кроме того, было видно, что кольца дорогие — бриллианты восхитительно играли в
пыльном луче света, освещавшем мое жилище. Самый шик — дорогая вещь в оправе из демонстра-
тивного презрения к дороговизне, соединение иде-
алов финансовой буржуазии и ценностей шестьдесят восьмого года в одном эстетически целостном

объекте, который обещает, что хозяйка даст не только Абрамовичу, но и Че Геваре, и даже туманно намекает, что Абрамовичу она собирается дать только временно, пока не подтянется Че Гевара (Че Гевара тут, естественно, ни при чем, и давать ему никто не собирается — просто девушка предполагает, что на такую блесну Абрамович лучше клюнет). Словом, то, что доктор прописал.

Впрочем, видала я этого доктора в гробу. Я таких докторов за две тысячи лет насмотрелась — все они что-то прописывают, а человеческая душа раз за разом верит в один и тот же обман, несется на скалы мира и расшибается о них насмерть. И снова несется, несется — как в первый раз. Живешь на берегу этого моря, слушаешь шум его волн и думаешь — счастье, что каждая волна знает только о себе и не ведает прошлого.

*

Мне, конечно, дарят такие кольца и брошки не за совершенство моей души, которое современные люди постичь не в силах. Они ценят исключительно мою физическую красоту — мучительную, двусмысленную и сокрушительную. Я хорошо знаю ее силу — изучила за много сотен лет. Но после встречи с Александром я отчего-то потеряла обычную уверенность в себе. Не помню, чтобы время когда-нибудь тянулось так медленно — два дня, которые я дожидалась его звонка, показались мне вечностью. Минуты улитками переползали из будущего в прошлое, я сидела у зеркала, вглядывалась в свое отражение и размышляла о красоте.

Часто мужчина думает: вот ходит по весеннему

городу девушка-цветок, улыбается во все стороны и сама не осознает, до чего же она хороша. Такая мысль естественным образом превращается в намерение приобрести эту не осознающую себя красоту значительно ниже ее рыночной стоимости.

Ничего не бывает наивней. Мужчина, значит, осознает, а сама девушка-цветок — нет? Это как если бы колхозник из Николаева, продавший корову и приехавший в Москву покупать старые «Жигули», проходил мимо салона «Порше», увидел в окне молоденького продавца и подумал: «Он ведь такой зеленый... Вдруг поверит, что этот оранжевый «Бокстер» дешевле «Жигулей», раз у него всего две двери? Можно попробовать поговорить, пока он один в зале...»

Такой мужчина, конечно, очень смешон, и шансов у него никаких. Но не все так мрачно. Для колхозника из Николаева есть плохая новость и хорошая новость:

1) плохая новость такая — ему ничего не купить ниже рыночной стоимости. Все просчитано, все схвачено, все выверено. Оставь надежду всяк сюда входящий.

2) хорошая новость такая — эта рыночная стоимость значительно ниже, чем ему представляется в его гормональном угаре, помноженном на комплекс неполноценности и недоверие к успеху.

Новый оранжевый «Бокстер» ему, конечно, не светит — его купит пожилой добряк из министерства социального развития. А вот на старенькую «Ауди» вполне может хватить. Только ведь и «Ауди» ему не нужна, ему нужен трактор. Трагедия этого колхозника, да и всех остальных мужчин, заключена в том, что они бегут за нашей красотой, не понимая ее природы. Столько всего про нее сказано — это, мол, страшная и ужасная вещь, которая к тому же спасет мир, и так далее. Но ведь понятнее от этого предмет не становится совершенно.

Лис объединяет с самыми красивыми женщинами то, что мы живем за счет чувств, которые вызываем. Но женщина руководствуется инстинктом, а лиса разумом, и там, где женщина движется в потемках и на ощупь, лиса гордо идет вперед при ясном свете дня.

Впрочем, надо признать, что некоторые женщины справляются с ролью неплохо. Но они при всем желании не смогут раскрыть своих профессиональных секретов, поскольку сами не понимают их на рациональном уровне. А вот мы, лисы, эти секреты осознаем вполне отчетливо — и сейчас я расскажу об одном из них, самом простом и главном.

Тому, кто хочет понять природу красоты, надо первым делом задать себе вопрос: где она находится? Можно ли считать, что она — где-то в женщине, которая кажется прекрасной? Можно ли сказать, что красота, например, в чертах ее лица? Или в фигуре?

Как утверждает наука, мозг получает поток информации от органов чувств, в данном случае — от глаз, и без интерпретаций, которые делает визуальный кортекс, это просто хаотическая последовательность цветных пятен, оцифрованная зрительным трактом в нервные импульсы. Дураку понятно, что никакой красоты там нет, и через глаза она в человека не проникает. Говоря технически, красота — это интерпретация, которая возникает в сознании пациента. Что называется, in the eye of the beholder[1].

Красота не принадлежит женщине и не является ее собственным свойством — просто в определенную пору жизни ее лицо отражает красоту, как оконное стекло — невидимое за крышами домов солнце. Поэтому нельзя сказать, что женская красота со временем увядает — просто солнце уходит дальше, и его начинают отражать окна других домов. Но солнце, как известно, вовсе не в стеклах, на которые мы смотрим. Оно в нас.

Что это за солнце? Извиняюсь, но это другая тайна, а я сегодня собиралась раскрыть только одну. К тому же, с точки зрения практической магии, природа солнца совершенно не важна. Важны манипуляции, которые мы совершаем с его светом, и здесь между лисами и женщинами есть важное отличие. Но, как и в прошлом случае, объяснить его я могу только с помощью аналогии.

Бывают фонарики, которые носят на лбу, на специальном ремешке. Они популярны среди велосипедистов и спелеологов. Очень удобно — куда поворачивается голова, туда и луч света. Я сама катаюсь с таким по ночам в Битцевском парке — в нем три крохотных острых лампочки, которые дают пятно сине-белого света на асфальте дорожки. Так вот, красота — это эффект, который возникает в сознании смотрящего, когда свет лампы на его голове отражается от чего-нибудь и попадает ему же в глаза.

---

[1] В глазах смотрящего.

В каждой женщине есть зеркало, с рождения установленное под определенным углом, и, что бы ни врала индустрия красоты, изменить этот угол нельзя. А вот мы, лисы, можем регулировать угол наклона своего зеркала в весьма широких пределах. Мы можем подстроиться практически под любого велосипедиста. Здесь внушение работает пополам с кокетством: хвост остается под одеждой, и мы помогаем себе его действием только чуть-чуть. Но любая лиса знает — в этом «чуть-чуть» все дело.

Специально для этих записок я перевела отрывок из воспоминаний графа де Шермандуа, известного авантюриста восемнадцатого века, в которых он запечатлел для истории сестричку И Хули. Шермандуа встретил ее в Лондоне, где спасался от ужасов революции. Между ними завязался роман, но конец у него был несчастный — граф при странных обстоятельствах умер от разрыва сердца. Вот как граф описывает ту секунду, когда лиса поворачивает свое зеркальце, направляя луч отраженного света прямо в глаза жертвы:

«Не могу сказать, что она была особенно хороша собой. Когда мне доводилось увидеть ее после долгой разлуки, я поражался, как могло это маленькое сухое существо со злыми глазами сделаться для меня всем — любовью, жизнью, смертью, спасением души. Но стоило ей поймать мой взгляд, и все менялось. Сначала в ее зеленых глазах появлялось как бы испуганное сомнение в том, что она любима. То, что любить ее не за что, было в эту минуту очевидно, и каждый раз я испытывал волну жалости, переходящей в нежность. А она впитывала эти чувства, как губка вино, и сразу же расцветала мучительной, сводящей с ума

красотой. Короткий обмен взглядами менял все. За минуту до него я не понимал, каким образом могла эта некрасивая, в сущности, женщина увлечь меня, а после — не мог взять в толк, как можно было хоть на минуту усомниться в волшебной силе ее черт. И чем дольше я глядел в ее глаза, тем сильнее делалось это чувство, доводя меня до исступления, до физической боли — словно она просовывала кинжал в щель стены, за которой я хотел спрятаться, и несколькими движениями лезвия расшатывала кладку до такой степени, что стена рушилась, и я вновь стоял перед ней нагой и беззащитный, как ребенок. Я изучил эту метаморфозу в совершенстве, но так и не научился понимать природу огня, спалившего дотла всю мою душу».

Увы, это так: красота подобна огню, она сжигает, сводит с ума своим жаром, обещая, что там, куда она гонит жертву, есть успокоение, прохлада и новая жизнь — а это обман. Вернее, все так и есть — но не для жертвы, а для новой жизни, которая придет жертве на смену, а потом тоже будет пожрана этим беспощадным демоном.

Уж я-то знаю, о чем говорю. Он служит мне больше двух тысяч лет, и, хоть у меня с ним давние служебные отношения, я его немного боюсь. Демон красоты — сильнейший из всех демонов ума. Он подобен смерти, но служит жизни. И живет он не во мне — я всего лишь выпускаю его из лампы на лбу смотрящего, как Аладдин — джинна, а потом, когда джинн возвращается в свою тюрьму, мародерствую на поле боя. Тяжелая доля, и вряд ли Будда Западного Рая одобрит мои дела. Но что делать. Такая у лис судьба.

И не только у лис. Она такая же и у нашей младшей сестренки, человеческой женщины. Но только бесчувственный и тупой самец-шовинист может попрекнуть ее этим. Ведь женщина вовсе не создана из ребра Адама, это переписчик напутал от жары. Женщина создана из раны, через которую у Адама его вынимали. Все женщины это знают, но признались вслух на моей памяти только две — Марина Цветаева («от друзей — тебе, подноготную тайну Евы от древа — вот: я не более чем животное, кем-то раненное в живот») да императрица Цы Си, которую невероятно раздражала собственная принадлежность к слабому полу (ее высказывание я не привожу, так как оно, во-первых, непристойно, а во-вторых, крайне идиоматично и не поддается переводу). А ребро Адаму отдали, и он с тех пор все пытается засунуть его назад в рану — в надежде, что все заживет и срастется. Дудки. Эта рана не заживет никогда.

Насчет лезвия и стены граф де Шермандуа подметил очень хорошо, образно. Мы, лисы, действительно делаем нечто подобное — нащупываем тайные струны человека, а потом, когда они найдены, норовим сыграть на них «Полет Валькирий», от которого рушится все здание личности. Впрочем, теперь это не так страшно. Здание современной личности больше похоже на землянку — рушиться в ней нечему, и усилий для ее завоевания прилагать почти не надо.

Но зато и завоевание ничтожно — чувства нынешних *моргателей глазами* неглубоки, и органчики их душ играют только собачий вальс. Вызываешь в таком человеке самый мощный ураган, который он способен вместить, а урагана хватает только на то,

чтобы принести тебе несколько мятых стодолларо-
вых бумажек. И еще надо следить, чтобы они не
были разрисованы, порваны или, упаси бог, выпу-
щены до восьмидесятого года. Вот так.

* * *

Александр позвонил через два дня, как обещал.
Я взяла трубку еще во сне, совершенно не сомнева-
ясь, что это он.

— Алло.

— Ада, — сказал он, — ты?

— Ада?

Я точно помнила, что так не называла себя никогда.

— Я буду называть тебя Ада, — сказал он. — Это
ведь можно считать уменьшительным от Адель?

В имени могло крыться два полярных смысла —
«ад А» и «А да». Это волновало. Удивительнее всего, что раньше такое никогда не приходило мне в
голову.

— Хорошо, — сказала я, — называй, если хочешь.

Лучше переходить с «вы» на «ты» незаметно, не
заостряя на этом внимания, так как в разных куль-
турах ритуалы сильно отличаются, а все их запом-
нить невозможно. Я сформулировала это правило
около полутора тысяч лет назад, и оно ни разу меня
не подводило.

— Я хочу тебя видеть, — сказал он.

— Когда?

— Прямо сейчас.

— Э...

— Тебя ждет моя машина.

— Где?

— У трибун.

— У трибун? А как ты узнал, где я...

— Это несложно, — усмехнулся он. — Михалыч тебя довезет.

В дверь громко постучали.

— Вот, — сказал Александр в трубке, — это он. Жду тебя, мой цветок.

Он повесил трубку. Мой цветок, подумала я, надо же. Считает меня растением. В дверь опять постучали, на этот раз настойчивее. Такая предупредительность граничила с наглостью.

— Адель, — позвал из-за двери знакомый голос. — Ты тут? Я по прибору вижу, что тут. Эй!

Он постучал еще раз.

— У тебя тут знак висит «не влезай, убьет». Может, ты влезла, и тебя убило? Ты живая? Отзовись! А то я дверь сломаю!

Идиот, подумала я, сейчас же народ сбежится. Хотя нет, еще слишком рано... Но все равно лучше было не рисковать. Я подошла к двери и сказала:

— Владимир Михайлович, тише! Сейчас отопру, дайте только одеться.

— Жду.

Я быстро оделась и оглядела свое жилище — кажется, ничего компрометирующего на виду не было. И как он только меня нашел? Следил, что ли?

— Открываю...

Михалыч вошел и несколько секунд моргал, привыкая к полутьме. Затем огляделся по сторонам.

— Ты чего это, здесь живешь?

— Ну да.

— Что, в газовом вводе?

— Это не газовый ввод. Там просто табличка на входе, чтобы у людей вопросов не было.

— А что это вообще такое? — спросил он.

— В каком смысле?

— Ну, у каждого места есть свое предназначение. Что это за помещение?

— Я помещений не люблю, — сказала я. — Мне не нравится, когда меня помещают. Это пустое место под трибунами. Сначала тут склад был. Потом все перегородили, за стенкой сделали трансформаторную подстанцию, а про эту часть забыли. Ну, не просто так забыли. Пришлось, конечно, постараться...

Я выразительно пошевелила в воздухе пальцами. Шевелить, конечно, надо было не пальцами, а хвостом, но я не собиралась посвящать Михалыча во все подробности своей трудной судьбы.

— Отопление-то хоть у тебя есть? — спросил он. — Ага, вон вижу, обогреватели. А где туалет?

— Вам что, хочется?

— Нет, просто интересно.

— Надо по коридору пройти. Там еще и душ.

— Ты правда в этой конуре живешь?

— Почему конура? — сказала я. — По планировке больше мансарду напоминает, как у адвоката или политтехнолога. Loft, это сейчас модно. Потолок здесь косой, потому что сверху трибуны проходят. Романтично.

— А как же ты здесь без света?

— Вон под потолком стеклышко, видите? Это окно. Когда солнце встает, сюда падает очень красивый луч. Вообще я и в темноте неплохо вижу.

Он еще раз оглядел мое жилище.

— В этих мешках твое барахлишко?

— Можно и так сказать.

— Велосипед тоже твой?

— Да, — сказала я. — Хороший велосипед, кстати — дисковые тормоза, вилка из углепластика.

— Компьютер тоже из углепластика? — хмыкнул он.

— Будете смеяться, угадали. Это редкая модель «Vaio», их «Сони» только для Японии делает. Самый легкий ноутбук в мире.

— Понятно. Поэтому на картонной коробке стоит, да? Вместо стола? Перед гостями не стыдно?

Его тон стал меня задевать.

— Знаете, Владимир Михайлович, — ответила я, — если сказать честно, я даже не знаю, к чему я испытываю большее равнодушие — к виду окружающих меня вещей или ко мнениям окружающих меня граждан. И то и другое слишком быстро остается в прошлом, чтобы я, как это говорят, парилась.

— В общем, бомжатник, — подвел он итог. — Участковый про эту хавиру знает?

— Хотите направить?

— Посмотрю на твое поведение. Ну, пошли.

До машины мы дошли молча, только Михалыч два раза выругался — первый раз, когда надо было протиснуться через щель между двумя фанерными щитами, а второй — когда надо было поднырнуть под перегородку.

— Пожалуйста, не материтесь, — попросила я.

— Я рукав порвал. Как ты здесь свой велосипед протаскиваешь?

— Запросто. Летом я его снаружи оставляю. Кто сюда полезет.

— Да, — сказал он, — это точно.

Машина стояла за воротами спорткомплекса. Значит, был шанс, что визит Михалыча останется незамеченным. Хотя какая разница? Местные могут ничего не замечать еще сто лет, но ведь Михалыч и его контора теперь все знают. Просто так они с меня не слезут. Придется искать новое жилье, подумала я, в какой уже раз...

Когда мы отъехали от спорткомплекса, Михалыч вдруг протянул мне алую розу с длинной ножкой. Я даже не поняла, откуда он ее вытащил, так это было неожиданно. Роза совсем недавно раскрылась, на ней еще блестела роса.

— Спасибо, — сказала я, беря цветок. — Я тронута. Но сразу хочу сказать, что между нами вряд ли...

— Это не от меня, — перебил он. — Шеф просил передать. Сказал, чтобы ты по дороге подумала над смыслом.

— Хорошо, — сказала я, — подумаю. А по какому прибору вы меня видели?

Он сунул руку в карман пиджака и вынул маленький предмет вроде портсигара с экранчиком, как у цифровой камеры. На портсигаре было несколько кнопок, но выглядел он в целом невыразительно.

— Это пеленгатор.

— И что он ловит?

— Сигналы, — сказал Михалыч. — Дай свою сумку.

Я протянула ему свою сумочку. У следующего светофора он взял ее за ремешок, вывернул его и показал мне маленький кружок темной фольги, размером меньше копейки. Он был совсем тонким и держался на клейком слое. Я бы никогда его не заметила — или решила бы, что это какой-то лейбл.

— И когда вы его мне прицепили?

— А когда мы в комнату шли шампанское пить, — сказал он и ухмыльнулся.

— Зачем? Ко мне такие серьезные вопросы?

— В общем, да, — сказал он. — Но теперь уже не у меня. Ничего, шеф тебя на чистую воду выведет... И не таких разъясняли. Я ему, кстати, сказал, чем ты занимаешься.

Происходящее совсем перестало мне нравиться, но было уже поздно метаться: мы приближались к знакомому дому. Проехав через двор, машина нырнула в металлические ворота гаража, которые немедленно закрылись, отрезав нас от мира.

— Выходи, приехали.

Как только Михалыч вылез, я положила розу на его сиденье — ее длинный шипастый стебель практически сливался с ним по цвету, и был хороший шанс, что Михалыч с размаху усядется на него своим крепким задом.

— Сымай обувь, — сказал он, когда я вылезла следом.

— Меня чего, на расстрел ведут?

— Как выйдет, — хмыкнул он. — Вон тапочки у лифта.

Я огляделась. Круглая дыра в потолке, стальной шест, спиральная лестница — мы были в памятном месте. Но теперь в гараже горел свет, и я заметила дверь лифта, на которую не обратила внимания в прошлый раз. Перед ней на полу стояло несколько пар сменной обуви разнообразного вида. Я выбрала синие тапочки с круглыми помпонами — у них был такой трогательно-беззащитный вид, что обидеть надевшую их девушку мог только изверг.

Дверь лифта открылась, и Михалыч жестом

пригласил меня внутрь. На панели были две большие треугольные кнопки, соединявшиеся в ромб. Михалыч нажал на верхний треугольник, и лифт мощным рывком оторвал нас от земли.

Когда через несколько секунд дверь открылась, меня ослепил падающий со всех сторон свет. В лучах и радужных вихрях этого света стоял Александр. На нем был военный мундир и марлевая маска, закрывавшая лицо.

— Здравствуй, Ада, — сказал он. — Добро пожаловать. Нет, Михалыч, извини — тебя не приглашаю. Сегодня ты будешь лишним...

*

Я обратила внимание на пентхаус еще в свой первый визит. Только я не догадалась, что это пентхаус — снизу он напоминал темную кнопку на конце огромного бетонного карандаша. Его можно было принять за надстройку с моторами лифтов, какое-нибудь техническое помещение или бойлерную. Но эти бирюзовые стены, оказывается, были прозрачными изнутри.

Не успела я это понять, как прямо на моих глазах они стали темнеть, пока не сделались похожи на бутылочное стекло. Только что я щурилась от солнца, и вдруг за несколько секунд вокруг меня сгустился целый дом, который до этого не был виден из-за солнечного света, расшибающегося о множество зеркальных плоскостей.

Позже я узнала, что это было дорогой технической примочкой — прозрачность стен менялась с помощью специальных жидкокристаллических пленок, которыми управляла компьютерная система. Но тогда случившееся показалось мне чудом.

А чудеса с давних пор настраивают меня на иро-
ничный, чтобы не сказать презрительный лад.

— Привет, Шурик, — сказала я. — Что за бала-
ган? Нет денег на нормальные шторы?

Он опешил. Но через секунду пришел в себя и
засмеялся.

— Шурик, — сказал он. — Мне это нравится. Ну
да. Раз ты теперь Ада, я, наверное, Шурик.

Его светло-серый двубортный китель с погонами генерал-лейтенанта и темно-синие штаны с
широкими красными лампасами выглядели немного театрально. Подойдя ко мне, он снял с лица мар-
левую повязку, зажмурился и втянул носом воздух.
Мне захотелось спросить, почему он постоянно так
делает, но я не решилась. Он открыл глаза, и его
взгляд упал на мои сережки.

— Как ты занятно придумала, — сказал он.

— Здорово, правда? Особенно красиво, что кам-
ни разные. Тебе нравится?

— Ничего. Михалыч передал тебе цветок?

— Да, — ответила я. — И сказал, чтобы я подумала над смыслом этого послания. Но я так ничего
не надумала. Может, ты мне сам скажешь?

Он почесал голову. Похоже, его смутил мой вопрос.

— Ты знаешь сказку про аленький цветочек?

— Какую именно? — спросила я.

— По-моему, есть только одна.

Он кивнул в сторону рабочего стола, на котором
стояли компьютер-моноблок и серебряная статуэт-
ка. Рядом со статуэткой лежала книга, заложенная
в нескольких местах. На ее обложке краснела полу-
стертая надпись «Русские сказки».

— Эту сказку записал Сергей Аксаков, — сказал
он. — Со слов своей ключницы Пелагеи.

— А про что она?

— Про красавицу и зверя.

— А при чем тут цветочек?

— Из-за него все началось. Ты правда не знаешь
этой сказки?

— Нет.

— Она длинная, но суть такая: красавица попросила отца привезти ей аленький цветочек. Отец нашел его в далеком волшебном саду и сорвал. А сад
сторожило страшное чудовище. Оно поймало отца
красавицы. И ей пришлось отправиться в плен к
чудовищу, чтобы оно отпустило отца. Чудовище
было безобразным, но добрым. И она полюбила его,
сначала за доброту, а потом вообще. А когда они
поцеловались, чары развеялись, и чудовище стало
принцем.

— Ага, — сказала я. — Ты хоть понимаешь, о
чем это?

— Конечно.

— Да? И о чем же?

— О том, что любовь побеждает все.

Я засмеялась. Все-таки он был забавный. Наверно, завалил нескольких быков, заказал какого-нибудь банкира, а теперь с обычной человеческой са-
монадеянностью считает себя чудовищем. И думает, что любовь его спасет.

Он взял меня под руку и повел к футуристиче-
скому дивану, стоявшему между двух рощиц из кар-
ликовых деревьев-бонсай с крохотными беседками,
мостиками и даже водопадами.

— Почему ты смеешься? — спросил он.

— Могу объяснить, — сказала я, садясь на диван и поджимая под себя ноги.

— Ну объясни.

Он сел на другой край дивана и закинул ногу за ногу. Я заметила вылезший из-под кителя край кобуры.

— Это одна из тех сказок, которые отражают ужас и боль первого женского сексуального опыта, — сказала я. — Таких историй много, а та, про которую ты рассказал — просто классический пример. Это метафора того, как женщина открывает звериную суть мужчины и осознает свою власть над этим зверем. А аленький цветочек, который срывает отец, — настолько буквальный мотив дефлорации, дополненный к тому же темой инцеста, что мне трудно поверить, будто эту сказку рассказала какая-то ключница. Ее скорее всего сочинил венский аспирант прошлого века, чтобы проиллюстрировать дипломную работу. Придумал и сказку, и ключницу Пелагею, и писателя Аксакова. Кто такая ключница? Женщина, сжимающая в руке ключ... Даже не просто ключ, кольцо, на котором висят ключи. Надо ли объяснять?

За то время, пока я говорила, он заметно помрачнел.

— Где ты этого набралась? — спросил он.

— Это трюизмы. Их все знают.

— И ты в них веришь?

— Во что?

— В то, что эта сказка не о том, как любовь побеждает все на свете, а о том, как дефекация осознает свою власть над инцестом?

— Дефлорация, — поправила я.

— Не важно. Ты действительно так считаешь?

Я задумалась.

— Я... Я никак не считаю. Просто таков современный дискурс сказок.

— И что, когда тебе дают аленький цветочек, ты из-за этого дискурса считаешь его символом дефекации и инцеста?

— Ну зачем ты так, — ответила я чуть растерянно. — Когда мне дают аленький цветочек, мне... Мне просто приятно.

— Слава богу, — сказал он. — А что касается современного дискурса, то его давно пора забить осиновым колом назад в ту кокаиново-амфетаминовую задницу, которая его породила.

Такого энергичного обобщения я не ожидала.

— Почему?

— Чтобы он не поганил наш аленький цветочек.

— Так, — сказала я, — насчет кокаина я понимаю. Это ты о докторе Фрейде. Верно, был за ним такой грешок. А при чем здесь амфетамины?

— Могу объяснить, — сказал он и поджал под себя ноги, пародируя мою позу.

— Ну объясни.

— Все эти французские попугаи, которые изобрели дискурс, сидят на амфетаминах. Вечером жрут барбитураты, чтобы уснуть, а утро начинают с амфетаминов, чтобы продраться сквозь барбитураты. А потом жрут амфетамины, чтобы успеть выработать как можно больше дискурса перед тем, как начать жрать барбитураты, для того чтобы уснуть. Вот и весь дискурс. Ты не знала?

— Откуда такие сведения?

— У нас в Академии ФСБ был курс о современной психоделической культуре. Контрпромывание мозгов. Да, забыл сказать — все они к тому же педики. Это если ты спросишь, при чем здесь задница.

Разговор шел не туда, куда надо, и пора было менять тему. А я предпочитаю делать это резко.

— Александр, — сказала я, — ты мне объясни, чтобы я поняла, что здесь делаю. Ты меня трахнуть хочешь или перевоспитать?

Он вздрогнул, словно я сказала что-то страшное, вскочил с дивана и стал ходить взад-вперед мимо окна — вернее, не окна, а оставшегося прозрачным прямоугольника в стене.

— Пытаешься меня шокировать? — спросил он. — Зря ты. Я знаю, под твоим напускным цинизмом скрывается чистая ранимая душа.

— Напускной цинизм? Это во мне?

— Даже не цинизм, — сказал он, останавливаясь. — Легкомыслие. Непонимание серьезных вещей, с которыми ты играешь, как маленький ребенок с гранатой. Давай поговорим откровенно, по делу.

— Ну давай.

— Вот ты говоришь — звериная суть мужчины, ужас первого соития... Ведь это такие страшные, темные вещи. Мне самому, если хочешь знать, страшно бывает глядеть в эти бездны...

«Мне самому». Нет, какой он все-таки был смешной.

— А ты рассуждаешь так, — продолжал он, — будто все это семечки. В тебе что, нет страха перед звериным в мужчине? Перед мужским в звере?

— Ни капли, — сказала я. — Тебе же Михалыч сказал, кто я. Сказал?

Он кивнул.

— Ну вот. Если бы у меня были такие проблемы, я бы работать не смогла.

— Тебя не пугает близость чужого тела — огромного, безобразного, живущего по своим законам?

— Я это просто обожаю, — сказала я и улыбнулась.

Он посмотрел на меня и недоверчиво покачал головой.

— Я имею в виду — физическая близость? В самом низменном смысле?

— За духовную у меня надбавка сто пятьдесят процентов. Сколько можно одно и то же обсасывать? Ты что, каждый раз такой базар разводишь, перед тем как трахнуться?

Он наморщился.

— Только не надо со мной говорить как с бандитом. Это из-за кителя, да?

— Может быть. Попробуй его снять. И штаны тоже.

— Зачем ты так...

— Я тебе совсем не нравлюсь?

Я наклонила голову и обиженно поглядела на него исподлобья, чуть сощуренными глазами, слегка выпятив губы. Я отрабатывала этот взгляд больше тысячи лет, и бесполезно его описывать. Это моя фирменная провокация, бесстыдство с невинностью в одном бронебойном флаконе, который прошивает клиента насквозь и потом еще добивает рикошетом. Единственный известный мне способ защиты от такого взгляда — смотреть в другую сторону. Александр смотрел на меня.

— Нравишься, — сказал он и нервно дернул головой. — Еще как.

Я поняла, что наступил критический момент. Когда клиент так дергает головой, контрольные центры его мозга отказывают, и он может броситься на тебя в любую секунду.

— Мне надо в ванную, — сказала я, вставая. — Где у тебя ванная комната?

Он указал на круглую стену из синего полупрозрачного стекла. Двери там не было — внутрь вел заворачивающийся улиткой проход.

— Я сейчас.

Только оказавшись внутри, я перевела дух.

За стеной было красиво. Золотые звезды на синем и отделанная перламутром ванна напоминали о помпейских термах — возможно, художник-декоратор сознательно процитировал этот мотив. Но вряд ли хозяин был в курсе.

Рискованно доводить клиента до такого градуса, подумала я, когда-нибудь это плохо кончится. А может, Александр тоже чем-нибудь колется, как Михалыч? Или что-нибудь глотает? Не зря же он все время так странно нюхает воздух...

Сняв джинсы, я положила их на пол, распушила хвост и посмотрела на себя в зеркало. Моя гордость походила на японский веер, расписанный красной кистью. Это было красиво. А на сине-звездном фоне смотрелось просто сказочно. Я была как никогда уверена в своих силах — энергия просто переполняла меня, еще чуть-чуть, и с шерстинок моего хвоста полетели бы маленькие шаровые молнии. Мне вспомнилось смешное русское выражение — «держать хвост пистолетом», то есть не падать духом. Не знаю, откуда оно взялось, но без лисы там наверняка не обошлось. Ну что, подумала я, ствол к бою...

Подойдя к выходу, я изготовилась к старту. Сделав несколько глубоких вдохов, я поймала ту единственно верную секунду, когда все клеточки тела говорят тебе «сейчас!», и смерчем вынеслась из ванной.

Дальше не было времени думать. Затормозив, я развернулась к мишени задом, крепко уперлась в пол руками и ногами и выгнула хвост над головой. В одной из зеркальных плоскостей мелькнуло мое отражение — я походила на грозного рыжего скорпиона, изготовившегося к бою... Александр поднял на меня глаза, но раньше, чем он успел моргнуть, мой хвост послал в самый центр его мозга свой выверенный, четкий, безупречно точный удар.

Он закрыл глаза ладонью, как от слепящего света. Затем опустил руку, и наши глаза встретились. Происходило что-то не то. Моему хвосту никак не удавалось его нащупать — а он стоял в нескольких шагах и глядел на меня с таким видом, будто не мог поверить, что на свете бывает такая красота.

— Адель, — прошептал он, — душенька...

А дальше начался кошмар.

Пошатнувшись, он издал ужасный воющий звук и буквально вывалился наружу из собственного тела — словно оно было бутоном, за несколько секунд раскрывшимся в жуткий лохматый цветок. Как выяснилось, человек по имени Александр был просто рисунком на двери в потустороннее. Теперь эта дверь распахнулась, и наружу вырвался тот, кто уже долгое время следил за мной сквозь замочную скважину.

Передо мной стоял монстр, нечто среднее между человеком и волком, с оскаленной пастью и пронзительными желтыми глазами. Сперва я подумала, что одежда Александра исчезла. Потом я поняла, что его китель и брюки трансформировались вместе с ним: торс покрывала пепельно-серая шерсть, а задние лапы были темнее, и на них можно было различить неровный след лампасов. На груди зверя было продолговатое пятно, похожее на отпечаток сбившегося набок галстука. Когда я опустила глаза ниже, меня охватил ужас. Я никогда раньше не видела, как это место выглядит у возбужденного волка. А выглядело оно, на мой взгляд, страшнее любой оскаленной пасти.

Тут я поняла, что так и стою на четвереньках, задрав хвост и выпятив в его сторону свою беззащитную попку. Беззащитную, поскольку моя антенна не работала и остановить его мне было нечем. Я догадывалась, как может быть истолкована моя поза, но меня парализовало — вместо того чтобы вскочить, я все глядела на него через плечо. Так бывает в некоторых снах — надо срочно убегать, а ты стоишь на месте, и никак не получается оторвать от земли свинцовые ноги. Я даже не могла согнать с лица идиотскую ухмылку — как у воришки, пойманного на месте преступления.

— Р-р-рарра, — сказал он. — Р-рррау-у...

— Братан, — пролепетала я, — подожди. Я все объясню...

Он зарычал и шагнул ко мне.

— Ты об этом даже не думай, понял? Я тебе серьезно говорю, серый, тормози...

Он мягко упал на передние лапы-руки и сделал ко мне еще шаг. Нужны были совсем другие слова, причем срочно. Но где их было взять?

— Слушай... Давай спокойно все обсудим, а?

Он оскалил пасть и поднял свой серый хвостище, почти скопировав мою рабочую стойку.

— Подожди, серенький, — прошептала я, — не надо...

Он прыгнул, и на секунду мне показалось, что свет закрыла низкая и страшная грозовая туча. А в следующий миг туча рухнула на меня.

*

Лежа на диване, затянутом чем-то вроде шкуры мамонта-альбиноса, я рыдала в подушку и сама не понимала, откуда во мне столько слез — подушка была уже мокрой с обеих сторон.

— Ада, — позвал Александр и положил ладонь мне на плечо.

— Уйди, урод, — всхлипнула я и стряхнула его руку.

— Извини, — сказал он робко, — я не хотел...

— Сказала же, уйди, сволочь.

Я опять залилась слезами. Через минуту или две он снова попытался коснуться моего плеча.

— Я же тебя три раза спросил, — сказал он.

— Издеваешься?

— Почему издеваюсь. Я ведь тебе говорил. Про звериное тело, про физическую близость. Разве нет?

— А как я могла догадаться?

Он пожал плечами.

— Ну, например, по запаху.

— Лисы запахов не чувствуют

— А я про тебя сразу все понял, — сказал он и неловко погладил меня по руке. — Во-первых, люди так не пахнут. А во-вторых, Михалыч все уши прожужжал. «Товарищ генерал-лейтенант, я тут смотрел запись — реально вопрос надо решать с бабой. Она там стоит на четвереньках, глаза злые, страшные, в жизни таких не видел, а на спине — огромная рыжая линза. И она этой линзой нашему консультанту мозг прожигает! Направила луч, а тот аж заколдобился...» Я сперва подумал, что у него совсем от кетамина крыша съехала. А потом посмотрел запись — действительно... За линзу он твой хвост принял.

— Какую еще запись?

— Твой клиент, которого ты до крови отхлестала, домашнее порно снимал. Скрытой камерой.

— Что? Когда я в долг работала?

— Ну это я не знаю, ваши дела. Он, как в себя пришел, сразу пленку нам принес.

— Интеллигент, твою мать, — не сдержалась я.

— Да, — согласился он, — не очень красиво. Но такие люди. А что, Михалыч тебе фоток не показывал? У него же целая папка была, специально распечатали для разговора.

— Не успел... Значит, всю эту мерзость, которую ты сейчас со мной проделывал, потом Михалыч будет смотреть?

— У меня здесь ни одной камеры нет, успокойся, милая.

— Не называй меня милой, волчара, — всхлипнула я. — Грязный развратный самец. Со мной такого за последние... — я вдруг почему-то решила не упоминать никаких дат, — со мной такого отродясь никто не делал. Какая гадость!

Он втянул голову в плечи, словно его отстегали мокрой тряпкой. Это было любопытно — хоть на него совсем не действовал мой хвост, зато, похоже, сильно действовали мои слова. Я решила проверить свое наблюдение.

— У меня там все такое нежное, хрупкое, — сказала я жалобно. — А ты мне все разорвал своим огромным членом. Теперь я, наверно, умру...

Он побледнел, расстегнул китель и вынул из кобуры здоровенный никелированный пистолет. Я испугалась, что он сейчас пальнет в меня, как Роберт де Ниро в занудливую собеседницу у Тарантино, — но, к счастью, ошиблась.

— Если с тобой что-нибудь случится, — сказал он серьезно, — я пущу пулю себе в лоб.

— Убери. Я сказала, убери подальше... Ну пустишь ты себе пулю в свою дурную голову. А мне что, легче будет? Я же тебя просила — не надо!

— Я думал, — сказал он тихо, — ты кокстничаешь.

— Кокетничаю? Да у тебя елдак в три раза больше, чем этот пистолет, волчина! Какое кокетство, тут бы живой остаться! Сейчас ведь детей на уроках учат — если девушка говорит «нет», это значит именно «нет», а не «да» или «ах я не знаю». Вокруг этого на Западе все дела об изнасиловании крутятся. Вам в Академии ФСБ не объясняли?

Он понуро покачал головой из стороны в сторону. На него было жалко смотреть. Я почувствовала, что пора остановиться. Палку можно было перегнуть, Тарантино мне вспомнился не зря.

— У тебя есть бинты и йод? — спросила я слабым голосом.

— Сейчас пошлю Михалыча, — сказал он и вскочил.

— Не надо никакого Михалыча! Не хватало, чтобы твой Михалыч надо мной хихикал... Не можешь сам спуститься в аптеку?

— Могу.

— И пусть твой Михалыч сюда не входит, пока тебя нет. Я не хочу, чтобы меня видели в таком виде.

Он был уже у лифта.

— Я быстро. Потерпи.

Дверь за ним закрылась, и я наконец перевела дух.

Я уже говорила — у лис нет половых частей в человеческом смысле. Но у нас под хвостом есть рудиментарная впадина, эластичный кожаный мешок, не соединенный ни с какими другими органами. Обычно он сжат в крохотную щелку, как камера сдутого мяча, но, когда мы испытываем страх, он расширяется и становится чуть влажным. Он играет в нашей анатомии такую же роль, какую специальный полый цилиндр из пластмассы играет в экипировке работников обезьяньего питомника.

Дело в том, что у больших обезьян приняты те же технологии контроля, что и в уголовной или политической среде: стоящие у руля самцы ритуально опускают тех, кто, как им кажется, претендует на неоправданно высокий статус. Иногда в этой роли оказываются посторонние — электрики, лаборанты и так далее (я имею в виду, в питомнике). Чтобы быть готовыми к такому повороту событий, они носят между ног подвешенный на ремешках полый цилиндр из пластмассы, который называют дивным словом «хуеуловитель». В нем гарантия безопасности: если на них набрасывается большой самец, одержимый чувством социальной справедливости, им надо всего-навсего наклониться и подождать несколько минут — обезьянье негодование достается этому цилиндру. Затем они могут продолжить свой путь.

Вот так же и я — могла продолжить свой путь.

Он вел в ванную, где я первым делом осмотрела

свое тело. Если не считать того, что рудиментарная впадина под хвостом была натерта и покраснела, все обошлось. Правда, моя задняя часть ныла, как будто я целый час каталась на взбесившейся лошади (что было довольно точным описанием случившегося), но травмой это нельзя было назвать. Природа определенно готовила лис ко встрече с волками-оборотнями.

Я предчувствовала, что мне придется искупаться в его перламутровой ванне — и предчувствие не обмануло. Весь мой хвост, спину, живот и ноги запачкало этой волчьей гадостью, которую я тщательно смыла шампунем. Потом я быстро высушила хвост феном и оделась. Мне пришло в голову, что неплохо было бы обыскать помещение.

Но обыскивать в этом роскошном пустом ангаре было практически нечего — ни шкафов, ни комодов, ни выдвижных ящиков. Двери, которые вели в другие комнаты, были заперты. Тем не менее, результаты оказались интересными.

На рабочем столе рядом с элегантным компьютером-моноблоком стоял массивный серебряный предмет, который я с первого взгляда приняла за статуэтку. При более внимательном рассмотрении предмет оказался обрезателем сигар. Он изображал лежащую на боку Монику Левински, задравшую к потолку ногу-рычаг, при нажатии на которую (я не смогла удержаться) не только срабатывала гильотинка в кольце между ляжками, но и появлялся язычок голубого пламени из открытого рта. Вещица была что надо, только американский флаг, который Моника держала в руке, показался мне лишним: иногда достаточно крохотной гирьки, чтобы сместилось равновесие, и эротика превратилась в китчеватый агитпроп.

Серебряная Моника прижимала к столу большую папку-скоросшиватель. Внутри была стопка бумаг самого разного вида.

На самом верху лежал, судя по глянцу, лист из альбома по искусству. С него на меня глядел огромный желтоглазый волк с похожей на букву «F» руной на груди — фотография скульптуры, сделанной из дерева и янтаря (янтарными были глаза). Подпись гласила:

«*ФЕНРИР*

Сын Локи, огромный волк, гонящийся по небу за солнцем. Когда Фенрир догонит и пожрет его — наступит Рагнарек. Фенрир связан до Рагнарека. В Рагнарек он убьет Одина и будет убит Видаром».

Из подписи было непонятно, каким образом Фенрир догонит солнце и пожрет его, если до Рагнарека он связан, а Рагнарек наступит тогда, когда он догонит и пожрет солнце. Но вполне могло быть, что наш мир до сих пор существовал именно благодаря подобным нестыковкам: страшно подумать, сколько умирающих богов его прокляло.

Я помнила, кто такой Фенрир. Это был самый жуткий зверь нордического бестиария, главный герой исландской эсхатологии: волк, которому предстояло пожрать богов после закрытия северного проекта. Хотелось верить, что Александр не слишком отождествляется с этим существом, и желтоглазое чудовище — просто недостижимый эстетический идеал, что-то вроде фотографии Шварцнеггера, висящей на стене у начинающего культуриста.

Ниже лежала книжная страница с миниатюрой Борхеса «Рагнарек». Я знала этот рассказ, который поражал меня своей сомнамбулической точностью в чем-то главном и страшном. Герой и его знакомый оказываются свидетелями странного шествия богов, возвращающихся из векового изгнания. Волна людского обожания выносит их на сцену зала. Выглядят они странно:

«Один держал ветку, что-то из бесхитростной флоры сновидений; другой в широком жесте выбросил вперед руку с когтями; лик Януса не без опаски поглядывал на кривой клюв Тота».

Сновидческое эхо фашизма. Но дальше происходит нечто очень интересное:

«Вероятно, подогретый овациями, кто-то из них — теперь уж не помню кто — вдруг разразился победным клекотом, невыносимо резким, не то свища, не то прополаскивая горло. С этой минуты все переменилось».

Дальше текст густо покрывали пометки. Слова были подчеркнуты, обрамлены восклицательными знаками и даже обведены картушами — видимо, чтобы передать градус эмоций:

«Началось с подозрения (видимо, преувеличенного), что Боги не умеют говорить. Столетия дикой и кочевой жизни истребили в них все человеческое; исламский полумесяц и римский крест не знали снисхождения к гонимым. Скошенные лбы, желтизна зубов, жидкие усы мулатов или китайцев и вывороченные

губы животных говорили об <u>*оскудении олимпийской*</u> <u>*породы*</u>. *Их одежда не вязалась со скромной и честной бедностью и наводила на мысль о мрачном шике игорных домов и борделей Бахо. Петлица кровоточила гвоздикой, под облегающим пиджаком угадывалась рукоять ножа. И тут мы поняли, что* <u>*!идет их последняя карта!*</u>, *что они* <u>*!хитры, слепы и жестоки, как матерые звери в облаве!*</u>, *и —* <u>*!ДАЙ МЫ ВОЛЮ СТРАХУ ИЛИ СОСТРАДАНИЮ — ОНИ НАС УНИЧТОЖАТ!*</u>.

И тогда мы <u>*выхватили по увесистому револьверу*</u> *(откуда-то во сне взялись револьверы)* <u>*И С НАСЛАЖ-ДЕНИЕМ ПРИСТРЕЛИЛИ БОГОВ*</u>».

Следом шли две страницы из «Старшей Эдды» — кажется, из прорицания Вельвы. Они были вырваны из какого-то подарочного издания: текст был напечатан крупным красным шрифтом на мелованной бумаге, крайне неэкономно:

> *Ветер вздымает*
> *до неба валы,*
> *на сушу бросает их,*
> *небо темнеет;*
> *мчится буран,*
> *и бесятся вихри;*
> *это предвестья*
> <u>*кончины богов.*</u>

«Кончина богов» в последней строчке была отчеркнута ногтем. Текст на второй странице был таким же мрачно-многозначительным:

> *Но будет еще*
> <u>*сильнейший из всех,*</u>
> *имя его*
> *назвать я не смею;*
> *мало кто ведает,*

что совершится
следом за битвой
Одина с Волком.

Все остальное было в том же духе. Большинство бумаг в папке так или иначе относилось к северному мифу. Самое мрачное впечатление на меня произвела черно-белая фотография немецкой подводной лодки «Нагльфар» — так в скандинавской мифологии назывался корабль бога Локи, сделанный из ногтей мертвецов. Для подлодки времен Второй мировой название было подходящим. Небритые и мосластые члены экипажа, улыбавшиеся с ее мостика, были вполне симпатичны на вид и напоминали подразделение современных «зеленых».

Чем ближе к концу папки, тем меньше пометок было на бумажных листах: словно у того, кто перелистывал их, размышляя над собранными материалами, быстро увядал интерес, или, как выразился в другом рассказе Борхес, «некое благородное нетерпение» мешало ему долистать бумаги до конца. Но понты у парня были серьезные, особенно по меркам нашего меркантильного времени (*«век мечей и секир»*, как определял его один из подшитых отрывков, *«время проклятого богатства и великого блуда»*).

Самым последним в папке лежал вырванный из школьной тетради лист бумаги в линейку, спрятанный для сохранности в прозрачный пластиковый конверт. На листе было нечто вроде дарственной надписи:

«Сашке на память.
Превращайся!

WOLF-FLOW!

Полковник Лебеденко».

Закрыв папку и положив ее назад под Монику, я продолжила осмотр. Меня уже не удивило, когда рядом с музыкальной установкой обнаружилось несколько компакт-дисков с разными исполнениями одной и той же оперы:

RICHARD WAGNER
DER RING DES NIBELUNGEN.
Götterdämmerung[1].

Следующим любопытным объектом, попавшимся мне на глаза, была толстая тетрадь серого цвета. Она лежала на полу, между стеной и диваном — словно кто-то листал ее на ночь, заснул и выронил. На ее обложке было написано:

«Сов. секретно
экз. № 9

Проект «Shitman»
из здания не выносить».

В ту минуту я совершенно не связала это странное название с историей сумасшедшего шекспироведа, которую рассказал мне Павел Иванович. Мои мысли двинулись по иному маршруту — я решила, что это очередное доказательство мощи американского культурного влияния. Superman, Batman, еще пара похожих фильмов, и ум сам начинает клишировать реальность по их подобию. Но, подумала я, что этому противопоставить? Проект «Говнюк»? Да разве захочет кто-нибудь корпеть над ним по ночам за небольшую зарплату. Из-за этого говнюка в пло-

---

[1] Рихард Вагнер. Кольцо Нибелунгов. Гибель Богов.

хом костюме и погибла советская империя. Человеческой душе нужна красивая обертка, а русская культура ее не предусматривает, называя такое положение дел *духовностью*. Отсюда и все беды...

Саму папку я не стала даже открывать. Секретные документы вызывали у меня отвращение еще с советских времен: пользы никакой, а проблем может быть выше крыши, даже если она фээсбэшная.

Мое внимание привлекли несколько странных графических работ, висевших на стенах, — руны, выведенные то ли широкой кистью, то ли лапой. Чем-то они напоминали китайскую каллиграфию — самые грубые и экспрессивные ее образцы. Между двумя такими рунами висела ветвь омелы, что делалось ясно из подписи — по виду это была просто сухая заостренная палка.

Любопытен был рисунок на ковре, изображавший битву львов с волками, — похоже, копия римской мозаики. На единственной книжной полке стояли в основном массивные альбомы («The Splendour of Rome», «The New Revised History of the Russian Soul», «Origination of Species and Homosexuality»[1] и попроще, про автомобили и оружие). Впрочем, я знала, что книги на таких полках вовсе не отражают вкусы хозяев, поскольку их подбирают дизайнеры интерьера.

Закончив осмотр, я подошла к стеклянной двери на крышу. Вид отсюда открывался красивый. Внизу темнели дыры дореволюционных дворов, облагороженных реставрацией. Над ними торчало несколько новых зданий фаллической архитектуры —

---

[1] «Величие Рима. Новая исправленная история Русской Пуши. Гомосексуальность и происхождение видов».

их попытались ввести в исторический ландшафт
плавно и мягко, и в результате они казались навазе-
линенными. Дальше был Кремль, который величе-
ственно вздымал к облакам свои древние елдаки со
вшитыми золотыми шарами.

Проклятая работа, как она исказила мое восприятие мира, подумала я. Впрочем, так ли уж исказила? Нам, лисам, все равно — мы идем по жизни
стороной, как азиатский дождик. Но человеком
здесь быть трудно. Шаг в сторону от секретного национального гештальта, и эта страна тебя отымеет.
Теорема, которую доказывает каждая отслеженная
до конца судьба, сколько ни накидывай гламурных
покрывал на ежедневный праздник жизни. Я-то
знаю, насмотрелась. Почему? Есть у меня догадки,
но не буду поднимать эту тему. Наверно, не просто
так здесь рождаются, ох, не просто так... И никто
никому не в силах помочь. Не оттого ли московские закаты всегда вызывают во мне такую печаль?

— Классный вид отсюда, да?

Я обернулась. Он стоял у двери лифта, с плотно
набитым пакетом в руке. На пакете была зеленая
змея, обвившая медицинскую чашу.

— Йода не было, — сказал он озабоченно, — дали фуксидин. Сказали, то же самое, только оранжевого цвета. Я думаю, нам даже лучше — будет не
так заметно рядом с хвостом...

Мне стало смешно, и я отвернулась к окну. Он
подошел и остановился рядом. Некоторое время
мы молча глядели на город.

— Летом здесь красиво, — сказал он. — Поста-
вишь Земфиру, смотришь и слушаешь: «До свиданья,
мой любимый город... я почти попала в хроники
твои...» Хроник — это кто, алкоголик или торчок?

— Не надо мне зубы заговаривать.

— Тебе вроде лучше?

— Я хочу домой, — сказала я.

— А...

Он кивнул на пакет.

— Не надо, спасибо. Вот принесут тебе раненого Щорса, будешь его лечить. Я пошла.

— Михалыч тебя довезет.

— Не нужен мне твой Михалыч, сама доеду.

Я была уже у лифта.

— Когда я могу тебя увидеть? — спросил он.

— Не знаю, — сказала я. — Если я не умру, позвони дня через три.

*

После совокупления всякое животное печально, — говорили древние римляне. Кроме лисы, добавила бы я. И кроме женщины. Теперь я это точно знала.

Я не хочу сказать, что женщина животное. Совсем наоборот — мужчина куда ближе к животным во всех проявлениях: издаваемых запахах и звуках, типе телесности и методах борьбы за личное счастье (не говоря уже о том, что именно он полагает для себя счастьем). Но древний римлянин, метафорически описавший свое настроение после акта любви, был, видимо, настолько органичным секс-шовинистом, что просто не принимал женщину во внимание, а это требует от меня восстановить справедливость.

Вообще у этой поговорки может быть как минимум четыре объяснения:

1) римляне не считали женщину д а ж е животным.

2) римляне считали женщину животным, но со-

вокуплялись с ней таким способом, что женщина действительно делалась печальна (например, Светоний рассказывает, что закон запрещал казнить девственниц удавкой, и палач растлевал их перед казнью — как тут не загрустить?).

3) римляне не считали женщину животным, полагая им только мужчину. Вот за такой благородный взгляд на вещи римлянам можно было бы простить многое — кроме, конечно, этой их заморочки с девственницами и удавками.

4) римляне не имели склонности ни к женщине, ни к метафоре, зато питали ее к домашнему скоту и птице, которые не разделяли этого влечения и не умели скрыть своих чувств.

Доля истины могла скрываться в каждом из этих объяснений — всякое, наверно, случалось за несколько имперских веков. Но я была счастливым животным.

Последние полторы тысячи лет у меня был комплекс старой девы — конечно, не по отношению к людям, чье мнение мне совершенно безразлично, а в нашем небольшом лисьем коммьюнити. Мне иногда казалось, что надо мной втихую потешаются. И эти мысли имели под собой основание — все мои сестрички потеряли девственность еще в древние времена, при самых разных обстоятельствах. Самая интересная история произошла с сестрой И — ее посадил на кол вождь кочевников, и она честно изображала агонию трое суток. Только когда кочевники перепились, ей удалось сбежать в степь. Я предполагала, что здесь и крылись корни ее неутолимой ненависти к аристократии, которая вот уже столько веков проявлялась в самых причудливых выходках...

И все же мне было немного грустно. Как говорила в девятнадцатом году моя соратница по панели гимназистка Маша из Николаева, в одну и ту же раку нельзя встать дважды. К своему стыду, я долго не понимала, что это не о позе «раком», а о церковной оправе для святынь: Машенька имела в виду того доброго ангела, который покидает нас при утрате девичества. Но грусть была светлой, и настроение в целом у меня было отличное.

Правда, его омрачало одно подозрение. Мне казалось, со мной проделали то же самое, что я всю жизнь проделывала с другими. Может быть, все было просто внушено мне? Это была чистая паранойя — мы, лисы, не поддаемся гипнозу. Но какое-то смутное беспокойство томило мое сердце.

Я не понимала превращения, которое произошло с Александром. С лисами тоже случается супрафизическая трансформация, о которой я расскажу позже. Но она никогда не заходит так далеко — то, что сделал Александр, было умопомрачительно. В нем жила древняя тайна, которую лисы уже забыли, и я знала, что еще долго буду возвращаться к ней в своих мыслях.

И еще я боялась, что потеря девственности отразится на моей способности наводить морок. У меня не было основания для подобных опасений, но иррациональный страх — самый неотвязный. Я знала, что не успокоюсь, пока не проверю свои силы. Поэтому, когда зазвонил телефон, я сразу решила поехать на вызов.

По манере говорить клиент показался мне застенчивым студентом из провинции, накопившим деньжат на ритуал прощания с детством. Но что-то в его голосе заставило меня проверить высветившийся номер по базе данных, которая была у меня в компьютере. Оказалось, это ближайшее ко мне отделение милиции. Видимо, менты звали на субботник по случаю весны. Я терпеть не могла это мероприятие еще с советских времен, но сегодня решила пойти в логово зверя добровольно — проверять себя так проверять.

Ментов оказалось трое. Душевой в отделении не было, и мне пришлось готовиться к бою в туалете с треснувшим унитазом, живо напомнившим мне одесскую чрезвычайку революционных лет (над таким пускали пулю в голову, чтоб не пачкать кровью пол). Мои страхи, конечно же, оказались безосновательными — все трое милиционеров погрузились в транс, как только я подняла хвост. Можно было идти назад на конно-спортивный комплекс, но мне пришла в голову интересная идея.

С утра я думала о Риме и вспоминала Светония — видно, в этом была причина проснувшейся во мне изобретательности. Я вспомнила рассказ о капрейских оргиях Тиберия: там упоминались так называемые «спинтрии», которые распаляли чувственность стареющего императора, соединяясь у него на глазах по трое. Эта история тревожила мое воображение — даже название «Splinter Cell» (невинная компьютерная игра по Тому Клэнси) я переводила про себя как «секта спинтриев». Сейчас, оказавшись в обществе троих моральных аутсайдеров, я не смогла удержаться от эксперимента. И у меня все получилось! Точнее, правильно сказать — у них.

Впрочем, я так и не поняла, что чувственного находил Тиберий в этом грубом зрелище — на мой взгляд, оно больше подходило для иллюстрации первой благородной истины буддизма: жизнь есть *дукха*, томление и боль. Но я это знала и без триады совокупляющихся милиционеров.

В отделении нашлось четыре тысячи долларов, которые оказались как нельзя более кстати. Кроме того, мне попался учебный фотоальбом уголовных татуировок, который я с интересом пролистала. Направление, в котором эволюционировал этот жанр, вполне соответствовало происходящему с мировой культурой: религиозное сознание возвращало себе утраченные в двадцатом веке позиции. Правда, проявления этого сознания не всегда можно было опознать с первого взгляда. Например, я не сразу поняла, что слова «SWAT SWAT SWAT», выколотые под синим крестом, больше похожим на немецкий военный орден, чем на распятие, были не названием лос-анджелесского спецназа, а фразой «Свят Свят Свят», записанной латиницей.

Самое сильное впечатление на меня произвела спина с диптихом, изображавшим небеса и землю. Небеса располагались между лопатками — там сияло солнце и летали похожие на почтовых голубей ангелы. Земной план напоминал герб Москвы с конным драконоборцем, только вместо копья из длани всадника исходили разноцветные лучи, а дракончиков было множество — мелко-кислотные, кривовато-приплюснутые и по-своему симпатичные, они ползли по обсаженной деревьями аллее. Все вместе называлось «Святой Георгий изгоняет лесбиянок с Тверского бульвара».

Выколотое на пивном животе распятие заинтересовало меня буквами на свитке в верхней части креста: там обычно пишут или «ИНЦИ», или «INRI», что означает «Исус Назарей, царь иудейский». А на татуировке были буквы «ПСПО». Без комментария под снимком я ни за что не догадалась бы, что это означает «Пацан сказал, пацан ответил». Гностическая фреска эпохи Бориса Гимнаста.

Перевернув несколько страниц с традиционными Сталиными, Гитлерами, змеями, пауками и акулами (под одной была надпись «глубока страна моя родная»), я опять наткнулась на религиозную тему: чью-то спину украшала панорама ада со страдающими грешниками. Особенно впечатляли поедаемый червями Билл Гейтс и пылающий на костре Бен Ладен в легкомысленной белой маечке с эмблемой:

$$\textbf{I} \maltese \textbf{NY}$$

На последнем листе белело дистрофическое плечо с грибом ядерного взрыва, у которого вместо шляпки была найковская загогулина, подписанная словом *NUKE* — видимо, воспоминания о будущем.

Под стоны и сопение спинтриев все это казалось особенно безотрадным. Куда идет человечество? Кто ведет его? Что случится на земле через полвека? Век? Мое весеннее настроение испортилось, несмотря на хороший улов. Впрочем, совесть была спокойна. Я не считала, что совершаю кражу — я взяла плату за вызов. Менты получили свой секс, я свои деньги. А того, что я дорого стою, я никогда не скрывала.

*

По дороге домой я раздумывала о татуировках. Я люблю их, но себе почти никогда не делаю. У лис они держатся не больше двадцати лет. Кроме того, они часто расплываются самым причудливым образом. Это связано с несколько иной природой нашей телесности. У меня за весь прошлый век была только одна татуировка — две строчки, которые поэт W.H. Auden навсегда выжег в моем сердце, а одноглазый колач Слава Косой — временно выколол на плече:

I am a sex machine,
And I'm super bad.

Снизу была большая синяя слеза, которую клиенты почему-то принимали то за луковицу, то за клизму — можно подумать, обитатели пыльного советского рая и вправду не знали, что такое печаль.

С этой татуировкой была куча проблем — во время борьбы со стилягами меня регулярно тормозили менты и дружинники, которых интересовало, что это за надпись на языке предполагаемого противника. Приходилось отрабатывать гипносубботники покруче сегодняшнего. Словом, отбили у меня охоту ходить в платье без рукавов. До сих пор таких избегаю, хоть татуировка давно сошла, а предполагаемый противник подкрался незаметно и стал, как только осела пыль, предполагаемым союзником.

Придя домой, я включила телевизор и поймала «BBC World Service». Сначала я посмотрела обзор интернета, который вел похожий на Клинтона диктор, потом начались новости. По энергичному виду ведущего я поняла, что у них хороший улов.

— Сегодня в Лондоне совершено покушение на чеченского эссеиста в изгнании Аслана Удоева. Его пытался взорвать террорист-смертник из шиитской боевой организации. Сам Аслан Удоев отделался легкой контузией, но два его телохранителя погибли на месте.

Камера показала тесный кабинет полицейского чиновника, тщательно отмеряющего слова под черным дулом микрофона:

— Известно, что покушавшийся попытался приблизиться к Аслану Удоеву, кормившему белочек в Сент-Джеймс-парке. Когда охрана Удоева заметила террориста, он привел в действие взрывное устройство...

На экране появился стоящий на газоне корреспондент — ветер ерошил его желтые волосы, а на лице играла полуулыбка, словно отблеск какой-то приятной тайны, в которую он был посвящен вместе со зрителем.

— По другим сведениям, взрывное устройство сработало слишком рано, когда смертник еще не успел приблизиться к цели. Взрыв произошел ровно в полдень по Гринвичу. Однако полиция пока воздерживается от комментариев. Свидетели случившегося сообщили, что перед взрывом смертник прокричал не обычное «Аллаху Акбар», а «Same Shi'ite Different Fight!»[1]. Но здесь есть незначительные расхождения в свидетельских показаниях — возможно, из-за сильного арабского акцента террориста. Ранее сообщалось, что «Same Shi'ite Different Fight» — название шиитской террористической ор-

---

[1] Прежний шиит, новая битва.

ганизации, которая провозгласила своей целью открыть второй фронт джихада в Европе. По идеологии эта группа близка к «Армии Махди» радикального клерика Моктады Аль-Садра.

Камера опять показала полицейского чиновника, зажатого в крохотном углу. Голос корреспондента спросил:

— Известно, что чеченцы относятся к суннитской ветви ислама. А покушавшийся был шиитом. Можно ли в этой связи говорить, как уже делают в своих комментариях некоторые аналитики, о начале давно предсказанных столкновений между шиитами и суннитами?

— Мы избегаем скороспелых суждений о мотивах преступления и его заказчиках, — ответил чиновник. — Расследование только началось. Кроме того, хочу подчеркнуть, что на сегодняшний день нам не известно ничего конкретного о программе и целях террористической группы под названием «Same Shi'ite Different Fight», равно как и о шиитском подполье в Англии.

— Правда ли, что террористу в голову были вмонтированы провода?

— Никаких комментариев.

На экране появился Аслан Удоев. Он шел по больничному коридору, недружелюбно косясь в камеру и держась рукой за перебинтованный лоб.

Дальше заговорили о женитьбе какого-то футболиста.

Я выключила телевизор и несколько минут сидела в прострации, пытаясь думать. Думалось трудно — я была в шоке. Мне представилось возможное будущее: спецклиника, операция по зомбированию, вмонтированный в голову командный кабель (я вспомнила проводок телесного цвета в ухе охранника из «Националя»). Ну а потом — задание. Например, с миной на спине под танк — как героическая овчарка военных лет... Нет, сейчас танки уже неактуальны. Скажем, под желтый «Хаммер» на Пятой авеню. Этот вариант был живописнее, но нравился мне не намного больше. Как говорится, same shite different шекспировед...

Уехать? Это можно было сделать — фальшивый загранпаспорт у меня имелся. Но куда? Таиланд? Лондон? Скорей уж Лондон... Я давно собиралась написать письмо И Хули, но все не доходили руки. Теперь появился хороший повод. Я села за компьютер и сосредоточилась, вспоминая все, что хотела за последнее время ей сказать. Потом я начала печатать:

«Здравствуй, рыжик.

Как ты? Все та же озорная улыбка и горы трупов за спиной? :)))) Будь осторожна. Впрочем, ты самая осторожная из нас всех, так что не мне тебя учить.

Недавно я получила письмо от сестрички Е, у которой ты была в гостях. Как я завидую ее небогатой, но чистой и счастливой жизни! Она жалуется, что устает от работы. Это, наверно, блаженная усталость — как у крестьянина после дня работы в поле. От такой усталости заживают душевные раны и забываются скорби — именно за ней гнался по пашне Лев Толстой со своим плугом. В городе устаешь по-другому. Знаешь, есть такие лошади, которые ходят вокруг колодца, качая воду. Мы с тобой, если вдуматься, скотина такого же рода. Разница в том, что колодезная лошадь отгоняет хвостом слепней, которые кормятся на ней, а мы с тобой пользуемся хвостом, чтобы приманить слепней, которые кормят нас. Кроме того, лошадь приносит людям пользу. А мы... Скажем так, люди приносят пользу нам. Но я знаю, ты терпеть не можешь морализаторства.

Е Хули написала, что у тебя новый муж-лорд. Ты хоть ведешь им счет? Вот бы взглянуть хоть одним глазком, пока есть на что :)))) По ее словам, тебя в последнее время всерьез занимает тема сверхоборотня. Да и меня ты расспрашивала про разрушенный храм явно не просто так.

Действительно, в пророчестве о сверхоборотне говорится, что он появится в городе, где будет восстановлен храм, от которого не осталось камня на камне. Но предсказанию около двух тысяч лет, а тогда в ходу были уподобления и аллегории, и все важное высказывалось только иносказательно. Пророчество составлено на языке внутренней алхимии — «город» означает душу, а «разрушенный и восстановленный храм» означает сердце, которое попало под власть зла, а потом вернулось к добру. Пожалуйста, не ищи в этих словах никакого другого смысла.

Решусь сделать одно предположение — только, пожалуйста, не обижайся. Ты уже долго живешь на Западе, и христианская мифологема незаметно дала росток в твоем уме. Подумай сама: ты ждешь, что придет некий сверхоборотень, искупит лисьи грехи и сделает наши души чистыми, как в самом начале времен. Послушай. К нам, оборотням, никогда не придет мессия. Но каждый из нас может изменить себя, выйдя за собственные пределы. В этом и смысл выражения «сверх оборотень» — тот, кто вышел за свои границы, превзошел себя. Сверхоборотень приходит не с Востока и не с Запада, он появляется изнутри.

Это и есть искупление. А путь, который ведет к нему, только один. Да, те самые прописи, от которых тебя тошнит:

1) милосердие;

2) непричинение зла слабым этого мира, животным и людям — хотя бы тогда, когда можно этого избежать;

3) самое главное, стремление понять свою природу.

Если сказать совсем коротко, словами Ницше (чуть приспособленными к нашему случаю), то секрет прост — преодолей звериное! В том, что человеческое ты уже преодолела, сомнений у меня нет :)))

Вспомни уроки медитации, которые ты брала у учителя с Желтой Горы. Поверь, за тысячу с лишним лет, которые прошли с тех времен, не придумали ничего лучше. Атомная бомба, одеколон Гуччи, презерватив с ребристой насечкой, новости CNN, полеты на Марс — все эти пестрые чудеса даже не коснулись тех весов, на которых взвешивается суть мира. Поэтому вернись к практике, и всего через сотню-другую лет тебе не нужен будет никакой сверхоборотень. Если я утомила тебя, извини — но я искренне думала о твоем благе, когда писала эти строки.

Теперь о главном. Дела у меня в последние годы идут неважно. Раньше основной заработок давал один финансист-педофил, который был уверен, что ходит под статьей. Школьный ранец, дневник с тройками — ты понимаешь. Он был сентиментален — ждал встречи, трясся при звуке сирены. Противный, да. Зато я ходила на работу только раз в месяц. А потом его разбил паралич, и мне пришлось искать новые варианты. Больше года основной точкой у меня была гостиница «Националь». Но там возникли серьезные сложности, когда один клиент соскочил с хвоста. А теперь проблемы обступили со всех сторон. Не уверена, что ты сможешь понять их — слишком сильна русская специфика. Но они очень-очень серьезные.

Догадываюсь, что тебе не до чужих бед. Но все же хочу попросить твоего совета и, возможно, участия. Не перебраться ли мне в Англию? Я уверена, что уживусь среди англичан — я их немало повидала в «Национале», и они кажутся мне вполне приличным народом. Фунты мне дают часто, так что культурного шока со мной не случится. Напиши поскорее, нет ли в Лондоне спокойного места для А Хули?

*Люблю и помню,
твоя А».*

Как только я послала письмо, зазвонил мобильный. Номер не определился, и мое сердце екнуло в груди. Я догадалась, кто это, еще до того, как услышала голос в трубке.

— Здравствуй, — сказал Александр. — Ты сказала «три дня», но это слишком долго. Могу я увидеть тебя завтра? Хотя бы на пять минут?

— Можешь, — сказала я прежде, чем успела подумать.

— Тогда я пришлю Михалыча. Он позвонит. Целую.

*

Дверь лифта открылась, и мы с Михалычем вошли в пентхаус. Александр в своей генеральской форме сидел в кресле и смотрел телевизор. Он повернулся к нам, но заговорил не со мной.

— Что, Михалыч, опять ваши обосрались? —

спросил он весело и кивнул на длинную жидкокристаллическую панель, показывавшую сразу два канала — по одной половине экрана бегали белые и красные футболисты, а на другой что-то бубнил в темно-фиолетовую бороду похожий на Карабаса Аслан Удоев с пластырем на лбу.

— Так точно, товарищ генерал-лейтенант, — ответил Михалыч смущенно. — Как есть обосрались всем отделом.

— Не выражайся при девушке.

— Так точно.

— А что случилось?

— Да непонятно. Непредвиденные помехи. Кажется, сигнал точного времени наложился.

— Ну как обычно, — сказал Александр. — Как какая хуйня случается, все на технический отдел валят.

— Так точно, товарищ генерал-лейтенант.

— Не жалко исполнителя?

Михалыч махнул рукой.

— Таких шекспироведов у нас до хрена, товарищ генерал-лейтенант. Шекспиров чего-то не видать.

— Я же тебе ясно сказал, Михалыч, — не ругайся.

Михалыч покосился на меня.

— Так точно. Подготовить справку?

— Не надо справку. Не мое это дело, пусть те, кто затевал, расхлебывают. Я бумаг не люблю. На бумаге оно всегда хорошо выходит, а в жизни, — Александр кивнул на экран, — сам видишь.

— Так точно, товарищ генерал-лейтенант.

— Можешь идти.

Дождавшись, пока за Михалычем закроется дверь, Александр встал из кресла и подошел ко мне. Я догадалась, что он не хотел проявлять чувств при подчиненном, но все равно притворилась обиженной и, когда он коснулся рукой моего плеча, отстранилась.

— Мог бы сначала со мной поздороваться. А потом уже с этим хреном про футбол трепаться. И вообще, выключи телевизор!

На экране уже не было Удоева — вместо него там появился продвинутый молодой человек с самокатом-трайком. Он задорно закричал:

— Сегодня зажигаем вместе с молодежной командой «Мальборо»!

И тут же погас.

— Извини, — сказал Александр, кидая пульт обратно на журнальный столик. — Здравствуй.

— И потом, что у тебя за язык. Как у пьяного слесаря.

— У меня? — спросил он и показал мне язык. — У пьяного слесаря такой?

Я улыбнулась. Несколько секунд мы молча глядели друг на друга.

— Как ты себя чувствуешь? — спросил он.

— Уже лучше, спасибо.

— А что у тебя за корзинка в руках?

— Это я тебе принесла, — сказала я застенчиво.

— Ну-ка дай...

Взяв корзинку из моих рук, он разорвал упаковку.

— Пирожки? — спросил он, с недоумением поднимая на меня глаза. — Почему пирожки? Зачем?

Я отвела взгляд.

Его лицо медленно прояснилось.

— Подожди... А я думаю, почему на тебе этот красный капюшон? А-ха-ха-ха!

Залившись счастливым смехом, он обхватил меня руками и усадил рядом с собой на диван. Это движение получилось у него очень естественным, и я не успела оттолкнуть его, хотя собиралась немного поломаться. Впрочем, не уверена, что мне сильно хотелось.

— Это как в анекдоте, — сказал он. — Про Красную Шапочку и волка. Красная Шапочка спрашивает: а зачем тебе, волк, такие большие глаза? Волк говорит: затем, чтобы лучше тебя видеть. Красная Шапочка спрашивает: а зачем тебе, волк, такие большие уши? Чтоб лучше тебя слышать, отвечает волк. А зачем тебе, спрашивает Красная Шапочка, такой большой хвост? Это не хвост, сказал волк и густо покраснел...

— Фу.

— Не смешно?

Я пожала плечами.

— Неправдоподобно. Чтобы волк покраснел. У него же вся морда шерстью заросла. Если он даже покраснеет, как это увидишь?

Александр задумался.

— Вообще да, — согласился он. — Но это же анекдот.

— Хорошо, ты хоть из анекдотов знаешь, кто такая Красная Шапочка, — сказала я. — А то я думала, ты намека не поймешь.

— Что ж я, по-твоему, совсем невежа? — спросил он.

— Невежа — это человек, который невежливо себя ведет. А малообразованный человек, не читающий книг, — это невежда. Ты что имеешь в виду?

Он покраснел — как в своем анекдоте.

— Если я вел себя невежливо, я уже извинился. А насчет того, что я книг не читаю, ты ошибаешься. Каждый день читаю.

И он кивнул на журнальный столик, где лежал детектив в мягкой обложке. Название было «Оборотни в погонах».

— Интересная книга? — спросила я.

— Да так. Не очень.

— А чего ты ее читаешь?

— Понять хочется, почему название такое. Мы все наезды проверяем.

— Кто «мы»?

— Неважно, — сказал он. — К литературе это отношения не имеет.

— Детективы тоже не имеют к ней отношения, — сказала я.

— Ты их не любишь?

Я отрицательно помотала головой.

— Почему?

— А их скучно читать. С первой страницы знаешь, кто убил и почему.

— Да? Если я тебе первую страницу этих «Оборотней» прочту, скажешь мне, кто убил?

— Я и так скажу. Автор, за деньги.

— Хм... Вообще-то да. А что тогда литература?

— Ну, например, Марсель Пруст. Или Джеймс Джойс.

— Джойс? — спросил он, придвигаясь ближе. — Который «Улисса» написал? Я пробовал читать. Скучно. Я, если честно, вообще не понимаю, зачем такие книги нужны.

— То есть как?

— Да его же не читает никто, «Улисса». Три человека прочли и потом всю жизнь с этого живут —

статьи пишут, на конференции ездят. А больше никто и не осилил.

— Ну, знаешь ли, — сказала я, сбрасывая «Оборотней» на пол. — Ценность книги определяется не тем, сколько человек ее прочтет. Гениальность «Джоконды» не зависит от того, сколько посетителей пройдет мимо нее за год. У величайших книг мало читателей, потому что их чтение требует усилия. Но именно из этого усилия и рождается эстетический эффект. Литературный фаст-фуд никогда не подарит тебе ничего подобного.

Он обнял меня за плечи.

— Я тебя один раз уже просил, говори проще.

— Совсем просто могу сказать так. Чтение — это общение, а круг нашего общения и делает нас тем, чем мы являемся. Вот представь себе, что ты по жизни шофер-дальнобойщик. Книги, которые ты читаешь, — как попутчики, которых ты берешь в кабину. Будешь возить культурных и глубоких людей — наберешься от них ума. Будешь возить дураков — сам станешь дураком. Пробавляться детективчиками — это... Это как подвозить малограмотную проститутку минета ради.

— А кого надо подвозить? — спросил он, запуская руку мне под маечку.

— Надо читать серьезные, глубокие книги, не боясь затратить на это усилие и время.

Его ладонь замерла на моем животе.

— Ага, — сказал он. — Значит, если я шофер-дальнобойщик, мне надо посадить к себе в кабину лысого лауреата шнобелевской премии, чтобы он меня две недели в жопу ебал, пока я от встречных машин уворачиваюсь? Правильно я понимаю?

— Ну, знаешь. Так можно все опошлить, — сказала я и замолчала.

Надо же, сама привела в качестве примера дальнобойный минет, за который чуть не сгубила бедного Павла Ивановича. А глупее моего презрительного отзыва о проститутках вообще нельзя было ничего придумать — ведь Александр знал, чем я занимаюсь. Оставалось надеяться, что это сойдет за смирение. Судя по его ответу, так и получилось.

У нас, лис, есть один серьезный недостаток. Если нам говорят что-нибудь запоминающееся, мы почти всегда повторяем это в разговоре с другими, не важно, глупые это слова или умные. К сожалению, наш ум — такой же симулятор, как кожаный мешок-хуеуловитель у нас под хвостом. Это не настоящий «орган мысли» — оно нам ни к чему. Мыслят пускай люди во время своего героического слалома из известного места в могилу. Лисий ум — просто теннисная ракетка, позволяющая сколь угодно долго отбивать мячик разговора на любую тему. Мы возвращаем людям взятые у них напрокат суждения — отражая их под другим углом, подкручивая, пуская свечой вверх.

Скромно замечу, что моя симуляция почти всегда выходит лучше оригинала. Если продолжить теннисную аналогию, я качественно поднимаю любой трудный мяч. Правда, у людей в головах все мячи трудные. Непонятно здесь вот что — кто эти мячи подает? Кто-то из людей? Или подающего надо искать совсем в другом месте, которое и не место вовсе?

Надо подождать, пока у меня состоится разговор на эту тему с каким-нибудь умным человеком.

Тогда посмотрим, куда я загоню мяч. Вот так, кстати, я узнаю́ истину уже больше тысячи лет.

Пока я додумывала эту мысль, он успел снять с меня маечку. Я не сопротивлялась, только страдальчески подняла кончики бровей, как маленькая балеринка, которую по дороге в филармонию уже не в первый раз насилует большой рыжий эсэсовец. Что делать, товарищи, оккупация...

Правда, сегодня балеринка подготовилась к встрече. На мне было белье — кружевные белые трусики, в которых я ножницами вырезала дырку для хвоста, и три одинаковых кружевных бюстгальтера-бикини нулевого размера. Двум нижним нечего было поддерживать, но они чуть впивались в тело и сами создавали себе небольшое содержимое. Я, конечно, не планировала подстроиться под волчьи запросы. Это была постмодернистская ирония по поводу происходящего, вариация на тему Зверя, о котором он столько говорил во время нашей прошлой встречи.

Я не знала, понравится ли ему моя шутка, и немного волновалась. Она ему понравилась. Причем настолько, что с ним началась трансформация.

Теперь я была не так испугана и рассмотрела происходящее лучше. Сначала наружу выпрыгнул серый лохматый хвост. Выглядело это довольно сексуально — как будто распрямилась пружина, которую он больше не мог удерживать внутри своего позвоночника. Затем его тело выгнулось, а хвост и голова дернулись друг к другу, словно концы лука, стянутые невидимой тетивой. А потом он оброс шерстью.

Слово «оброс» здесь не вполне подходит. Скорее его китель и брюки рассыпались в шерсть — как если бы погоны и лампасы были нарисованы гуашью на слипшейся мокрой шкуре, которая вдруг высохла и расслоилась на волоски.

Одновременно с этим он каким-то очень естественным образом надулся и вырос. В природе таких больших волков не бывает, он скорее походил на медведя, которому удалось похудеть. Но его тело было настоящим, физическим и плотным — я ощутила его вес, когда он оперся лапой на мою руку: она глубоко ушла в диван.

— Раздавишь, волчина, — пискнула я, и он убрал лапу.

Его, видимо, возбуждало ощущение собственной силы и моей слабости. Склонив надо мной свою чудовищную пасть (его дыхание было горячим, но свежим, как у младенца), он по очереди перекусил все три моих бюстгальтера, оттягивая их жуткими волосатыми пальцами.

У меня каждый раз сердце обливалось кровью, так близко щелкали его зубы. Они были острыми как бритвы — непонятно, зачем он держал на столе этот обрезатель сигар в виде Моники Левински. Впрочем, он, наверно, курил сигары в человеческой фазе.

Проделав то же самое с моими трусиками, он отпрянул назад и зарычал, как будто собирался разорвать меня на клочки. Затем упал передо мной на колени и, словно адский органист, опустил свои огромные лапы на хрупкие клавиши моих ключиц... Конец, подумала я.

Но он избегал причинять мне боль. На мой взгляд, он мог бы вести себя чуть агрессивнее — я была к этому готова. Но так тоже было ничего.

Я имею в виду, я заранее настраивалась на боль и страдание и была готова вытерпеть большее. А испытание оказалось не таким мучительным, как я ожидала.

Но все-таки для порядка я стонала время от времени:

— Ой, больно! Да не долби ты так, волчина чертов. Нежно, плавно... Вот так.

*

Письмо от И Хули было длинным.

«Здравствуй, рыженькая.

Так приятно видеть, что ты совсем не изменилась и все еще пытаешься вывести на путь истинный мою заблудшую душу.

Ты пишешь, над тобой сгущаются тучи. Ты это серьезно? Тучи, насколько я помню, сгущаются над тобой уже лет семьсот; опыт показывает, что в большинстве случаев тебе просто надо начать думать о чем-нибудь другом. Может, и на этот раз все не так страшно?

Ты серьезно хочешь приехать в Англию? Ты думаешь, тебе здесь будет лучше?

Пойми, Запад — это просто большой shopping mall. Со стороны он выглядит сказочно. Но надо было жить в Восточном блоке, чтобы его витрина могла хоть на миг показаться реальностью. В этом, мне кажется, и был главный смысл вашего существования — помнишь песню «Мы рождены, чтоб сказку сделать былью»? На самом деле, здесь у тебя может быть три роли — покупателя, продавца и товара на прилавке. Быть продавцом — пошло, покупателем —

скучно (и все равно придется подрабатывать продавцом), а товаром — противно. Любая попытка быть чем-то другим означает на деле то самое «не быть», с которым рыночные силы быстро знакомят любого Гамлета. Все остальное просто спектакль.

Знаешь, в чем тайный ужас здешней жизни? Когда ты покупаешь себе кофточку, или машину, или что-то еще, у тебя в уме присутствует навеянный рекламой образ того места, куда ты пойдешь в этой кофточке или поедешь на этой машине. Но такого места нет нигде, кроме как в рекламном клипе, и эту черную дыру в реальности оплакивают все серьезные философы Запада. Сквозь радость шоппинга просвечивает невыносимое понимание того, что весь наш мир — огромный лыжный магазин, стоящий посреди Сахары: покупать нужно не только лыжи, но и имитатор снега. Ты ведь понимаешь метафору?

Кроме того, есть и специфическая трудность для нас, лис. С каждым годом все труднее сохранять identity и ощущать себя проституткой, с такой скоростью здесь проституируется все вокруг. Если ты слышишь доверительный голос старого друга, можешь быть уверена, что он советует тебе купить два флакона шампуня от перхоти, чтобы бесплатно получить третий. Помню одно словечко, которое ты постоянно норовила ввернуть в разговор к месту и нет — «уроборос». Кажется, так называется змея, кусающая свой хвост. Когда у такой змеи и голова и хвост существуют только как спецэффект в рекламном клипе, не так уж радостно, что тело живое и жирное. То есть, может, это и радостно, но эту радость некому испытать.

Ваш мир скоро будет похож на наш (во всяком случае, для тех, кого оставят обслуживать перекач-

ку нефти), но пока в нем еще остались теневые зоны, где царствует спасительная двусмысленность. Именно там душа вроде твоей может обрести если не счастье, то хотя бы равновесие. Если эти зоны двусмысленности за тебя создают другие, наслаждайся ими, пока они есть. Мир не всегда будет таким. Это я поучаю тебя в ответ на твои нотации.

Теперь об английских мужчинах. Не суди о них по коротким встречам в «Национале». Здесь они совсем другие. Помнишь Юань Мэя, за которого сестричка Е вышла замуж в 1739 году? Ты наверняка его не забыла — ученый из Академии Ханлинь, который изучал маньчжурский язык и собирал истории о нечисти... Он, кстати, знал, кто на самом деле сестричка Е. Потому он на ней и женился. Его книга (она называлась «О чем не говорил Конфуций») наполовину состоит из ее рассказов, но есть в ней и любопытные этнографические зарисовки. В те времена Англию называли «Страна Красноволосых». Вот что Юань Мэй написал об англичанах — привожу отрывок целиком:

«407. ЖИТЕЛИ СТРАНЫ КРАСНОВОЛОСЫХ ПЛЮЮТ В ПЕВИЧЕК

Жители страны Красноволосых часто распутничают с певичками. Когда устраивают пирушки, то приглашают певичек, раздевают их, усевшись вокруг, и плюют им в тайное место. Большей близости им не надо. Кончив плевать, отпускают их, щедро наградив. Это называется «деньги из общего котла».

Этот рассказ, который может показаться исторически недостоверным, удивительно точно отражает ту операцию, которую проделывает с открывшейся ему женской душой английский аристократ (к счастью, здешняя система привилегированного образования еще в ранней юности превращает большинство из них в гомосексуалистов). Раньше я часто думала, наблюдая за англичанами: что, интересно, скрыто за этой непробиваемой, веками ковавшейся броней лицемерия? А потом поняла — именно вот это простое действие. Больше там ничего нет, и в таком минимализме — залог прочности здешнего мироустройства.

Поверь, приехав в Лондон, ты будешь чувствовать себя плевательницей, одиноко бродящей среди харкающих в душу снайперов, для которых женское равноправие означает лишь одно — возможность сэкономить на «деньгах из общего котла».

Что касается сверхоборотня... Ты знаешь, мне кажется, ты слишком увязла в интроспекции. Подумай, если бы все самое важное заключалось в нас самих, зачем был бы нужен внешний мир? Или ты считаешь, что он уже ничем не способен тебя удивить и достаточно просто сидеть у стены на пыльном коврике для медитации, отталкивая набегающие мысли, как пловец мертвых медуз? А вдруг среди них окажется золотая рыбка? Мне кажется, рано ставить крест на этом мире — может оказаться, что ты тем самым ставишь его на себе. Знаешь, что мне вчера сказал мой муженек? «Сверхоборотень придет, и ты увидишь его так же ясно, как видишь сейчас меня». Даже если бы я в душе соглашалась с тобой, разве я посмела бы спорить с главой дома Крикетов? :-=))) Но давай, моя милая, обсудим все при встрече. Через неделю мы с Брайаном будем в Москве — не выключай мобильный!

Люблю и помню,
твоя И».

Дочитав письмо, я покачала головой. Скоро кому-то придется плохо. Знак :-=), похожий на ухмылку военного преступника Гитлера, был принятой у И Хули черной меткой — он означал, что у нее на уме мрачные и жестокие замыслы. Впрочем, чего еще ждать от самой безжалостной лисы из всей нашей семейки? Она такая во всем, подумала я. Просишь о помощи, а она советует тебе думать о чем-нибудь другом. Тучи, мол, тебе только мерещатся...

Хотя, может быть, она права? Ведь дела обстояли совсем не так плохо, как я предполагала еще вчера. Меня переполняло желание рассказать кому-нибудь о своем вынужденном романе. Но кому? Можно было, конечно, выложить все таксисту, а потом заставить его позабыть услышанное. Только опасно так шалить на дороге. Нет, надо дождаться И Хули, думала я. Она уж точно выслушает меня с интересом. Кроме того, она столько веков издевалась над моей девственностью, что будет приятно утереть ей нос. Несмотря на всю ее изощренность, таких любовничков у нее никогда не было, если не считать одного беса-якши в шестнадцатом веке. Но даже он в сравнении с Александром казался жалок...

Тут я пришла в себя — письмо сестрицы напомнило мне о самом главном.

Уже давно я знала: момент, когда тебя переполняют житейские восторги или печали — лучшее время для практики. Выключив компьютер, я расстелила на полу гимнастический коврик из пенистого пластика. Потрясающая вещь для медитатора, жаль, таких не было в древности. Затем я поставила на него подушку, набитую гречневой шелухой, и села на нее в лотос, свесив хвостик на пол.

Духовная практика лис включает в себя «созерцание ума» и «созерцание сердца». Сегодня я решила начать медитацию с созерцания сердца. Сердце не играет в этой технике никакой роли, кроме метафорической. Условности перевода: китайский иероглиф «синь» имеет много разных значений, и точнее, наверное, было бы название «созерцание сокровенной сути». А с практической точки зрения правильнее всего назвать эту технику «дерганье хвоста».

Если дернуть за хвост собаку или кошку, они чувствуют боль, это знает каждый ребенок. Но если сильно дернуть за хвост лису, происходит нечто недоступное пониманию даже самой умной бесхвостой обезьяны. Лиса в ту же секунду чувствует всю тяжесть своих лихих дел. Это связано с тем, что именно с помощью хвоста она их совершает. А поскольку у любой лисы, кроме совсем уж полных неудачниц, лихих дел за спиной навалом, результатом оказывается чудовищный удар совести, который сопровождается устрашающими видениями и ошеломляющими прозрениями, от которых не хочется жить дальше. В остальное время совесть нас не тревожит.

Все здесь зависит от силы рывка и его неожиданности. Например, когда нам случается зацепиться хвостом за куст во время куриной охоты (я расскажу о ней позже), мы тоже чувствуем легкие угрызения совести. Но во время бега соответствующие мышцы у нас напряжены, поэтому эффект не так ярко выражен. А суть практики «созерцание сердца» заключается как раз в том, чтобы сильно дернуть себя за хвост в тот момент, когда все хвостовые мышцы максимально расслаблены.

Не все здесь так просто, как звучит. На самом деле «созерцание сердца» нельзя отделить от «созерцания ума», потому что для правильного выполнения этой техники надо расслоить сознание на три независимых потока:

1) первый поток сознания — это ум, вспоминающий все свои темные дела с незапамятных времен.

2) второй поток сознания — это ум, который спонтанно и неожиданно заставляет лису дернуть себя за хвост.

3) третий поток сознания — это ум, отрешенно наблюдающий за первыми двумя потоками и за самим собой.

Третий поток сознания и есть, если совсем приблизительно, суть техники «созерцание ума». Все эти практики — предварительные, их нужно делать тысячу лет перед тем, как перейти к главной, которая называется «хвост пустоты», или «безыскусность». Это тайная практика, с которой полной ясности нет даже у тех лис, которые, подобно мне, давно завершили тысячелетний подготовительный цикл.

Итак, я села в лотос, положив левую руку на колено, а правую на хвост. Сосредоточившись, я стала вспоминать свое прошлое — те его слои, которые обыкновенно скрыты от меня потоком повседневных мыслей. И вдруг, совершенно неожиданно, моя правая рука совершила рывок. Я ощутила боль в основании позвоночника. Но эта боль была ничем по сравнению с потоком раскаяния, ужаса и стыда за содеянное, который захлестнул меня с такой силой, что на моих глазах выступили слезы.

Лица людей, которые не пережили нашей встречи, понеслись передо мной, как желтые листья перед окном во время осенней бури. Они возникали на секунду из небытия, но этой секунды хватало, чтобы каждая пара глаз могла бросить на меня взгляд, полный недоумения и боли. Я глядела на них, вспоминала прошлое, и слезы двумя ручьями текли по моим щекам, а раскаяние разрывало сердце.

И в то же самое время я безмятежно осознавала, что происходящее — просто игра отражений, рябь мыслей, которую гонят привычные сквозняки ума, и, когда эта рябь разгладится, станет видно, что не существует ни сквозняков, ни отражений, ни самого ума — а только этот ясный, вечный, всепроникающий взор, перед которым нет ничего настоящего.

Вот так я практикую уже около двенадцати веков.

*

С самого начала между мной и Александром установился молчаливый уговор не приставать друг к другу с расспросами. Мне не следовало интересоваться тем, о чем он не смог бы говорить из-за своих подписок о неразглашении и прочей гэбэшной мути. А он не задавал лишних вопросов, потому что мои ответы могли поставить его в двусмысленное положение — вдруг, к примеру, я оказалась бы китайской шпионкой... Так вполне можно было представить дело — у меня ведь даже не было внутреннего паспорта, а только фальшивый заграничный.

Это положение не очень меня устраивало: мне многое хотелось про него выяснить. Видимо, его тоже разбирало любопытство. Но мы узнавали друг друга постепенно, на ощупь — информация поступала гомеопатическими дозами.

Мне нравилось целовать его в щеки до того, как он превращался в зверя (я никак не решалась поцеловать его в губы, и это было странно, учитывая степень нашей близости). Впрочем, ласки длились недолго — от нескольких прикосновений начиналась трансформация, а дальше целоваться становилось невозможно.

Столько веков поцелуй был для меня просто элементом внушения, а теперь я целовала сама, пускай и по-детски... В этом было что-то похожее на сон. Его лицо часто скрывала марлевая маска, и мне приходилось сдвигать ее в сторону. Однажды я не выдержала, дернула съехавшую маску за тесемку и сказала:

— Может, ты не будешь ее надевать, когда мы с тобой общаемся? Ты что, Майкл Джексон?

— Это из-за запаха, — сказал он. — Здесь специальный состав, который не пропускает запах.

— А чем здесь пахнет? — удивилась я.

Мы сидели у раскрытой двери на крышу (он избегал выходить из своего зеркального скворечника, опасаясь то ли снайперов, то ли съемки, то ли карающей молнии с неба). Запахов, если не считать еле заметного бензинового чада с улицы, я не ощущала.

— Здесь пахнет всем на свете, — сказал он, наморщившись.

— То есть? — удивилась я.

Он посмотрел на мою белую кофточку и глубоко вдохнул через нос.

— Вот эта кофта, — сказал он. — До тебя ее носила женщина средних лет, которая пользовалась самодельным одеколоном из египетского лотосового экстракта...

Я понюхала свою кофточку. Она ничем не пахла.

— Серьезно? — спросила я. — Я ее купила в «секонд-хэнд», вышивка понравилась.

Он еще раз потянул в себя воздух.

— Кроме того, она разводила экстракт поддельной водкой. Сивухи много.

— Что ты говоришь такое? — растерялась я. — Хочется снять эту кофту и выкинуть... А что ты еще чувствуешь?

Он повернулся к раздвинутой двери.

— Ужасно пахнет бензином. От него просто голова раскалывается. Еще пахнет асфальтом, резиной, табачным дымом... Еще туалетом, человеческим потом, пивом, выпечкой, кофе, поп-корном, пылью, краской, лаком для ногтей, пончиками, газетной бумагой... Я могу долго перечислять.

— А разве эти запахи не смешиваются?

Он отрицательно покачал головой.

— Скорей они обволакивают друг друга и вложены один в другой. Как письмо в конверте, которое лежит в кармане пальто, которое висит в шкафу, и так далее. Самое ужасное, узнаешь много такого, о чем совершенно не хотелось знать. Например, тебе дают бумагу на подпись, а ты чувствуешь, что вчера на ней лежал бутерброд с несвежей колбасой. Мало того, вдобавок еще и пот от руки, которая подала тебе эту бумагу, пахнет так, что ясно — в бумаге неправда... И так далее.

— А почему это с тобой?

— Обычное волчье обоняние. У меня оно часто

сохраняется в человеческой фазе. Тяжело. Правда, спасает от многих вредных привычек.

— Например?

— Например, я не могу гашиш курить. А особенно кокаин нюхать.

— Почему?

— Потому что я по первой же дорожке могу сказать, сколько часов курьер вез его в жопе, пока добирался из Коломбо в Баку. Да чего там, я даже знаю, кто и сколько раз его в эту...

— Не надо, — перебила я, — не продолжай. Я уже поняла.

— И главное, не знаешь, когда навалится. Это непредсказуемо, как мигрень.

— Бедный, — вздохнула я. — Какое наказание.

— Ну не совсем наказание, — сказал он. — Коечто мне очень даже нравится. Например, мне нравится, как пахнешь ты.

Я смутилась. Телу лисы действительно свойствен еле заметный ароматный запах, но люди обыкновенно принимают его за духи.

— А чем я пахну?

— Даже не знаю... Горами, лунным светом. Весной. Цветами. Обманом. Но это не коварный обман, скорее насмешка. Мне ужасно нравится, как ты пахнешь. Я, кажется, мог всю жизнь вдыхать этот запах и все время находить в нем что-то новое.

— Вот и славно, — сказала я. — Мне было очень неловко, когда ты заговорил про мою кофту. Больше я никогда ничего не буду покупать в «секондхэнд».

— Ничего страшного, — сказал он. — Но я буду признателен, если ты ее снимешь.

— Такой сильный запах?

— Нет. Совсем слабый. Просто без кофты ты мне больше нравишься.

Подумав, я сняла кофту через голову.

— Сегодня ты без лифчиков, — засмеялся он.

— Да, — сказала я. — Я читала, когда девушка идет к своему молодому человеку, с которым у нее что-то должно произойти... Ну, если она готова к тому, что это произойдет... То она его не надевает. Своего рода этикет.

— Где ты такое читала? — спросил он.

— В «Cosmopolitan». Слушай, я давно хотела спросить. Ничего, что у меня маленькая грудь?

— Мне очень даже нравится, — сказал он. — Хочется долго-долго ее целовать.

Мне показалось, что он говорит с усилием, словно у него сводит челюсти зевотой. Так обычно бывало перед самой трансформацией. Несмотря на его обнадеживающее заявление насчет «долго-долго целовать», до этого доходило редко. Впрочем, его горячий волчий язык... Но не буду переходить границы приличий, читатель ведь и сам все понимает.

Не успел он снять с меня трусики, как все и случилось: сексуальное возбуждение включило таинственный механизм его метаморфозы. Прошло меньше минуты, и передо мной стоял жуткий и прекрасный зверь, в котором особенно поражал воображение инструмент любви. Мне каждый раз не верилось, что мой мешочек-симулякр действительно способен поглотить этот молот ведьм.

Превращаясь в волка, Александр терял способность разговаривать. Но он понимал все, что слышал, — хотя, конечно, у меня не было гарантии, что его волчье понимание тождественно человеческому. Остававшихся у него коммуникативных способностей не хватало на передачу сложных движений души, но он мог ответить утвердительно или отрицательно. «Да» означал глухой короткий рык:

— Р-р-р!

А «нет» он передавал звуком, похожим на нечто среднее между воем и зевком:

— У-у-у!

Меня немного смешило это «у-у-у» — примерно так же скулит в жару собака, запертая хозяевами на балконе. Но я не стала говорить ему о своем наблюдении.

Его руки делались похожи не на волчьи лапы, а скорее на фантастические конечности кинематографического марсианина. Я не могла поверить, что эти клешни способны на нежное прикосновение, хотя знала это по опыту.

Поэтому, когда он положил их на кожу моего живота, мне, как всегда, стало не по себе.

— Чего ты хочешь, серенький? — спросила я. — Мне лечь на бок?

— У-у-у!

— На животик?

— У-у-у!

— Встать на коленки?

— Р-р-р!

— Хорошо, только осторожно. Ладно?

— Р-р-ррррр-р!

Я была не до конца уверена, что это последнее «ррр» означало «да», а не просто «ррр», но тем не менее сделала то, что он просил. И тут же пожалела: он взял меня лапой за хвост.

— Эй, — сказала я, — отпусти, волчище!

— У-у-у!

— Правда, отпусти, — повторила я жалобно.

— У-у-у!

И тут произошло то, чего я боялась больше всего, — он потянул меня за хвост. Не сильно, но достаточно ощутимо для того, чтобы мне вдруг вспомнился сикх из «Националя». А когда он дернул меня за хвост чуть резче, мне стало так стыдно за свою роль в судьбе этого человека, что я всхлипнула.

Александр не дергал меня за хвост специально. Он просто держал его, причем довольно нежно. Но удары его бедер толкали мое тело вперед, и результат был таким же, как если бы он пытался выдрать хвост у меня из спины. Я напрягла все мышцы, но моих сил не хватало. С каждым рывком мою душу заливали волны непереносимого стыда. Но самым ужасным было то, что стыд не просто жег мое сердце, а смешивался в одно целое с удовольствием, которое я получала от происходящего.

Это было нечто невообразимое — поистине по ту сторону добра и зла. Только теперь я поняла, в каких роковых безднах блуждал Де Сад, всегда казавшийся мне смешным и напыщенным. Нет, он вовсе не был нелеп — просто он не мог найти верных слов, чтобы передать природу своего кошмара. И я знала, почему — таких слов в человеческом языке не было.

— Прекрати, — прошептала я сквозь слезы.

— У-у-у!

Но в душе я не знала, чего я хочу — чтобы он прекратил или чтобы продолжил.

— Перестань, — повторила я, задыхаясь, — пожалуйста!

— У-у-у!

— Ты хочешь меня убить?

— Р-р-р!

Я больше не могла сдерживаться и зарыдала. Но это были слезы наслаждения, чудовищного, стыдного — и слишком захватывающего, чтобы от него можно было отказаться добровольно. Вскоре я потеряла представление о происходящем — возможно, и сознание тоже. Следующим, что я помню, был склонившийся надо мной Александр, уже в человеческой ипостаси. Он выглядел растерянным.

— Я сделал тебе больно?

Я кивнула.

— Извини...

— Обещай мне одну вещь, — прошептала я. — Обещай, что ты больше никогда не будешь дергать меня за хвост. Никогда, слышишь?

— Слово офицера, — сказал он и положил ладонь на орденскую планку. — Тебе было плохо?

— Мне было стыдно, — прошептала я. — Ты знаешь, я в жизни сделала много такого, о чем мне не хочется вспоминать. Я причинила много зла людям...

Его лицо вдруг стало серьезным.

— Не надо, — сказал он. — Прошу тебя, не надо. Не сейчас.

*

Мы, лисы, увлекаемся охотой на английских аристократов и кур. На английских аристократов мы охотимся потому, что английские аристократы охотятся на нас, и это своего рода дело чести. А на кур мы охотимся для души. У каждой разновидности охоты есть свои горячие сторонницы, которые готовы до хрипоты защищать свой выбор. С моей точки зрения, охота на кур имеет несколько серьезных преимуществ:

1) охота на английских аристократов — источник дурной кармы, приобретаемой убийством даже самого бесполезного человека. От кур же карма не особо тяжелая.

2) для охоты на аристократов надо выезжать в Европу (хотя некоторые считают, что лучшее место для этого — трансатлантический лайнер). На кур можно охотиться где угодно.

3) при охоте на английских аристократов с лисами не бывает физических изменений. А при охоте на кур с нами происходит нечто отдаленно похожее на трансформацию волка-оборотня — мы на время уподобляемся своим диким сородичам.

Я уже много лет не охочусь на английских аристократов и совершенно об этом не жалею. А вот куриной охотой увлекаюсь до сих пор.

Трудно объяснить постороннему, что такое куриная охота. Когда, сбрасывая одежду и обувь, яростно отталкиваешься тремя лапами от земли, а четвертой прижимаешь курочку к груди, ее сердечко бьется в унисон с твоим, и размытые от скорости зигзаги пути свободно пролетают сквозь пустое сознание. В такую минуту ясно видишь, что и ты, и курочка, и даже крикливые преследователи — на самом деле части одного непостижимого целого, которое надевает маски и играет в прятки само с собой... Хочется верить, что и курочка постигает то же самое. А если нет, то придет жизнь, когда она обязательно, обязательно поймет!

Вот основные принципы куриной охоты:

1) приближаться к курятнику надо в облике роскошной светской мальвины — в вечернем платье, на высоких каблуках-шпильках. Одежда должна максимально стеснять движения и ассоциироваться с гламурными журналами.

2) следует привлечь к себе внимание хозяев курятника — они обязательно должны видеть, как изысканная гостья крадет курицу.

3) убегать от взбешенных преследователей надо не слишком быстро, но и не слишком медленно — главная задача охоты в том, чтобы как можно дольше поддерживать в них уверенность, что они в состоянии нагнать воровку.

4) когда у преследователей не остается сил для дальнейшей погони (а также в тех случаях, когда с ними случается шок от происходящей на их глазах трансформации), следует особым щелчком хвоста стереть у них память о случившемся и отпустить курочку на свободу.

Последнее дополнение я ввела сама. Только не спрашивайте меня, что курочка сделает с этой свободой. Не сворачивать же ей, в самом деле, шею. Конечно, бывает иной раз, что курочка уснет во время погони. Но разве лучше для ее эволюции было бы завершить эту жизнь в мещанском супе?

Некоторые из нас распространяют ту же логику на английских аристократов, но я с этим не согласна — теоретически любой английский аристократ может в этой жизни стать Буддой, и нельзя лишать его такого шанса ради пустой забавы.

Охота на аристократов — на девяносто процентов нудное социальное упражнение, мало отличающееся от официального чаепития. Но иногда самые отмороженные из моих сестер, с которыми я не желаю иметь ничего общего, собираются в стаю и устраивают облавы, во время которых с жизнью прощается сразу много английских аристократов. Тогда происходящее делается довольно живописным, а сопутствующую галлюцинацию может переживать одновременно много тысяч человек — о чем дает представление история «Титаника» или так называемая битва при Ватерлоо. Но самые шокирующие подробности остаются скрыты от публики.

Я догадываюсь, что трудно поверить в возможность таких устрашающих массовых обманов, но дело здесь вот в чем: когда одну и ту же галлюцинацию одновременно наводит несколько лис, ее сила увеличивается пропорционально кубу их количества. То есть одно и то же внушение, одновременно производимое тремя лисами, будет по силе почти в тридцать раз сильнее наваждения, которое создаст любая из них в одиночестве. Это достигается с помощью тайных методик и практик — сначала лисы учатся вместе представлять себе предмет, который они перед этим видели, потом предмет, которого они не видели, потом заставляют других воспринимать предметы, которых не существует, и так далее. Сложная техника, и обучение ей занимает несколько столетий. Но если владеющих ею лис соберется десять или двадцать... Понятно, на что они способны.

Кто-то может спросить, почему в таком случае лисы до сих пор не правят этим миром. Причин две:

1) лисы не так глупы, чтобы брать на себя эту ношу.

2) лисы очень эгоистичны и не в состоянии на долгий срок договориться друг с другом о чем-нибудь, кроме совместной охоты на английских аристократов.

Сейчас у людей много новых средств слежения и контроля, поэтому лисы избегают вмешиваться в человеческую историю и решают проблему проще. На севере Англии есть несколько частных замков, где аристократов от лучших производителей разводят и воспитывают специально для лисьей охоты — выход небольшой, но качество превосходное. Похожие питомники есть в Аргентине и Парагвае, но условия там жуткие, и английские аристократы, которых там массово выводят на основе искусственного осеменения (с клонированием пока ничего не вышло), годятся только для вертолетного сафари: они говорят как гаучо, ведрами пьют текилу, с трех раз не могут нарисовать свое генеалогическое дерево и перед смертью просят завести им песню «Un Hombre», посвященную Че Геваре. Видимо, хоть на несколько минут тянет ощутить себя портфельным инвестором.

Есть другая школа охоты, по которой английский аристократ отбирается индивидуально, и лиса несколько лет гонит его по последнему маршруту — становится его любовницей или женой и находится с ним рядом вплоть до момента истины, который в этом случае довольно жуток. Однажды, во время грозы или в какой-нибудь другой драматический миг, лиса открывает ему всю правду и обнажает свой хвост — но не для того, чтобы внушить очередную дозу семейного счастья, а чтобы поразить насмерть... Такова самая сложная форма охоты, которая требует виртуозного социального мастерства. Здесь никто не сравнится с сестренкой И Хули, которая уже много веков живет в Англии и достигла в этом спорте подлинного совершенства.

Главное преимущество охоты на кур заключается в происходящей с нами супрафизической трансформации. Курочка нужна как живой катализатор, который помогает совершить ее — за тысячи лет культурной жизни лисы почти утратили это умение, и нам, как Данту, требуется проводник в нижние миры. Трансформация случается не всегда, и в любом случае ненадолго, но ощущения от нее такие сильные, что воспоминаниями питаешься много дней.

Нечто похожее бывает с нами и от сильного испуга, но это процесс неконтролируемый. А искусство куриной охоты заключается как раз в контроле над страхом. Надо подпустить преследователей достаточно близко для того, чтобы включились механизмы внутренней алхимии, которые на несколько секунд сделают тебя хищным зверем, свободным от добра и зла. Естественно, чтобы не освободиться от добра и зла окончательно, нужно поддерживать дистанцию безопасной. Все вместе — почти как серфинг, только расплата за потерю равновесия здесь куда серьезней. Но и положительные эмоции намного сильнее — ничто так не освежает душу, как риск и погоня.

Иногда бывает, за мной увяжутся собаки, но сразу отстают, как только понимают, кто я. Собаки поддаются внушению так же легко, как и люди. Кроме того, у них есть особая система оповещения, нечто вроде интернета, основанного на запахах, так что новости в их среде расходятся быстро. Когда одного мужественного ротвейлера, который решил со мной поиграть, изнасиловали два брата-кавказца (я имею в виду овчарок), собаки в Битцевском лесу стали обходить меня стороной. Они умные звери и в состоянии проследить причинно-следственную связь между тем, что некий ротвейлер с рычанием бросается за изящной рыжей спортсменкой, и тем, что все кобели, которые выше этого ротвейлера на две головы, начинают принимать его за ласковую большеглазую суку в разгар течки.

Я решила взять Александра на охоту вовсе не из желания похвастаться. Трансформация лисы во время куриной охоты не заходит так далеко, как происходящее с волком, поэтому хвалиться было нечем. Но если супрафизический сдвиг произойдет со мной на глазах у Александра, думала я, это будет лучшим способом сказать ему: «мы с тобой одной крови». Возможно, это растопит остатки недоверия между нами и сделает нас ближе — таков был мой смутный расчет.

Место для охоты я приглядела давно. Одна из дорожек, петлявших сквозь Битцевский лес, выходила к стоящему на опушке деревянному дому, в котором жил лесник (не уверена, что это правильный термин, но этот человек точно имел к парку какое-то служебное отношение). Рядом с домом был курятник — большая редкость в современной Москве. Я приметила его во время велосипедной прогулки по лесу и теперь решила воспользоваться своей находкой. Но сначала следовало еще раз все проверить и наметить пути отступления. Посвятив велоразведке целый день, я установила следующее:

1) куры в курятнике были, люди в доме — тоже; таким образом, присутствовали оба необходимых для охоты ингредиента.

2) убегать следовало по дороге, которая вела в лес.

3) надо было успеть оторваться от погони до того, как дорожка вынырнет из леса с другой стороны — на опушке всегда было много прогуливающихся, в основном молодых мамаш с колясками.

Кроме того, я обнаружила, как подъехать почти к самому курятнику на машине — хоть домик лесника казался затерянным в лесу, город начинался всего в трехстах метрах: лес обрывался шеренгой бетонных шестиэтажек. Я записала адрес самого близкого к курятнику дома. Теперь все было готово к охоте.

Велоразведка дала еще один результат. Возвращаясь домой, я поехала по незнакомой дорожке и обнаружила удивительное место, куда не попадала раньше. Это был обширный пустырь, даже скорее поле, скатывающееся одним краем к речушке и окруженное лесом. Поле пересекали тропинки, а на ведущем к реке склоне был велосипедный трамплин — крутая земляная насыпь, укатанная множеством шин. Я не решилась прыгнуть, а только медленно въехала на него, представляя себе, каково это — разогнаться и взмыть в воздух. Но уверенности, что я смогу приземлиться, у меня не было.

Недалеко от трамплина обнаружилась странная скульптурная композиция. В землю были врыты несколько серых бревен разной длины. Их обструганные верхушки изображали лица воинов. Бревнавоины стояли вплотную друг к другу, а вокруг них размещались грубые прочные лавки. По периметру стояло четверо ориентированных по сторонам света П-образных ворот, таких же серых, мощных и растрескавшихся. Все вместе напоминало бревенчатый Стоунхендж, уже пострадавший в битве с вечностью: бревна были изуродованы кострами, которые разводила прямо на них местная шпана. Но, несмотря на черные пропалины и множество пустых бутылок из-под пива, в этом объекте была красота и даже какое-то зыбкое величие.

Я села на одно из бревен, уставилась на красный круг солнца (такие закаты бывают в Москве только в мае) и ушла в мысли о прошлом. Мне вспомнился человек, которого я встретила больше тысячи лет назад — его звали Желтый Господин, по названию Желтой Горы, на которой стоял его монастырь. Я провела в беседе с ним всего одну ночь, а запомнила этот разговор навсегда — стоило закрыть глаза, и я видела лицо Желтого Господина так отчетливо, словно он был рядом. А ведь сколько было людей, с которыми я сталкивалась многие годы изо дня в день — и от которых в моей памяти не осталось даже тени... Сестричка И тоже знала Желтого Господина, подумала я. Интересно, помнит она его? Надо будет спросить.

В этот момент зазвонил мобильный.

— Алло, — сказала я.

— Здравствуй, рыжая.

Я не поверила своим ушам.

— Сестричка И? Просто чудеса. Я только что о тебе думала...

— То-то у меня хвост чешется, — засмеялась она. — Я уже в Москве.

— Где ты остановилась?

— В гостинице «Националь». Что ты делаешь завтра в час дня?

*

Я боялась проблем при входе в «Националь», но никто из секьюрити не обратил на меня внимания. Возможно, дело было в том, что меня ожидала похожая на шарфюрера СС девушка-администратор с табличкой «valued guest of Lady Cricket-Taylor», которая проводила меня к одному из люксов. Не хватало только почетного караула с оркестром.

И Хули встретила меня, сидя на полосатом диване в гостиной номера. Меня мучило подозрение, что я уже встречалась в этом помещении с каким-то клиентом, не то бизнесменом из Южной Кореи, не то оружейным арабом. Но дело могло быть просто в полосатом диване, такие здесь во многих номерах. Увидев меня, сестричка встала навстречу, и мы нежно обнялись. В ее руках появился прозрачный пластиковый пакет.

— Это тебе, — сказала она. — Недорого, но изящно.

В пакете была майка с британским флагом и русско-английской надписью:

КОКНИ
COCKNEY

— Это в Лондоне продают, — сказала она. — На всех языках. Но на русском получается особенно мило.

И она тихо захихикала. Я не могла удержаться и засмеялась тоже.

И Хули выглядела в точности так же, как в двадцать девятом году, когда она приезжала в Россию по линии модного тогда Коминтерна. Только сейчас ее стрижка казалась чуть короче. Одета она была, как всегда, неподражаемо.

Последнюю тысячу лет стиль И Хули не менялся — это был предельный радикализм, замаскированный под утилитарную минималистичность. Я завидовала ее смелому вкусу — она всегда опережала моду на полшага. Мода циклична, и за долгие столетия сестренка И наловчилась кататься на волнах этих циклов с мастерством профессионала по серфингу — каким-то чудом она постоянно находилась в точке, угадать координаты которой пытаются все дизайнеры одежды.

Вот и сейчас на ней была умопомрачительная жилетка, похожая на огромный патронташ со множеством разноцветных накладных карманов, расшитых арабской вязью и оранжевыми словами «Ka-Boom!». Это была вариация на тему пояса шахида — каким его сшил бы японский дизайнер-либертен. Вместе с тем вещь была очень удобной — сумка обладателю такой жилетки была ни к чему.

— Не слишком ли смело для Лондона? — спросила я. — Никто не возмущается?

— Что ты! У англичан все силы духа уходят на лицемерие. На нетерпимость не остается.

— Неужели все так мрачно?

Она махнула рукой.

— Лицемерие по-английски «hypocrisy». Я бы ввела новый термин — «hippopocrisy», от «гиппопотам». Чтоб обозначить масштабы проблемы.

Я терпеть не могу, когда дурно отзываются о це-

лых нациях. По-моему, так поступают или неудачники, или те, у кого нечиста совесть. Неудачницей
сестричку И никак не назовешь. Но вот насчет совести...

— А почему бы тебе первой не перестать лице-
мерить? — спросила я.

— Тогда это будет цинизм. Еще неизвестно, что
хуже. В общем, в чулане темно и сыро.

— В каком чулане?

— Я про английскую душу. Она напоминает мне
чулан. Или как это правильно перевести... closet.
Лучшие из англичан всю жизнь стремятся оттуда
выйти, но удается это, как правило, только в момент смерти.

— Откуда ты знаешь?

— Как откуда? Вижу изнутри. Я ведь сама анг-
личанка. Ну, конечно, не до конца — примерно как
ты русская. Ведь можно сказать, что ты русская?

— Пожалуй, — согласилась я и тихонько вздохнула.

— А на что похожа русская душа?

Я задумалась.

— На кабину грузовика. В которую тебя посадил
шофер-дальнобойщик, чтобы ты ему сделала минет. А потом он помер, ты осталась в кабине одна, а
вокруг только бескрайняя степь, небо и дорога.
А ты совсем не умеешь водить.

— А шофер еще в кабине, или...?

Я пожала плечами.

— Это у кого как.

— Да, — сказала И Хули. — Выходит, то же самое.

— Что то же самое? — не поняла я.

— У нас пословица есть. «Everybody has his skeleton in the closet»[1]. Это лорд Байрон сказал. Когда понял, что задушил в себе гомосексуалиста.

— Бедняга.

— Бедняга? — И Хули подняла брови. — Ничего ты не понимаешь. Он этого гомосексуалиста в себе всю жизнь истязал и мучил, а задушил только перед самой смертью, когда понял, что сам скоро коньки отбросит. А все его стихи и поэмы, оказывается, на самом деле написал этот гомосексуалист. Два американских ученых доказали, сама читала. Вот какие в Англии люди! Лучше уж ваш мрачняк в кабине.

— Почему мрачняк? По-моему, в этом много красоты.

— В чем? В скелете рядом?

— Нет, — ответила я. — В русской душе. Представь, ты совсем не умеешь водить, а вокруг степь и небо. Я люблю Россию.

— А что именно ты в ней любишь?

Некоторое время я обдумывала этот вопрос. Потом не очень уверенно ответила:

— Русский язык.

— Ты правильно делаешь, — сказала И Хули, — что внушаешь себе это чувство. Иначе тебе было бы невыносимо тут жить. Как мне в Англии.

Она по-кошачьи потянулась, поглядела вдаль, и в ее глазах мелькнуло что-то лениво-мечтательное. Мне вдруг померещилась хищная острозубая пасть на месте ее лица, как бывает на двадцать пятом кинокадре. Я захотела сказать ей какую-нибудь легкую колкость.

— По-моему, это ты внушаешь себе, что живешь среди лицемеров и извергов.

---

[1] У каждого в шкафу есть свой скелет.

— Я? Зачем бы я стала это делать? — спросила она.

— Говорят, никто не может совершить убийства, не приписав своей жертве какого-нибудь дурного качества. Иначе совесть замучает. А когда убийства следуют одно за другим, эти качества удобно распространить на всю target group. Не так пугает воздаяние.

По лицу И Хули пробежала тень.

— Это мораль? — спросила она. — Даже некоторые люди понимают, что в реальности нет ни добра, ни зла. А мы с тобой лисы. После смерти нет ни воздаяния за зло, ни награды за добродетель, а только общее для всех возвращение к великому пределу у Желтого Источника. Остальное придумали для того, чтобы держать народ в подчинении и страхе. О чем ты говоришь?

Я поняла, как глупо себя веду — злю сестру, с которой хочу посоветоваться. Кто я такая, чтобы в чем-то ее упрекать? Разве я хоть на йоту лучше? Если я действительно считаю себя лучше, значит, я еще хуже. Надо было свести все к шутке.

— Какие мы серьезные, — сказала я игриво. — Вот к чему ведет многолетнее сожительство с бесхвостой обезьяной. Ты даже рассуждать стала совсем как они.

И Хули несколько секунд недоверчиво глядела на меня, хмуря пушистые брови. Ей это очень шло. Потом она улыбнулась.

— Значит, решила надо мной посмеяться? Теперь не поворачивайся ко мне задом...

У лис эта фраза основана на несколько иных референциях, чем у людей, но общее значение примерно то же. Я и не собиралась поворачиваться к

ней задом, тем более что она действительно могла
дернуть за хвост — в пятнадцатом веке такое уже
произошло, я до сих пор помню. Но эта фраза неожиданно напомнила мне о последнем свидании с
Александром. Я покраснела. Это не укрылось от сестрички И.

— Ого, — сказала она, — ты все так же красне-
ешь, как тысячу лет назад. Даже завидно. Как тебе
удается? Для этого, наверно, надо быть девственницей?

Самое интересное, что я краснею только в компании других оборотней. А при общении с людьми
такого не бывает. Очень жаль — можно было бы
сильно поднять тариф.

— А я уже не девственница, — сказала я и покраснела еще сильнее.

— Неужели? — От изумления И Хули откину-
лась на спинку дивана. — Давай-ка рассказывай!

Мне уже давно не терпелось поделиться своей
историей — и следующие полчаса ушли у меня на
то, чтобы выложить переполнявшее мою душу.

Пока я рассказывала подробности своего голо-
вокружительного affair, И Хули хмурилась, улыба-
лась, кивала, а иногда даже поднимала вверх палец,
словно чтобы сказать: «Ага! А сколько раз я тебе говорила!» Когда я закончила, она сказала:

— Ну вот. Значит, и с тобой это все-таки случилось. Тысячей лет раньше, тысячей лет позже... Какая разница? Поздравляю.

Я взяла со столика салфетку, свернула в бумаж-
ный шарик и бросила в нее. Она ловко увернулась.

— Все-таки великая вещь жизненный опыт, —
сказала она. — Разве мыслимо было такое в дни нашей юности? Ты его так профессионально спрово-

цировала, что даже непонятно, кто кого изнасиловал.

— Что? — от изумления у меня открылся рот.

Она ухмыльнулась.

— Хотя бы перед своими не надо строить оскорбленную невинность.

— О чем ты? Когда я его спровоцировала?

— Когда выскочила голая из ванной и встала перед ним раком.

— Ты считаешь это провокацией?

— Конечно. Зачем ты, спрашивается, развернулась к нему задом?

Я пожала плечами.

— Для надежности.

— А что в этом особенно надежного?

— Хвост ближе к цели, — сказала я не совсем уверенно.

— Ну да. А глядеть надо через плечо. Скажи честно, ты когда-нибудь раньше так делала для надежности?

— Нет.

— А почему вдруг решила начать?

— Мне... Мне просто показалось, что это очень ответственный случай. И я не могу позволить себе упасть на обе лопатки. В смысле, в грязь лицом.

И Хули расхохоталась.

— Слушай, — сказала она, — неужели ты действительно все проделала в бессознательном режиме?

Мне определенно не нравилось, куда движется разговор.

— Я знаю, как ты к этому относишься, — продолжала она, — но если ты поговоришь с хорошим психоаналитиком, ты сразу поймешь свои подлинные мотивы. С аналитиком, кстати, можно говорить не стесняясь, о чем хочешь, — за это ему и платят. Про хвост, конечно, необязательно рассказывать. Хотя можно и сказать, типа как о фантазии. Но тогда пропускай все, что он будет тебе говорить о penis envy[1]...

Открыть подруге душу и услышать такое... Я разозлилась.

— Слушай, — сказала я, — а тебе не кажется, что весь этот психоаналитический дискурс давно пора забить осиновым колом в ту кокаиново-амфетаминовую задницу, которая его породила?

Она выпучила глаза.

— Так, насчет амфетаминов понимаю. Я все-таки с Жан-Поль Сартром два года дружила, если ты не в курсе. И про задницу понимаю, по той же самой причине. А вот кокаин тут при чем?

— Могу объяснить, — сказала я, радуясь, что разговор уходит от скользкой темы.

— Ну объясни.

— Доктор Фрейд не только сам сидел на кокаине, он его пациентам прописывал. А потом делал свои обобщения. Кокаин — это серьезный сексуальный возбудитель. Поэтому все, что Фрейд напридумывал — все эти эдипы, сфинксы и сфинкторы, — относится исключительно к душевному измерению пациента, мозги которого спеклись от кокаина в яичницу-глазунью. В таком состоянии у человека действительно остается одна проблема — что сделать раньше, трахнуть маму или грохнуть папу. Понятное дело, пока кокаин не кончится. А в те времена проблем с поставками не было.

---

[1] Зависть к пенису.

— Я говорю не про...

— Но пока у тебя доза меньше трех граммов в день, — продолжала я, — ты можешь не бояться ни эдипова комплекса, ни всего остального, что он наоткрывал. Основывать анализ своего поведения на теориях Фрейда — примерно как опираться на пейотные трипы Карлоса Кастанеды. В Кастанеде хоть сердце есть, поэзия. А у этого Фрейда только пенсне, две дорожки на буфете и дрожь в сфинктере. Буржуазия любит его именно за мерзость. За способность свести все на свете к заднице.

— А почему буржуазия должна его за это любить?

— А потому, что портфельным инвесторам нужны пророки, которые объяснят мир в понятных им терминах. И лишний раз докажут, что объективной реальности, в которую они вложили столько денег, ничего не угрожает.

И Хули посмотрела на меня чуть насмешливо.

— А как ты думаешь, — спросила она, — действительно тенденция к отрицанию объективной реальности имеет в своей основе сексуальную депривацию?

— А? — растерялась я.

— Проще говоря, согласна ли ты, что мир считают иллюзией те, у кого проблемы с сексом? — повторила она тоном доброй теледикторши.

С этим взглядом на мир я часто сталкивалась в «Национале». Дескать, только сексуально закомплексованные лузеры прячутся от живительного шума рынка в мистику и обскурантизм. Особенно забавно бывало слышать это от клиента, елозящего в одиночестве по кровати: если вдуматься, то же самое происходило с бедняжкой и все остальное время, только вместо лисьего хвоста его морочила Financial Times, а одиночество было не относительным, как в моем обществе, а абсолютным. Но услышать такое от сестрички... Вот что делает с нами общество потребления.

— Все наоборот, — сказала я. — На самом деле, именно тенденция увязывать духовные поиски с сексуальными проблемами основана на фрустрации анального вектора либидо.

— Как это? — подняла брови сестричка И.

— А так. Тем, кто это говорит, следует сделать то, что им всегда тайно хотелось — трахнуть себя в задницу.

— Зачем?

— Когда они займутся тем, в чем они понимают, они перестанут рассуждать о том, чего не понимают. У свиньи так устроена шея, что она не может смотреть в небо. Но из этого вовсе не следует, что небо — сексуальный невроз.

— Понятно... От волка набралась?

Я промолчала.

— Так-так-так, — сказала сестричка И. — А посмотреть на него можно?

— Почему вдруг такой интерес? — спросила я подозрительно.

— Только не ревнуй, — засмеялась она. — Просто хочется поглядеть, кто тебе пришелся по сердцу. К тому же я никогда не видела волков-оборотней, только слышала, что они бывают где-то на севере. Кстати, сверхоборотень, про которого ты мне постоянно читаешь лекции — скорее волк, чем лиса. Так, во всяком случае, считает мой муж. И его ложа «Розовый Закат» тоже.

Я вздохнула. Было просто непостижимо, как это
И Хули, настолько проницательная в одних вопро-
сах, может быть так дремуче-невежественна в других. Сколько раз можно объяснять ей одно и то же?
Я решила не вступать в спор. Вместо этого я спросила:

— Ты думаешь, что сверхоборотнем может оказаться мой Александр?

— Насколько я понимаю, сверхоборотень — не
просто волк. Это нечто отстоящее от волка так же
далеко, как волк отстоит от лисы. Но сверхоборотень — это не промежуточная стадия между лисой и
волком. Он далеко *за* волком.

— Ничего не понимаю, — сказала я. — Где — за
волком?

— Знаешь что, сама я связно не объясню. Бедняжка Брайан собрал весь доступный материал на
эту тему. Хочешь, он прочтет короткую лекцию,
пока еще жив? У нас как раз есть свободное время
завтра днем. А ты позови своего Александра — ему,
я думаю, тоже будет интересно послушать. Заодно и
мне покажешь.

— Было бы здорово, — сказала я. — Только у
Александра неважно с английским.

— Это ничего. Брайан полиглот и свободно говорит на пяти языках. В том числе и на русском.

— Хорошо, — сказала я, — тогда давай попробуем.

И Хули подняла палец.

— А твой генерал-лейтенант окажет нам за это
одну услугу.

— Какую?

— Нам с Брайаном нужно попасть ночью в храм
Христа Спасителя. Причем это должна быть ночь с

пятницы на субботу, около полнолуния. Сможет он устроить?

— Думаю, сможет, — сказала я. — Наверняка у него есть связи. Попробую поговорить.

— Тогда я тебе напомню, — сказала И Хули.

Так с ней всегда. Решает свои вопросы за твой счет и при этом создает у тебя чувство, что она тебя облагодетельствовала. Хотя, с другой стороны, мне было ужас как интересно посмотреть на лорда Крикета — оккультиста, покровителя изящных искусств и любителя лисьей охоты.

— Скажи, — спросила я, — а твой муж догадывается? Ну, про тебя?

— Нет. Ты что, с ума сошла? Это же охота. По правилам он должен все узнать только в последний момент.

— Как тебе удается столько времени все скрывать?

— Помогают условности английской жизни. Раздельные спальни, викторианский ужас перед наготой, чопорный ритуал отхода ко сну. В аристократических кругах это просто — достаточно завести определенный порядок, а потом его поддерживать. По-настоящему сложно другое — постоянно отодвигать развязку. Это действительно требует напряжения всех душевных сил.

— Да, — согласилась я, — твоя выдержка удивительна.

— Брайан — это мой Моби Дик, — сказала И Хули и усмехнулась. — Хотя dick у бедняги не очень-то моби...

— Сколько ты его гонишь? Пять лет? Или шесть?

— Шесть.

— И когда ты планируешь...

— На днях, — сказала И Хули.

От неожиданности я вздрогнула. Она обняла меня за плечи и прошептала:

— Мы здесь как раз для этого.

— Почему ты решила сделать все в Москве?

— Здесь безопаснее. И потом, удивительно удобная ситуация. Брайан не просто знает пророчество, по которому сверхоборотень должен появиться именно в этом городе. Он собирается сам стать сверхоборотнем. Он почему-то уверен, что для этого надо отслужить в храме, который был разрушен и восстановлен, нечто вроде черной мессы по методике его дурацкой секты. Все должно происходить без свидетелей. Его единственным помощником буду я, поскольку у меня есть требуемое посвящение.

— Откуда?

— Он мне его и дал.

Меня вдруг поразила одна догадка.

— Подожди-ка... А ты сама веришь в сверхоборотня?

— В каком смысле?

— Что он придет, и мы ясно его увидим, и все такое прочее — ну, как ты мне писала?

— Я тебе не писала, что я в это верю. Я писала, что Брайан так говорит. А меня вся эта мистика не занимает. Пускай сверхоборотень приходит или не приходит, мне до него дела нет. Но лучшей возможности для... — она щелкнула пальцами, чтобы я поняла, о чем речь, — мне не найти.

— Ну ты и хитрюга!

И Хули очаровательно улыбнулась.

Только теперь я поняла ее замысел. Наверно, что-то похожее испытывает начинающий шахматист, когда перед ним раскрывается замысел гениальной партии. Развязка обещала быть драматичной и зрелищной, как и требовали правила охоты: трудно придумать лучший интерьер для последнего удара, чем ночной храм. Мало того, с самого начала была готова диковатая, но убедительная легенда с объяснением происходящего. Это, собственно, была не легенда, а чистая правда, в которую верил сам виновник торжества, а минуту тому назад — даже я. Что могло заподозрить следствие?

Изящно и естественно, ни малейшей недостоверности. Мастерский план. Я, конечно, не одобряла этого спорта, но нельзя было не отдать сестрице должного. И Хули, несомненно, была лучшей в мире охотницей, единственным спортсменом такого уровня. Я уважительно хмыкнула.

— И кто у тебя следующий? Еще не решила?

— О, глаза разбегаются. Есть удивительные варианты, совсем неожиданные.

— Какие?

И Хули зажмурилась и пропела хрустальным голоском:

— Don't question why she needs to be so free[1]...

— Мик Джаггер? — охнула я. — Да как ты смеешь об этом даже думать?

— А что? — невозмутимо переспросила И Хули. — Он ведь теперь «сэр Мик». Legitimate target[2]. И потом, неужели тебя до сих пор трогают эти слова? По-моему, они давно стали похожи на рекламу авианосца.

---

[1] Не спрашивай, зачем ей надо быть настолько свободной...

[2] Законная цель.

*

Лорд Крикет был человеком неопределенного возраста. И пола, хотелось добавить для точности описания. Сестричка И говорила, что он происходит из потомственной военной семьи, но его внешность никак на это не указывала. При первом взгляде на него мне даже пришло в голову выражение «war hero or shero» [1], — это несмотря на бритую голову и бородку-goatee. У него было интересное выражение лица: как будто в юности его душа рвалась к свободе и свету, но, не сумев пробить броню самообладания и долга, так и застыла вопросительным пузырем, распучив лицо в удивленно-недовольную гримасу.

Он был одет в темный костюм и белую рубашку с широким галстуком нежнейшего зеленого оттенка. На лацкане его пиджака поблескивал маленький круглый значок, похожий на эмалевые изображения Мао Цзэдуна, которые было принято носить в Китае, только вместо председателя Мао с него улыбался Алистер Кроули (я вряд ли узнала бы британского сатаниста сама — мне это подсказала И Хули).

Александр с лордом Крикетом отреагировали друг на друга настороженно. Увидев военную форму, лорд Крикет улыбнулся. Это была удивительная улыбка: в ней присутствовала еле заметная ирония, которую при всем желании нельзя было не заметить. Сколько столетий, должно быть, подстригали этот газон. Александр при виде лорда Крикета нервно втянул носом воздух, прикрыл глаза и помрачнел, будто вспомнил что-то досадное.

---

[1] Политкорректное «герой или героиня войны».

Я испугалась, что они поругаются. Но между ними быстро завязался small talk о Ближнем Востоке, шиитском терроризме и нефтяном бизнесе. Вид у меня, наверное, был хмурый, потому что лорд Крикет задал мне классический вопрос:

— Почему вы, русские, так мало улыбаетесь?

— Нам не надо быть настолько конкурентоспособными, — сказала я мрачно. — Все равно мы нация лузеров.

Лорд Крикет поднял бровь.

— Ну это вы преувеличиваете, — сказал он.

Но мой ответ, похоже, его удовлетворил, и он вернулся к разговору с Александром.

Убедившись, что они беседуют на безопасные темы, я стала разбираться с видеопроектором, взятым напрокат в местном бизнес-центре. Было, конечно, что-то нелепое в эзотерической презентации, подготовленной в программе «Power Point». Но, с другой стороны, вся человеческая эзотерика была такой профанацией, что ее не мог уронить никакой «Майкрософт».

Пока мы возились с техникой, я в очередной раз поддалась искушению привить сестричке И зачатки моральных устоев.

— Ты не представляешь себе, — говорила я тихо и быстро, стараясь вместить как можно больше полезной информации в отпущенные мне секунды, — насколько освобождает душу категорический императив Канта. У меня словно крылья выросли, когда я поняла — да-да, только не смейся, — что человек может быть для нас не только средством, но и целью!

И Хули нахмурилась. А затем сказала:

— Ты права. Вот закончу с Брайаном, полечу в

Аргентину на сафари. Давно хотелось пострелять с вертолета.

Ну что с ней было делать!

Мы никак не могли подключить проектор к ноутбуку: не желал работать bluetooth, а я никогда раньше не имела с ним дела. На некоторое время я полностью ушла в технические вопросы и перестала обращать внимание на происходящее в комнате. А когда я наконец решила проблему, лорд Крикет и Александр уже вовсю спорили о ценностях.

— Вы серьезно полагаете, — спрашивал лорд Крикет, — что есть способ общественного устройства лучше, чем либеральная демократия?

— Не надо нам этих либералов! Спасибо, десять лет мучились. Сейчас только чуть-чуть дух перевели.

Я поняла, что пора вмешаться.

— Извините, — сказала я, незаметно для лорда Крикета показывая Александру кулак, — мне кажется, что вы не понимаете друг друга. Речь идет о чисто лингвистическом недоразумении.

— Как так? — спросил лорд Крикет.

— Есть целый ряд звукосочетаний, которые в разных языках означают совершенно разное. Например, русское слово «Бог» в английском языке становится болотом — «bog». А английское слово «God» в русском языке становится календарным годом. Звучание одинаковое, а смысл совершенно различный. Такое бывает и с фамилиями, иногда получается очень смешно. Вот так же со словом «либерал». Это классический кросс-языковой омоним. Скажем, в Америке оно обозначает человека, который выступает за контроль над оружием, за однополые браки, за аборты и больше сочувствует бедным, чем богатым. А у нас...

— А у нас, — перебил Александр, — оно означает бессовестного хорька, который надеется, что
ему дадут немного денег, если он будет делать круглые глаза и повторять, что двадцать лопающихся от
жира паразитов должны и дальше держать всю Россию за яйца из-за того, что в начале так называемой приватизации они торговали цветами в нуж-
ном месте!

— Фу, как грубо, — сказала я.

— Зато правда. А трагедия русского либерализма
в том, что денег хорьку все равно не дадут.

— Почему не дадут? — спросила я.

— Раньше жаба душила. Сейчас обосрутся.
А потом денег не будет.

Редко бывает, подумала я, чтобы все три времени так безнадежно-мрачно смыкались в одной сен-
тенции.

— Вы за пересмотр результатов приватизации? —
спросил внимательно слушающий лорд Крикет.

— А почему бы и нет? — вмешалась И Хули. —
Если разобраться, человеческая история за последние десять тысяч лет есть не что иное как непрерывный пересмотр результатов приватизации. Вряд
ли история кончится из-за того, что несколько человек украли много денег. Даже если эти несколько
человек наймут себе по три Фукуямы каждый[1].

Сестричка И любила иногда высказать какую-
нибудь радикальную, даже разбойничью мысль —
это шло к ее хищной красоте и сразу зачаровывало
будущую жертву. Вот и сейчас я заметила, с каким
восхищением уставился на нее Александр.

_____

[1] *Фукуяма Ф.* — автор книги «Конец Истории».

— Именно! — сказал он. — Надо записать. Жаль, нечем. А кто такая фукуяма? Типа гейши?

— Примерно, — сказала И Хули и повернулась так, чтобы Александр увидел ее профиль. В профиль она абсолютно неотразима.

Вот гадина, подумала я, ведь обещала... И все-таки ею нельзя было не восхищаться: сестричка И ничего не понимала в российских делах, но инстинктом чувствовала, что сказать, чтобы с первой же попытки надеть мужчине петлю на шею. Александр смотрел на нее раскрыв рот, и я поняла — его надо срочно спасать. Следовало высказать что-то еще более радикальное.

— Так что все эти споры о либерализме, — сказала я, как бы закрывая тему, — просто лингвистический казус. И хоть мы очень уважаем либеральную демократию как принцип, вонять от этих слов в русском языке будет еще лет сто!

Александр перевел восхищенный взгляд с И Хули на меня. Потом назад на И Хули. Потом опять на меня. У парня просто праздник какой-то, подумала я.

— Да-да, — сказал он. — Насчет слов ты права. Дело ведь не в самой либеральной вывеске. Дело в тех омерзительных оборотнях, которые за ней прячутся. Приезжает такой офшорный кот в Америку, говорит, что он либерал, а угнетенные негры думают, что он за легализацию каннабиса...

— Скажите, вашей профессиональной деятельности не мешает такое эмоциональное отношение к предмету? — спросил лорд Крикет.

Александр не почувствовал иронии.

— Должны же мы знать, кому крышу даем... Только поймите меня правильно. Я не хочу сказать, что демократия — это плохо. Это хорошо. Плохо, когда ее пытаются использовать жулики и проходимцы. Поэтому демократии надо помогать, чтобы она двигалась в правильном направлении. Так мы считаем.

— Это уже не демократия, — сказал лорд Крикет. — Суть демократии именно в том, что ей никто не помогает, а она помогает себе сама.

— Никто не помогает? Это в переводе значит, что мы сидим и смотрим, как нас имеют во все дыры разные бенефициары с двойным подбородком и тройным гражданством. Двадцать лет смотрели. Нам уже планы бантустанов начертили, русскоговорящий персонал подготовили, знаем-знаем... Читали инструкции. Вы думаете, мы болты закручивать стали из любви к искусству? Нет, ошибаетесь. Просто иначе нас доели бы за три года.

— Кто доел? — удивленно спросил лорд Крикет. — Демократия? Либерализм?

— Демократия, либерализм — это все слова на вывеске, она правильно сказала. А реальность похожа, извините за выражение, на микрофлору кишечника. У вас на Западе все микробы уравновешивают друг друга, это веками складывалось. Каждый тихо вырабатывает сероводород и помалкивает. Все настроено, как часы, полный баланс и саморегуляция пищеварения, а сверху — корпоративные медиа, которые ежедневно смачивают это свежей слюной. Вот такой организм и называется открытым обществом — на фиг ему закрываться, он сам кого хочешь закроет за два вылета. А нам запустили в живот палочку Коха — еще разобраться надо, кстати, из какой лаборатории, — против которой ни антител не было, ни других микробов, чтобы хоть как-то ее сдержать. И такой понос начался, что триста миллиардов баксов вытекло, прежде чем мы только понимать начали, в чем дело. И вариантов нам оставили два — или полностью и навсегда вытечь через неустановленную жопу, или долго-долго принимать антибиотики, а потом осторожно и медленно начать все заново. Но уже не так.

— Ну, с антибиотиками у вас никогда проблем не было, — сказал лорд Крикет. — Весь вопрос в том, кто их будет назначать.

— Найдутся люди, — сказал Александр. — И никакого Мирового банка или там Валютного фонда, которые сначала эту палочку Коха прописывают, а потом тазик подставляют, нам в консультанты не надо. Проходили уже. Мол, отважно взвейтесь над пропастью, покрепче долбанитесь о дно, а потом до вас донесутся вежливые аплодисменты мирового сообщества. А может, нам лучше без этих аплодисментов и без пропасти? Ведь жила Россия своим умом тысячу лет, и неплохо выходило, достаточно на карту мира посмотреть. А теперь нам, значит, пора в плавильный котел, потому что кто-то хорошо торганул цветами. Это мы еще посмотрим, кому туда пора. Если кто-то сильно хочет нас переплавить, может оказаться, что мы ему самому поможем расплавиться в черный дым. Чем, у нас есть, и долго еще будет!

И Александр оглушительно стукнул кулаком по столу, так, что проектор и ноутбук подскочили. Затем наступила тишина. Стало слышно, как между окном и шторой бьется заблудившаяся муха.

Иногда я сама не понимала, что вызывает в моей душе большее смятение — чудовищный инструмент любви, с которым я имела дело, когда он превращался в волка, или эти дикие, поистине волчьи взгляды на жизнь, которые он высказывал, пока был человеком. Возможно, второе завораживало меня так же, как и... Я не стала додумывать эту мысль до конца — она была слишком пугающей.

Тем более что завораживаться было нечем. Несмотря на весь свой кажущийся радикализм, он говорил только про следствия и даже не упомянул причину — верхнюю крысу, занятую чмокающим самососуществованием (вот почему я так не люблю слово «минет», подумала я, вот она — психопатология обыденной жизни). Впрочем, скорей всего Александр все понимал, но, как и положено оборотню, хитрил: жить в Семейной Аравии и не замечать аппарата можно только за большие деньги, а они у него были. А может, и не хитрил... Ведь я сама все поняла про *upper rat* и *хуй сосаети* только тогда, когда стала объяснять это в письме сестренке Е. А как работает голова у волка, я пока не знала.

Первым в себя пришел лорд Крикет. На его лице отразилась искренняя печаль (я, конечно, не подумала, что она искренняя, — просто мимическое мастерство британского аристократа требовало именно этого слов). Он поглядел на часы и сказал:

— Я могу в чем-то понять ваши эмоции. Но, если честно, мне скучно следить за маршрутом, по которому движется ваш ум. Это такая бесплодная пустыня! Люди проводят в подобных спорах всю жизнь. А потом просто умирают.

— А что, — спросил Александр, — есть другие варианты?

— Есть, — сказал лорд Крикет. — Поверьте мне на слово, есть. Среди нас живут существа иной природы. Вы, как я понимаю, испытываете к ним серь-

езный интерес. Так вот, этих *омерзительных оборотней*, как вы выразились, не занимают пустяки, о
которых вы говорите с таким жаром. И они не при-
крываются либеральной вывеской — тут вы ошиб-
лись. Они вообще не замечают миражей, которые
заставляют вас краснеть и молотить кулаком по
столу...

Александр хмуро опустил голову.

— Вряд ли вы даже сумели бы объяснить им, —
продолжал лорд Крикет, — что именно вызывает у
вас столько желчи. Как сказал Торо, they march to
the sound of a different drummer[1]... У них вообще нет
идеологии, но это не значит, что они обделены
судьбой. Совсем наоборот. Их существование намного реальнее человеческого. Ведь то, о чем вы
сейчас говорили, — просто сон. Возьмите газету пя-
тидесятилетней давности и прочтите ее. Кургузые
глупые буквы, ничтожные амбиции мертвецов, еще
не знающих, что они мертвецы... Все это, нынеш-
нее, о чем вы так печетесь, ничем не отличается от
бурлившего в умах тогда — разве что поменялся порядок слов в заголовках. Опомнитесь!

Александр совсем втянул голову в плечи. Лорд
Крикет, оказывается, умел брать за живое.

— Разве вам не интересно узнать, кто эти существа иной природы? Понять, в чем их отличие от
людей?

Александр окончательно смутился.

— Интересно, — буркнул он.

— Тогда забудьте всю эту чушь, и перейдем к делу. Сегодня я расскажу о том, что скрывается за способностью некоторых людей превращаться в зве-

---

[1] Они шагают под звук другого барабана...

ря — способностью реальной, а не метафорической. Энфи, все работает? Тогда погаси, пожалуйста, свет...

*

— То, что вы сейчас услышите, — сказал лорд Крикет, — принято относить к области эзотерического знания. Поэтому просьба сохранять услышанное в секрете. Информация, которой я собираюсь с вами поделиться, восходит к ложе «Розовый Закат», еще точнее — к Алистеру Кроули, Дэвиду Боуи, Пет Шоп Бойз и их линии тайной передачи. Требование секретности, о котором я говорю, принципиально не столько для ложи, сколько для вашей собственной безопасности. Принимаете ли вы это условие?

Мы с Александром переглянулись.

— Да, — сказала я.

— Да, — чуть помедлив, повторил Александр.

Лорд Крикет тронул клавишу ноутбука. На стене возникла диаграмма — сидящий в лотосе человек, по позвоночнику которого проходила вертикальная линия. На этой линии размещались помеченные санскритскими знаками символы, похожие на разноцветные шестеренки с разным числом зубцов.

— Вы, вероятно, знаете, что человек — не просто физическое тело с нервной системой, замкнутой на восприятии материального мира. На тонком плане человек представляет собой психоэнергетическую структуру, которая состоит из трех энергетических каналов и семи психических центров, называемых чакрами.

Лорд Крикет провел пальцем по чему-то вроде

велосипедной цепи, соединявшей шестеренки на позвоночнике.

— Эта тонкая структура не только регулирует духовную жизнь человека, но и отвечает за то, каким ему представляется окружающий мир. Каждая чакра связана с определенным набором психических проявлений, на которых я не буду останавливаться. Нам важно то, что, в соответствии с традиционным оккультным воззрением, духовный прогресс заключен в подъеме по центральному энергетическому каналу силы, называемой «кундалини», или «змеиная сила».

На экране появилась часть диаграммы с перевернутым треугольником в самом низу позвоночника.

— Кундалини в свернутом состоянии дремлет в этой треугольной косточке, называемой «сакрум». Сакрум находится в основании позвоночника — это его первая кость. Или последняя, смотря с какой стороны идти. В традиционном оккультизме считается, что постепенное заполнение чакр энергией кундалини и составляет суть пути от равнодушного к духовным вопросам обывателя до святого, достигшего единства с божеством...

Лорд Крикет выдержал паузу.

— В большинстве оккультных школ было принято допускать, что кундалини может только подниматься по центральному каналу вверх. В открытых источниках вы нигде не найдете упоминания о том, что змеиная сила может двигаться вниз. Тем не менее такой энергетический маневр осуществим.

Следующая диаграмма походила на первую, только вертикальная линия спускалась ниже скрещенных ног сидящего, и на ней появились три но-

вые шестеренки черного цвета. Санскритских сим-
волов возле них не было — только цифры. Самая
близкая к человеку была обозначена «1», следующая — «2», самая дальняя — «3».

— Я не буду говорить о том, каким образом
можно заставить кундалини двигаться вниз. Для
этого требуется степень посвящения, которой нет
ни у кого из присутствующих...

— Ах, Брайан, — перебила И Хули, — ну что ты,
право. Расскажи им.

— Энфи, — сказал лорд Крикет, — все, что можно сказать, будет сказано. Итак, благодаря некото-
рой процедуре кундалини устремляется вниз по те-
невой проекции центрального канала. При этом
она может остановиться в трех точках, которые являются зеркальным отражением трех нижних
чакр — *муладхары, наби и манипуры.*

Он провел пальцем по трем черным шестерен-
кам. Я обратила внимание на то, что у номера один
было четыре лепестка, из-за чего он напоминал
нож от мясорубки. У номера два лепестков было
шесть, и он походил на метательное оружие. А номер три представлял собой две наложенных друг на
друга звезды с чуть загнутыми лучами — всего выходило десять лепестков.

— Как я уже сказал, движение кундалини вверх
по центральному каналу приводит к единению с
божеством, богоподобию. Логично предположить,
что результат движения змеиной силы вниз должен
быть прямо противоположным. И здесь я бы хотел
обратить ваше внимание на одно чрезвычайно интересное обстоятельство, о котором мне напомнила
наша очаровательная гостья, говорившая о смысле
слов в разных языках...

Лорд Крикет коротко поклонился мне и улыбнулся. Я улыбнулась в ответ и прошептала Александру:

— Учись манерам, дурень.

— Как было замечено, — продолжал лорд Крикет, — «Бог» по-английски «God». Если вы прочтете «God» наоборот, у вас получится «Dog», собака. Вы понимаете, что такое совпадение — не простая случайность. Здесь можно спорить, что первично — язык или реальность, которую он отражает. Но это все тот же старый вопрос о курице и яйце.

На экране появилось три звериных силуэта — волк, собака и лиса.

— Слово «оборотень» означает человека, способного принимать облик животного. По-английски оборотень — «werewolf». Животное, в которое превращается такой человек, здесь уже указано. Однако в китайском фольклоре слово «оборотень» ассоциируется скорее с лисами. Но радикального противоречия здесь нет — лиса, как и волк, относится к отряду собачьих. Это тот же «Бог» наоборот, та же энергетическая черная месса, тот же сдвиг кундалини вниз.

— Энергетическая черная месса, — тихо повторила И Хули и уважительно поглядела на мужа.

— Возникает вопрос — каким образом кундалини перемещается, выходя за пределы тела? Ведь не может она в самом деле двигаться в пустоте. И здесь нас ожидает самое интересное. Опять-таки можно долго спорить о том, что является причиной, а что следствием, но выход кундалини наружу совпадает с физической мутацией. Происходит нечто невероятное. Помните фильмы про извержения вулканов? Иногда в них видно, как текущая по склону лава прожигает себе русло, которого не было минуту назад. Точно так же кундалини создает для себя физический канал. Как только она опускается ниже муладхары — самой нижней человеческой чакры, расположенной в основании позвоночника, — у оборотня начинает расти хвост!

На экране возникло два хвоста — волчий и лисий. Лисий был нарисован со смешными ошибками. На следующем слайде вновь появился человек в лотосе, но теперь уже с лохматым хвостом, на который были наложены три черных шестеренки.

— Именно по хвосту энергия кундалини спускается в три нижних инфрачакры. У этих центров нет санскритских имен. Условно их называют «позиция лисы», «позиция волка» и «пропасть». Самая близкая к телу инфрачакра — это позиция лисы.

Он указал на черный нож от мясорубки, рядом с которым стояла цифра «1».

— Считается, что это точка устойчивого равновесия, где энергия может находиться постоянно, поэтому оборотень способен оставаться в образе лисы неограниченно долго. Однако не следует считать, что здесь происходит превращение в лису-животное. Змеиная сила выходит очень недалеко за границы тела, поэтому физически оборотень отличается от человека незначительно. Это просто невзрачное существо с хвостом и несколько измененной формой ушей...

Я чуть не фыркнула.

— Кроме того, происходит трансформация формы зрачков и несколько выделяются надбровные дуги, но, встретив такое создание на улице, вы, возможно, даже не удивитесь...

— Просто фантастика, — сказала И Хули.

Лорд Крикет указал на зубчатое колесо, которое находилось в центре хвоста.

— Смещение кундалини во вторую инфрачакру дает куда более зрелищный эффект. Здесь мы имеем дело с классикой, так называемым «вервольфом». Оборотень не просто превращается в волка. Это, если так можно выразиться, преувеличенный волк. Он выше человека, невероятно силен, у него огромная зубастая пасть, но он, как человек, ходит на задних лапах — хотя может при желании бегать на всех четырех. Фольклор изображает его достаточно точно, поскольку это была самая распространенная форма оборотня в Европе. Отмечу одну любопытную подробность. Считается, что трансформация в вервольфа связана с определенной фазой луны или наступлением сумерек. А завершается она, по народным представлениям, с рассветом, поскольку нечисть не выносит солнечных лучей. На самом деле тьма и свет здесь ни при чем. Верно подмечено другое: трансформация в вервольфа является кратковременной, поскольку инфрачакра номер два — это точка неустойчивого равновесия, где кундалини не может находиться долгое время...

— А что это такое, — спросила И Хули, — устойчивое равновесие, неустойчивое равновесие?

Лорд Крикст склонился над своим ноутбуком.

— Сейчас, — сказал он, — у меня где-то есть слайд на эту тему...

На экране появился снимок Стоунхенджа, потом выдержанная в зеленых тонах реклама дома-трейлера, в окне которого была любовно, но не очень профессионально подмонтирована ваза с нарциссами, а затем черная синусоида.

— Вот, — сказал лорд Крикет, — извините за путаницу.

В ямке синусоиды лежал синий шарик. На ее гребне лежал красный шарик. От шариков отходили короткие стрелочки тех же цветов, изображающие движение.

— Это очень просто, — сказал лорд Крикет. — Оба шарика находятся в состоянии равновесия. Но если вы сдвинете синий шарик, он вернется в точку, где перед этим находился. Это устойчивое равновесие. А если вы сдвинете красный шарик, он больше в эту точку не вернется и скатится вниз. Это неустойчивое равновесие...

— У меня вопрос, — сказал Александр, — можно?

— Пожалуйста.

— А почему первый шарик голубой, а второй — красный?

— Простите?

— И стрелочки такие же. Почему именно эти два цвета?

— А какое это имеет значение?

— Значения никакого, — сказал Александр. — Просто интересно. Вы, возможно, не в курсе — в русском языке «голубой» означает «гомосексуалист». Меня давно вопрос занимает, почему на всех штабных картах стрелочки всегда синие и красные. Как будто главное содержание истории — борьба пидарасов с коммунистами. Я думал, может, вы знаете?

— Я не знаю, — вежливо ответил лорд Крикет, — почему именно эти два цвета. Можно продолжать?

Александр кивнул. На экране снова появился хвост с черными инфрачакрами.

— Как я уже сказал, вторая позиция, где происходит трансформация в волка, неустойчива. Наложив синусоиду на рисунок, вы увидите, что соседние позиции — один и три — должны быть устойчивыми. Один — это позиция лисы, о которой мы уже говорили. У вас, вероятно, возникает вопрос по поводу позиции три?

— Да, — спросила И Хули, — что это такое, Брайан?

— Я уже говорил, что инфрачакры оборотня симметричны трем нижним чакрам человека. Последняя инфрачакра, находящаяся в самом конце хвоста, является зеркальным отражением Манипуры, расположенной между пупком и сердцем. В этом месте центральный канал прерван. Кундалини не может двигаться к верхним чакрам, если зона вокруг Манипуры, называемая «океаном иллюзий», не заполнена энергиями истинного духовного наставника. То же самое по принципу Гермеса Трисмегиста относится к инфрачакрам оборотня. Чтобы опустить кундалини до ее низшего предела, необходима инвольтация тьмы, духовное воздействие старшей демонической сущности, которая заполнит своими вибрациями так называемую «пустыню истины» — разрыв теневого центрального канала в середине хвоста.

— А что это за старшая демоническая сущность? — не выдержала я.

Лорд Крикет улыбнулся.

— Это зависит от ваших личных связей, — сказал он. — У каждого здесь свои возможности... Итак, мы подошли к концу того, что я имею право сказать. Могу добавить только одно: позиция три, так называемая «пропасть» — это место, где происходит трансформация в сверхоборотня.

— А кому-нибудь удавалось совершить такой маневр? — спросила я.

— По некоторым сведениям, в 1925 году это удалось вашему соотечественнику — московскому антропософу Шарикову. Он был учеником доктора Штейнера, другом Максимилиана Волошина и Андрея Белого. Шарикова, насколько известно, забрали в ЧК, а вся история была засекречена. Причем секретности придавалось чрезвычайно большое значение: достаточно сказать, что у известного писателя Булгакова была изъята рукопись «Собачьего сердца» — книги, основанной на слухах вокруг этого события. После этого Шарикова никто больше не видел.

— Так что же это такое — сверхоборотень? — спросил Александр.

— Не знаю, — сказал лорд Крикет. — Пока еще не знаю. Но вы представить себе не можете, как мне не терпится это выяснить...

*

— Чего это ты сегодня с утра в вечернем платье? — спросил Александр. — И на каблуках?

— А что, мне не идет?

— Черное тебе очень идет, — сказал он и осторожно потерся щекой о мою щеку. — Впрочем, и белое тоже.

Вместо поцелуев мы иногда терлись друг о друга щеками. Раньше меня смешила эта его манера — в ней было что-то детское, щенячье. Потом он признался, что принюхивается к моей коже, которая по-особому трепетно пахнет за ухом. С тех пор во время этой процедуры я испытывала легкое недовольство — мне казалось, что меня используют.

— Мы идем в театр? — спросил он.

— Кое-что поинтересней. Мы едем на охоту.

— На охоту? На кого же мы будем охотиться?

— Охотиться буду я. А ты будешь смотреть.

— А на кого ты будешь охотиться?

— На кур, — сказала я с гордостью.

— Ты проголодалась?

— Не смешно.

— А зачем тебе тогда охотиться на кур?

— Просто я хочу, чтобы ты узнал меня чуть лучше. Собирайся — мы едем за город.

— Прямо сейчас?

— Да, — сказала я, — только прочти вот это. Тебе делают коммерческое предложение.

И я протянула ему распечатку письма, которое утром получила от И Хули по электронной почте.

«*Привет рыженькая,*

Pursuant к нашей вчерашней (такой милой!) встрече. Оказывается, когда мы оставили наших мальчиков одних и принялись вспоминать старое, у них состоялся спор об искусстве. Брайан показал Александру фотографии работ, которые он планирует выставить совместно с галереей Saatchi. Во-первых, это инсталляция «Освобождение Вавилона» — макет ворот Иштар, на фоне которых стоят симулякры десантных шотландских волынщиков с задранными юбками. Эти гипсовые фигуры навязывают свое сексуальное возбуждение наблюдателю, атакуют его восприятие и превращают его самого в подобие выставленного на обозрение экспоната. Таким образом зритель осознает свое физическое и эмоциональное присутствие в пространстве, искривленном гравитацией этого художественного объекта. «Освобождение Вавилона» Александру понравилось, чего нельзя сказать об остальном.

Видела ли ты хит Венецианской биеннале — стог сена, в котором четыре года прятался от участкового первый белорусский постмодернист Мыколай Климаксович? Александр обозвал эту работу плагиатом и рассказал про аналогичный стог Владимира Ульянова (Lenin), находящийся на постоянной экспозиции в деревне Разлив. Брайан заметил, что повторение — не обязательно плагиат, это суть постмодерна, а если шире — основа современного культурного гештальта, проявляющаяся во всем — от клонирования овец до ремейка старых фильмов. Чем еще заниматься после конца истории? Именно цитатность, сказал Брайан, превращает Климаксовича из плагиатора в постмодерниста. Александр возразил, что от российского участкового этого Климаксовича не спасла бы никакая цитатность, и если в Белоруссии история кончилась, то в России перебоев с ней не предвидится.

Затем Брайан показал Александру работу Asuro Keshami, к которой он относится особенно трепетно, не в последнюю очередь из-за серьезных инвестиций, которых требует ее изготовление и монтаж. Работа Кешами, навеянная творчеством небезызвестной тебе Camille Paglia, представляет собой огромную трубу из эластичного красного пластика с белыми выступами-клыками внутри. Ее предполагается установить под открытым небом на одном из лондонских стадионов.

Одна из самых серьезных проблем в мире современного искусства — придумать оригинальную и свежую вербальную интерпретацию работы. Нужны бывают буквально несколько фраз, которые затем можно будет перепечатывать в каталогах и обзорах. От этого кажущегося пустяка часто зависит судьба произведения. Здесь очень важна способность увидеть объект с неожиданной, шокирующей стороны, а это замечательно получается у твоего приятеля с его варварски-свежим взглядом на мир. Поэтому Брайан хотел бы получить разрешение использовать мысли, высказанные вчера Александром, для концептуального обеспечения инсталляции. Сопроводительный текст, который я прилагаю — это как бы сплав идей Брайана и Александра:

«В работе Асуро Кешами «VD-42CC» сочетаются разные языки — инженерный, технический, научный. На базовом уровне речь идет о преодолении: физического пространства, пространства табу и пространства наших подсознательных страхов. Инженерный и технический языки имеют дело с материалом, из которого изготовлен объект, но художник говорит со зрителем на языке эмоций. Когда зритель узнаёт, что какие-то люди дали этому маленькому педику пятнадцать миллионов фунтов, чтобы растянуть пизду из кожзаменителя над заброшенным футбольным полем, он вспоминает, чем занимается по жизни он сам и сколько ему за это платят, потом глядит ни фото этого маленького педика в роговых очках и веселой курточке, и чувствует растерянность и недоумение, переходящие в чувство, которое германский философ Мартин Хайдеггер назвал «заброшенностью» (Geworfenheit). Зрителю предлагается сосредоточиться на этих переживаниях — именно они являются эстетическим эффектом, которого пытается добиться инсталляция».

*Брайан предлагает Александру гонорар в одну ты-
сячу фунтов. Это, конечно, небольшая сумма, но вариант сопроводительного текста не окончательный,
и полной уверенности, что он будет использован, нет.
Поговори с Александром, OK? Можете написать ответ лично Брайану на этот же адрес, я сейчас с ним в
легкой ссоре. Он в дурном настроении — ночью его не
пустили в заведение, называющееся «Night Flight».
Сначала его остановил face control (не понравились
спортивные туфли), потом из недр этого вертепа
вышел какой-то голландский сутенер и велел Брайану
одеться «more stylish». Брайан сегодня ведь день по-
вторяет: «Stylish? Том, который передо мной прошел? В зеленом пиджаке и синей рубашке?» И срывает свое плохое настроение на мне. Ну да ничего :-=)))*

*Самое главное, не забудьте про пропуск в храм
Христа Спасителя!*

*Люблю и помню,
твоя И».*

Александр внимательно прочитал распечатку.
Затем сложил лист бумаги вдвое, затем еще раз
вдвое, а затем порвал его.

— Тысяча фунтов, — сказал он. — Ха. Он, видимо, не вполне понимает, с кем имеет дело. Знаешь,
напиши ему ты. Ты все-таки лучше владеешь английским.

— Спасибо, — сказала я скромно. — А что написать? Мало предложил?

Он смерил меня взглядом.

— Обложи его хуями по полной программе. Но
только так, чтобы было аристократично и изысканно.

— Это невозможно, — сказала я. — При всем желании.

— Почему?

— В аристократических кругах не обкладывают друг друга хуями. Так не принято.

— Тогда обложи тем, чем принято, — сказал он. — Но так, чтобы у него жопа треснула. Ну давай, включи этот свой сарказм, которым ты мне всю душу проела. Пускай он хоть раз пользу принесет.

Что-то в его тоне удержало меня от вопроса, о какой именно пользе он говорит. Он был трогателен в своей детской обиде, и мне передалась ее часть. А уж если быть честной до конца, разве надо дважды просить лису обложить хуями английского аристократа?

Сев за компьютер, я задумалась. Моя интернационально-феминистическая составляющая требовала, чтобы ответ строился вокруг фразы «suck my dick», как у самых продвинутых американок. Но рациональная часть моего «я» подсказывала, что в письме, подписанном Александром, этого будет недостаточно. Я написала следующее:

Dear Lord Cricket,

Being extremely busy, I'm not sure that you can currently suck my dick. However, please feel encouraged to fantasise about such a development while sucking on a cucumber, a carrot, an eggplant or any other elongated roundish object you might find appropriate for that matter.

With kind regards,
Alexandre Fenrir-Gray

Я специально написала не «Alexander», а «Alexandre», на французский манер. Фамилию «Fenrir-Gray» я придумала в последний момент, в приступе вдохновения. Она уж точно звучала аристократично. Правда, сразу вспоминался чай «Эрл Грей», из-за чего подпись чуть отдавала бергамотовым маслом, но все равно имя было одноразовым.

— Ну? — спросил он.

— Примерно так, — сказала я. — Дорогой лорд Крикет, в настоящий момент я очень занят и не уверен, что вы можете сделать мне, так сказать, это самое. Однако не стесняйтесь фантазировать на эту тему в то время, как будете сосать огурец, морковку, баклажан или любой другой продолговатый округлый предмет, который вы найдете подходящим для этой цели. С уважением, Саша Серый.

— А можно без уважения?

— Тогда не будет аристократично.

— Ну ладно, — вздохнул он. — Посылай... А потом иди сюда, у Серого Волка есть дело к Красной Шапочке.

— Какое еще дело?

— Сейчас у нас будет это... Коллоквиум по психоанализу русских народных сказок. Мы будем кидать Красной Шапочке пирожки в корзинку. К сожалению, пирожок у нас всего один. Поэтому кидать его в корзинку мы будем много раз подряд.

— Фу какая пошлость...

— Ты сама подойдешь или мне за тобой сходить?

— Сама подойду. Только давай договоримся, быстренько-быстренько. Нам уже ехать пора. И сегодня мне ничего не перекусывай, а то я замучилась новые трусики покупать, хорошо? Мне же не всякие подходят.

— Угу.

— И еще, пока ты говорить можешь...

— Чего?

— Скажи, почему тебе каждый раз надо ввернуть в разговор эту апологию самодовольного воинствующего невежества?

— Это как?

— Ну как про Красную Шапочку и психоанализ. Мне иногда кажется, что ты пытаешься трахнуть в моем лице всю историю и культуру.

— С культурой — есть немного, — сказал он. — А при чем тут история? Ты что, Сфинкс? Сколько тебе, кстати, лет? Я бы дал лет шестнадцать. А сколько на самом деле?

Я почувствовала, как мои щеки становятся горячими-горячими.

— Мне?

— Да.

— Знаешь, — нашлась я, — я как-то читала стихи одного прокурора в малотиражке министерства юстиции. Там было стихотворение про юного защитника Родины, которое начиналось со слов: «Я не дал бы ему и пятнадцати лет...»

— Ну понятно, — сказал он, — сын полка. А при чем тут эти стихи?

— При том. Когда человек в твоей форме говорит «я бы дал тебе лет шестнадцать», сразу начинаешь думать, по каким статьям.

— Если тебя раздражает этот китель, — сказал он, — сними свое глупое платье, и скоро вместо погон будет мягкая серая шерстка. Вот так, хорошо. Какая ты сегодня умница...

— Слушай, а ты им сделаешь пропуск в храм Христа Спасителя?

— У-у-у!

— Нет? И правильно. Мы же только что этому Брайану ответ написали. Хотя... Хочешь вклеить

ему так, чтобы вышло по-настоящему аристократично?

— Р-р-р!

— Если после этого письма, где ты ему все объ-
яснил, ты все-таки устроишь ему пропуск, будет
действительно высший класс. А?

— Р-р-р!

— Значит, сделаем?

— Р-р-р!

— Хорошо. Я тебе тогда напомню... Вот дурак,
а? Я же сказала, не перекусывай! Купи себе пласт-
массовую кость в собачьем магазине и грызи на
здоровье, когда меня здесь нет. Что у тебя, зубы ре-
жутся? Волчище... И давай быстрее, через час надо
быть в лесу.

*

Машина остановилась на краю леса, недалеко
от панельной шестиэтажки, которую я наметила в
качестве начального ориентира.

— Куда теперь? — спросил Александр.

Он держал себя со снисходительным дружелю-
бием взрослого, которого вовлекают в бессмыслен-
ную игру дети. Меня это раздражало. «Ничего, —
подумала я, — посмотрим, что ты скажешь через
час...»

Взяв пакет с шампанским и бокалами, я вылезла
из машины. Александр что-то тихо сказал шоферу
и вылез следом. Я неспешно пошла к лесу.

В лесу уже было лето. Стояли те удивительные
майские дни, когда зелень и цветы кажутся бес-
смертными, победившими навсегда. Но я знала —
пройдет всего две-три недели, и в московском воздухе разольется предчувствие осени.

Вместо того чтобы любоваться природой, я глядела под ноги — мои каблуки-шпильки уходили в землю, и надо было следить, куда ставишь ногу. Мы дошли до скамейки, стоявшей между двух берез. Это был следующий ориентир. Отсюда до дома лесника оставалось всего несколько шагов.

— Присядем, — сказала я.

Мы сели на скамейку. Я протянула ему бутылку, и он ловко открыл ее.

— Хорошо тут, — сказал он, разливая шампанское по бокалам. — Тихо. Еще весна, а все уже зеленое. Цветы... А на севере всюду снег. И лед.

— Чего это ты про север вспомнил?

— Так просто. За что пьем?

— За счастливую охоту.

Мы чокнулись. Допив шампанское, я разбила бокал о край скамейки и острой стеклянной кромкой перерезала лямку платья над правым плечом. Он следил за моими действиями с хмурым неодобрением.

— Будешь изображать амазонку?

Я промолчала.

— Слушай, а почему ты вся в черном? И очки черные? Закос под «Матрицу»?

Я опять промолчала.

— Нет, ты не подумай. Черное тебе действительно идет, только..

— Дальше я пойду одна, — оборвала я.

— А мне что делать?

— Когда я побегу, можешь бежать следом. Только где-нибудь сбоку. И умоляю тебя, не вмешивайся. Даже если тебе что-то не понравится. Просто держись в стороне и смотри.

— Ладно.

— И соблюдай дистанцию. А то напугаешь людей.

— Каких людей?

— Увидишь.

— Мне все это не нравится, — сказал он. — Тревожно за тебя. Может, лучше не надо?

Я решительно встала.

— Все. Начинаем.

Я уже говорила, что целью охоты на кур является супрафизическая трансформация, и здесь очень важна правильная последовательность подготовительных действий. Чтобы трансформация началась, мы ставим себя в крайне неловкое положение — такое, когда от собственной нелепости перехватывает дыхание и хочется провалиться сквозь землю от позора. Именно для этого нужны вечернее платье и туфли на каблуках. Мы доводим ситуацию до такого абсурда, что нам не остается иного выхода, кроме как превратиться в зверя. А курочка требуется как биологический катализатор реакции — без нее трансформация невозможна. Крайне важно, чтобы она оставалась в живых до самого конца — если она гибнет, к нам быстро возвращается человеческий облик. Поэтому выбирать следует самую здоровую и сильную птицу.

Подойдя к курятнику, я посмотрела на дом лесника. В его окне отражалось солнце, и я не видела, есть ли кто-нибудь за стеклом. Но люди в доме точно были. Из открытой двери доносилась музыка — строгие мужские голоса (кажется, монашеские) пели: «Добрая ночь... божий покой... божий покров над уснувшей землей...»

Следовало спешить.

Курятник представлял собой дощатую будку с наклонной крышей из обтянутой полиэтиленом фанеры. Я откинула задвижку, распахнула царапнувшую о землю дверь и сразу увидела в зловонной полутьме свою добычу. Это была коричневая курочка с белым боком — когда все остальные куры кинулись по углам, она одна не тронулась с места. Словно ждала, подумала я.

— Ко-ко-ко, — сказала я хриплым неискренним голосом, быстро нагнулась и схватила ее.

Курочка оказалась смирной — дернувшись, чтобы поправить неловко поджатое крыло, она замерла. Как всегда в такие минуты, мне казалось, что она отлично понимает природу происходящего и свою роль в нем. Прижимая ее к груди, я попятилась от курятника. Моя туфля увязла каблуком в земле, подвернулась и соскочила с ноги. Вслед за ней я сбросила и вторую.

— Эй, дочка, — позвал голос.

Я подняла глаза. На крыльце стоял мужик лет пятидесяти, в затертой рабочей спецовке, с густыми висячими усами.

— Ты чего? — спросил он. — С головой непорядок?

Вслед за мужиком из двери появился румяный парень лет тридцати, тоже с усами — видимо, сын. Он был одет в синий спортивный костюм с крупными буквами «ЦСКА». Я отметила, что оба слишком плотного телосложения для быстрого бега.

Приближался момент истины. Глядя на них с загадочной улыбкой, я расстегнула молнию на правом боку. Теперь платье держалось на одной левой лямке, и я легко высвободилась из него, дав ему

упасть на землю. На мне оставалась только короткая ночная рубашка оранжевого цвета, которая совершенно не сковывала движений. Ветерок приятно обвевал мое полуголое тело.

На крыльцо вышел третий зритель — мальчик
лет восьми с пластмассовым мечом в руках. Он уставился на меня безо всякого удивления — наверно, я была для него подобием ожившей картинки
из телевизора, в котором он видел и не такое.

— Не стыдно? — спросил вислоусый глава дома.

Вот тут он попал в самую точку. Стыд к этому
моменту заполнил всю мою душу. Это был уже не
стыд — отвращение к себе. Мне казалось, что я
стою в эпицентре мирового позора, и на меня смотрят не просто оскорбленные куровладельцы — це-
лые небесные иерархии, мириады духовных существ с гневным презрением глядели на меня из
своих недостижимых миров. Я стала медленно пя-
титься от курятника.

Отец с сыном переглянулись.

— Ты куру-то пусти, — сказал сын и шагнул с
крыльца.

Мальчик с мечом в руке открыл рот в ожидании
потехи. Уже не только мой ум, все мое тело до последней клеточки понимало, что из кокона невыносимого срама остается один-единственный выход — уходящая в лес дорога. И тогда я повернулась
и побежала.

Дальше все развивалось по классической схеме.
Первые шаги были болезненными из-за веток и ка-
мушков, которые впивались в босые ноги. Но через
несколько секунд началась трансформация. Сначала я почувствовала, как сводит вместе пальцы рук.

Удерживать курочку стало сложнее — теперь приходилось изо всех сил прижимать ее к груди, и надо было следить, чтобы не придушить ее ненароком. Затем я перестала ощущать боль в ступнях. А еще через несколько секунд я уже неслась на трех лапах и не испытывала никаких неудобств.

К этому моменту нельзя было не заметить произошедших со мной перемен — и их заметили. Сзади донеслось улюлюканье. Я оглянулась и осклабилась. За мной гнались оба куровладельца, отец и сын. Но они уже сильно отставали. Я притормозила, чтобы выпутаться из ночной рубашки (это было несложно — мое тело стало поджарым и гибким), и, дав им приблизиться, побежала дальше.

Что заставляет человека в подобной ситуации гнаться за лисой? Дело здесь, конечно, не в стремлении вернуть украденную собственность. Когда с лисой происходит супрафизический сдвиг, преследователи видят нечто разрушающее все их представления о мире. И дальше они бегут уже не за украденной курицей, а за этим чудом. Они гонятся за отблеском невозможного, который впервые озарил их тусклые жизни. Поэтому удрать от них бывает довольно трудно.

На счастье, дорожка в лесу оказалась пуста (за все время погони никто не попался навстречу). Я знала, что Александр где-то рядом — до меня долетал треск веток и шелест рассекаемой листвы в стороне от тропинки. Но я никого не видела — только раз или два мне померещилась мелькнувшая в просвете между кустами тень.

Старший куркуль (какое подходящее слово — целый мешок куриц) начал отставать. Когда стало ясно, что ему уже не сократить разрыва, он махнул рукой и вышел из гонки. Его сын держал хорошую скорость еще около километра, а затем сильно сбавил. Я перешла на неспешную трусцу, и мы пробежали еще метров пятьсот. Затем мой преследователь стал задыхаться, и вскоре у него совсем не осталось сил для бега — похоже, он был курильщиком. Остановившись, он уперся руками в колени, выпучил на меня темные глаза и сразу напомнил мне покойного сикха из «Националя». Но я подавила личные чувства — здесь они были неуместны.

Если бы моей задачей было оторваться, на этом погоня завершилась бы (вот так чудесное уходит из человеческой жизни). Но у меня была другая цель — охота. Я остановилась. Между нами осталось не больше двадцати метров.

Я уже говорила: если лиса отпускает курочку, максимум через минуту все супрафизические изменения исчезают. Естественно, бежать быстрее человека лиса уже не может. Поэтому маневр, который я решила проделать, был рискованным — но меня подстегивало сознание, что за мной следит Александр. Я отпустила курочку. Та сделала несколько неуверенных шагов по асфальту и остановилась (во время погони они входят в своеобразный транс и ведут себя заторможенно). Сосчитав до десяти, я снова подхватила ее и прижала к груди.

Такого издевательства мой преследователь не вынес — собрав все силы, он вновь рванулся за мной, и мы пробежали еще метров триста в очень достойном темпе. Я была счастлива — охота, несомненно, удалась.

И тут случилась неожиданность. Когда мы пробегали мимо развилки, деревья возле которой были помечены синими и красными стрелками (вероятно, для лыжников — хотя не знаю, что подумал бы Александр), я услышала, как мой преследователь закричал:

— Сюда! Помогите!

Оглянувшись, я увидела, как он кому-то машет. А затем с боковой дорожки, которую мы только что миновали, выехали два конных милиционера.

Не знаю, как передать ужас и величие этой минуты. У Пушкина есть нечто подобное в «Медном всаднике», но там был один всадник, а тут их было двое. Как в замедленной съемке из страшного сна, они развернулись, нацелились на меня четырьмя мордами — двумя милицейскими и двумя лошадиными — и понеслись следом.

Почему мы так ненавидим английских аристократов? Достаточно было бы на несколько секунд оказаться в моей шкуре (а к этому моменту я уже покрылась ей, только немного неровно, пятнами), чтобы больше никогда не задавать этого вопроса. Менты — народ тупой и подневольный, что с них взять. Но как можно извинить образованных людей, которые превратили чужую агонию в развлечение и спорт? Вот потому я не осуждаю сестричку И — хотя сама, конечно, не стала бы заниматься тем, чем она.

С тех пор как я последний раз уходила от конных преследователей, прошло почти сто лет (это было под Мелитополем во время Гражданской войны). Но когда за моей спиной тяжело застучали копыта, я сразу же вспомнила тот день. Воспоминание было живым и страшным — мне даже показалось на миг, что весь двадцатый век просто примерещился мне от жары и нехватки кислорода, а на самом деле я так и бегу из последних сил от пьяных буденновцев, гонящих меня к смерти по пыльной дороге. Жуткое ощущение.

Испуг придал мне сил. Кроме того, от страха моя супрафизическая трансформация зашла очень далеко, гораздо дальше, чем во время обычной охоты. Сначала это казалось мне преимуществом, поскольку теперь я бежала быстрее. Но затем я поняла, что это меня и погубит. Лапа, которой я прижимала курочку к груди, превращалась в обычную лисью конечность, которой ничего нельзя держать. И у меня не осталось контроля над этим процессом. Это было неостановимое сползание к пропасти: еще несколько секунд агонии, и я выронила курочку. Она кувыркнулась в воздухе и с возмущенным кудахтаньем вылетела на обочину. Я уже стала самой настоящей лисой — но теперь мне оставалось быть ею совсем недолго.

И здесь я вдруг заметила одну очень странную вещь.

Я вдруг поняла, что мой хвост, у которого вроде бы не было никакой работы, занят делом. Лиса немедленно догадается, о чем речь, а вот человеку объяснить трудно. Александр рассказывал анекдот про одного либертена, у которого был такой длинный пенис, что он мог шарить им по окнам ночных клубов. «Ой, кажется я кого-то люблю...» Если отбросить эротические коннотации, это было похожее чувство.

Больше того, я поняла, что делала это всегда. Скрытый поток гипнотической энергии, который я посылала в окружающий мир, не менялся так давно, что совсем перестал восприниматься: так бывает с жужжанием холодильника, которое замечаешь, когда оно вдруг стихает. Я проследила за лучом — на кого направлено внушение? — и поняла, что оно направлено... на меня саму.

BANG, как пишут в комиксах.

Контроль не изменил мне в эту минуту. Я по-прежнему ясно осознавала происходящее — и вокруг, и в собственном уме. Один из моих внутренних голосов громовым басом повторил слова Лаэрта, сказанные Гамлету после рокового удара рапиры:

— Всей жизни у тебя на полчаса...

— А почему полчаса? Что за яд был на рапире? — поинтересовался другой голос.

— Интересно было бы обсудить это с шекспироведом Шитманом, — заметил третий, — только он, бедняга, уже не с нами...

— Вот скоро и обсудишь! — рявкнул четвертый.

Мне стало страшно: у лис есть поверье, что перед смертью они видят истину, а потом все их внутренние голоса начинают говорить одновременно. Неужели? Нет, подумала я, только не сейчас... Но у меня не было гамлетовских тридцати минут. Было от силы тридцать секунд, и они быстро истекали.

Лес кончился. Тропинка оборвалась на опушке, вдоль которой, как всегда, гуляли женщины с колясками из окрестных домов. Меня заметили; раздался визг и крики. Из последних сил я пронеслась мимо гуляющих, увидела другую тропу, ведущую обратно в лес, и свернула на нее.

Но тело уже изменяло мне. Я почувствовала боль в ладонях, разогнулась и побежала на задних лапах — собственно, уже не на лапах, а на обыкновенных девичьих ножках. Потом я наступила на какую-то особенно колючую шишку, пискнула и упала на колени.

Подъехав ко мне, милиционеры спешились. Один из них взял меня за волосы и развернул лицом к себе. Его лицо вдруг исказилось яростью. Я узнала его — это был спинтрий из отделения милиции, куда я ходила на субботник. Он меня тоже узнал. Минуту мы глядели друг другу в глаза. Глупо рассказывать непосвященному, что происходит в такую минуту между лисой и человеком. Такое можно только пережить.

«Вот ведь дура, — думала я обреченно, — есть же пословица — не е... где живешь, не живи, где е... Сама во всем виновата...»

— Ну, попалась, стерва? — спросил милиционер.

— Ты ее знаешь? — спросил второй.

— А то. Она у нас субботник отрабатывала. У меня с тех пор герпес на жопе не проходит.

Милиционер демонстрировал редкостную даже для своего вида неспособность к пониманию причинно-следственных связей, но смешно мне не было. Будут бить, подумала я. Все повторяется, как тогда под Мелитополем... Может быть, я и правда до сих пор еще там, а все остальное просто сон?

Вдруг рядом оглушительно жахнул выстрел. Я подняла глаза.

На дорожке стоял Александр в своем идеально отутюженном сером кителе, с дымящимся пистолетом в руке и черным свертком под мышкой. Я не заметила, когда и как он там появился.

— Оба ко мне, — сказал он.

Милиционеры послушно пошли к нему — как кролики к удаву. Одна из лошадей нервно заржала и встала на дыбы.

— Не бойся, не бойся, — прошептала я, — не съедят.

Это, впрочем, было авансом с моей стороны: Александр не делился со мной планами. Когда милиционеры приблизились, он спрятал пистолет в кобуру и тихо что-то сказал, мне показалось — «доложить обстановку». Выслушав их, он заговорил сам. Я больше ничего не разобрала, но все было понятно из жестикуляции. Сначала он держал правую ладонь обращенной вверх, словно подбрасывая на ней небольшой предмет. Потом он повернул ладонь вниз и сделал несколько круговых движений, трамбуя что-то невидимое. На милиционеров это подействовало самым волшебным образом — повернувшись, они пошли прочь, забыв не только про меня, но и про лошадей.

Александр несколько секунд глядел на меня с любопытством, затем подошел и протянул мне черный сверток. Это было мое платье. В него было что-то завернуто. Развернув его, я увидела курочку. Она уснула. Мне стало так грустно, что на глаза навернулись слезы. Дело было не в сентиментальности. Совсем недавно мы были одним целым. И эта маленькая смерть казалась наполовину моей.

— Одевайся, — сказал Александр.

— Зачем ты... — я показала на курочку.

— Что, надо было отпустить?

Я кивнула. Он развел руками:

— Ну тогда я вообще ничего не понимаю.

Конечно, упрекать его было глупо.

— Нет, извини. Спасибо, — сказала я. — За платье и вообще.

— Слушай, — сказал он, — тебе не надо этого делать. Никогда.

— Почему?

— Ты только не обижайся, но ты не очень хорошо выглядишь. В смысле, когда становишься... Не знаю. В общем, не твое это.

— Почему нехорошо выгляжу?

— Какая-то ты облезлая. И на вид тебе можно дать лет триста, не меньше.

Я почувствовала, что краснею.

— Ясно. Типа баба за рулем, да? У тебя в каждом втором слове проглядывает отвратительный шовинизм самца...

— Давай только без этого. Я тебе правду говорю. Пол тут ни при чем.

Я быстро оделась и даже ухитрилась завязать разрезанную лямку в узелок над плечом.

— Куру возьмешь? — спросил он.

Я отрицательно покачала головой.

— Тогда пошли. Машина сейчас подрулит. И завтра в двенадцать ноль-ноль будь готова на выход. Вылетаем на север.

— Зачем?

— Ты показала, как ты охотишься. А теперь посмотришь, как охочусь я.

*

Раньше я никогда не летала на таких самолетах, как этот «Гольфстрим Джет». Я даже их не видела — судьба не заносила меня на спецаэродромы для *upper rat*. Мне было не по себе оттого, что в салоне так мало людей — словно безопасность полета зависела от числа пассажиров.

Возможно, кстати, что это правда. Ведь у каждого есть свой ангел-хранитель, и когда в «Аэробус» или «Боинг» набивается несколько сот человек, сонмы невидимых крылатых защитников должны если не увеличивать подъемную силу крыльев, то хотя бы страховать от падения. Поэтому, наверно, чаще бьются небольшие чартеры, на которых перемещаются по планете отягощенные злом ньюсмейкеры.

Пассажирский салон походил на курительную комнату с мягкими кожаными диванами. Александр сел рядом со мной. Кроме нас, в салоне был только Михалыч — он устроился в самом дальнем кресле и листал какие-то бумаги. С Александром он почти не переговаривался — только раз повернулся к нему и спросил:

— Товарищ генерал-лейтенант, тут в бумаге написано — «шейх-уль-машейх». Не знаете, что такое?

Александр задумался.

— Кажется, это начиная с сорока килограммов пластита. Но ты уточни на всякий случай, когда вернемся.

— Так точно.

Москва поплыла назад и вниз, потом ее закрыло облаками. Александр отвернулся от окна и достал книгу.

— Что читаешь? — спросила я. — Опять детектив?

— Нет. Взял вот серьезную умную книгу по твоему совету. Тоже хочешь чего-нибудь полистать?

— Да, — сказала я.

— Тогда посмотри вот это. Чтобы понятно было, что ты сейчас увидишь. Тут не в точности про наш случай, но довольно похоже. Я специально для тебя взял.

Он положил мне на колени потрепанный том с красной надписью «Русские сказки» — тот самый, который я видела на его рабочем столе.

— Там заложено, — сказал он.

Закладка была на сказке под названием «Крошечка-Хаврошечка». Я много лет не держала в руках детских книг, и мне сразу бросилась в глаза одна странность — из-за крупного шрифта слова воспринимались иначе, чем во взрослых книгах. Как будто все, что они обозначали, было проще и чище.

Сказка оказалась довольно грустной. Крошечка-Хаврошечка была северным клоном Золушки — только вместо доброй волшебницы ей помогала пестрая корова. Эта корова выполняла все непосильные задания, которые Хаврошечке давала мачеха. Злобные сестры подглядели, каким образом Хаврошечке удается справляться с работой, и рассказали об этом мачехе. Та велела зарезать пеструю корову. Хаврошечка узнала об этом и сказала корове. Корова попросила Хаврошечку не есть ее мяса и схоронить ее кости в саду. Потом из этих костей выросла яблоня с шумящими золотыми листьями, которая решила Хаврошечкину судьбу — она сумела сорвать яблоко, наградой за которое был жених... Интересно, что мачеха и сестры не были наказаны, им просто не досталось яблок, а потом про них забыли.

Мне совершенно не хотелось анализировать эту сказку с позиций жопно-амфетаминового дискурса или ковыряться в ее «морфологии». Мне не надо было гадать, о чем она на самом деле — сердце понимало. Это была вечная русская история, последний цикл которой я видела совсем недавно, в конце прошлого века. Словно я лично знала эту пеструю корову, которой дети жаловались на свои беды, которая устраивала для них незамысловатые чудеса, а потом тихо умирала под ножом, чтобы прорасти из земли волшебным деревом — каждому мальчику и девочке по золотому яблоку...

В сказке была непонятная правда о чем-то самом печальном и таинственном в русской жизни. Сколько раз уже резали эту безответную корову. И сколько раз она возвращалась то волшебной яблоней, то целым вишневым садом. Вот только куда подевались яблоки? Не найдешь. Разве позвонить в офис «Юнайтед Фрут»... Хотя нет, какое там. Это в прошлом веке был «Юнайтед Фрут». А сейчас любой звонок заблудится в проводах, дойдя до какой-нибудь гибралтарской компании, принадлежащей фирме с Фолклендских островов, управляемой амстердамским адвокатом в интересах траста с неназванным бенефициаром. Которого, понятное дело, знает на Рублевке каждая собака.

Закрыв книгу, я посмотрела на Александра. Он спал. Я осторожно взяла с его коленей *серьезную умную книгу* и открыла ее:

«*Нет, не так выглядит Денежное Дерево, как думали легкомысленные беллетристы прошлого века. Оно не плодоносит на Поле Чудес золотыми дукатами. Оно прорастает сквозь ледяную корку вечной мерзлоты пылающим нефтяным фонтаном, горящим кустом вроде того, что говорил с Моисеем. Но, хоть*

Моисеев вокруг Денежного Дерева толпится сегодня немало, Господь многозначительно молчит... Потому, должно быть, молчит, что знает — недолго дереву играть на свободе дымными огнями. Расчетливые люди наволокут гаситель на огненную крону и заставят Дерево врасти черным своим стволом в холодную стальную трубу, которая потянется через всю Страну Дураков к портам-терминалам, Китаям да Япониям — так далеко, что скоро Дерево и не упомнит уж своих корней...»

Прочитав еще несколько абзацев с таким же суетливым темным смыслом, я почувствовала, что меня клонит в сон. Закрыв книгу, я вернула ее Александру на колени. Остаток полета я проспала.

Посадку я проспала тоже. Когда я открыла глаза, за иллюминатором рулившего по дорожке «Гольфстрима» плыло заснеженное здание аэровокзала, больше похожее на железнодорожную станцию. На нем был растянут длинный плакат: «Добро пожаловать в Нефтеперегоньевск!» Везде, сколько хватало глаз, лежал снег.

У трапа нас встретили несколько военных в зимнем обмундировании без знаков различия. С Михалычем и Александром они поздоровались как старые знакомые, а на меня покосились, как мне показалось, с недоумением. Тем не менее, когда Михалыч с Александром получили по офицерской шинели, мне тоже выдали теплую одежду — военный ватник с нежно-голубым воротником из синтетического меха и шапку-ушанку. Ватник был большим, и я в нем буквально утонула.

За нами приехали три машины. Это были черные «Геландевагены» вполне московского вида, только управляли ими военные. Разговоров при встрече практически не было: ограничились приветствиями и коротким обсуждением погоды. Похоже, здесь хорошо знали, зачем прилетели московские гости.

Город, начинавшийся сразу за аэродромом, выглядел фантасмагорически. Дома, из которых он состоял, напоминали подмосковные коттеджи для среднего класса. Было только одно отличие — эти коттеджи нелепо поднимались над землей на чемто вроде куриных ножек. Вбитые в вечную мерзлоту сваи в сочетании с красными гребешками черепичных крыш вызвали у меня именно такую ассоциацию, и отделаться от нее было невозможно: дома превратились в ряды кур, которые стояли на четырех точках, высоко подняв филейные части с черными проемами дверей. Видимо, я все еще не могла отойти от вчерашней охоты и связанного с ней шока.

Между евроизбушками виднелись фигурки торговцев, продающих что-то с кусков брезента, развернутых прямо на снегу возле вездеходов «Буран».

— Чем это они торгуют? — спросила я Александра.

— Олениной. Привозят из тундры.

— Сюда не завозят продукты?

— Почему, завозят. Просто оленина в моде. Стильно. И потом, экологически чистый продукт.

Сильное впечатление производил бутик фирмы «Кальвин Клейн», располагавшийся в таком же свайном коттедже. Впечатляло само его присутствие в этом месте — это, наверное, был самый северный в мире форпост малого кальвинизма. Кроме

того, вывеска над его дверью выполняла одновременно несколько функций — названия, географи-
ческого ориентира и рекламной концепции:

нефтеперегоньевСК

Обращала на себя внимание большая детская
площадка, заставленная похожими на каркасы чу-
мов конструкциями — на них висели толстые, как
ленивцы, дети, укутанные во все теплое. Площадка
напоминала сохранившееся среди снегов стойбище
древних охотников. Туда вела разрисованная сне-
жинками, зверятами и красноносыми клоунами
арка с веселой надписью:

КУКИС-ЮКИС-ЮКСИ-ПУКС!

Трудно было понять, что это такое:

1) считалка, призванная поднять детям настроение;
2) список спонсоров;
3) выраженный эзоповым (дожили) языком протест против произвола властей.

В русской жизни все так перемешалось, что
трудно было сделать окончательный вывод. Да и не
хватило времени: мы нигде не тормозили, и вскоре
все эти северные узоры растаяли в белой пыли поза-
ди. Со всех сторон сомкнулось вечернее снежное
поле.

— Поставь мою любимую, — сказал Александр
шоферу.

Он выглядел хмуро и сосредоточенно, и я не решалась отвлекать его разговорами.

Заиграла старая песня «Shocking Blue»:

> *I'll follow the sun*
> *That's what I'm gonna do*
> *Trying to forget all about you...*[1]

Я не могла не отнести это «trying to forget all about you» на свой счет, такие вещи женская психика проделывает автоматически, не советуясь с хозяйкой. Но клятва идти вслед за солнцем, подтвержденная словами «вот что я буду делать» в манере древних викингов, показалась мне возвышенной и красивой.

> *I'll follow the sun*
> *Till the end of time*
> *No more pain and no more tears for me*[2].

Правда, услышав про конец времен, я вспомнила подпись под рисунком волка, который я видела у Александра дома:

«Фенрир, сын Локи, огромный волк, гоняющийся по небу за солнцем. Когда Фенрир догонит и пожрет его — наступит Рагнарек».

Это несколько меняло картину... Все-таки какой ребенок, подумала я с нежностью, которой сама еще не осознавала, какой смешной мальчишка.

Вскоре стало темнеть. В лунном свете пейзаж за окном казался неземным — непонятно было, зачем люди летают на другие планеты, если здесь, у них

---

[1] Я буду следовать за солнцем, вот что я буду делать, стараясь забыть про тебя...

[2] Я буду следовать за солнцем до конца времен — больше ни боли, ни слез для меня.

под боком, есть такие места. Вполне могло быть, что в метре от невидимой дороги никогда не ступала нога человека и вообще ничья нога или лапа, и мы будем первыми... Когда мы прибыли на место, уже совсем стемнело. За окном не было ни зданий, ни огней, ни людей, ничего — просто ночь, снег, луна и звезды. Единственным, что нарушало однообразие ландшафта, был холм неподалеку.

— Выходим, — сказал Александр.

*

Снаружи было холодно. Я подняла воротник ватника и надвинула ушанку поглубже на уши. Природа не предназначала меня для жизни в этих местах. Да и чем бы я здесь занималась? Оленеводы не ищут любовного приключения среди снегов, а если б даже искали, вряд ли я сумела бы распушить свой хвост на таком морозе. Он, наверно, сразу замерз бы и сломался, как сосулька.

Машины выстроились так, что их мощные фары полностью осветили холм. В пятне света засуетились люди, распаковывая привезенное с собой оборудование — какие-то непонятные мне приборы. К Александру подошел человек в таком же как на мне военном ватнике, с продолговатым баулом в руке, и спросил:

— Можно устанавливать?

Александр кивнул.

— Пойдем вместе, — сказал он и повернулся ко мне. — И ты тоже с нами. Оттуда вид красивый, посмотришь.

Мы пошли к вершине холма.

— Когда давление упало? — спросил Александр.

— Вчера вечером, — ответил военный.

— А воду нагнетать пробовали?

Военный махнул рукой, словно об этом не стоило даже говорить.

— Какой раз уже падает на этой скважине?

— Пятый, — сказал военный. — Все, выжали. И пласт, и всю Россию.

Он тихо выматерился.

— Сейчас узнаем, всю или нет, — сказал Александр. — И следи за языком, с нами все-таки дама.

— Что, смена растет? — спросил военный.

— Типа.

— Правильно. А то на Михалыча надежды мало...

Мы добрались до вершины. Я увидела вдали невысокие здания, острые точки синих и желтых электрических огней, конструкции из решетчатого металла, какие-то дымки или пар. Луна освещала лабиринт протянутых над землей труб — некоторые из них ныряли в снег, другие уходили к горизонту. Но все это было слишком далеко, чтобы я могла различить детали. Людей я нигде не заметила.

— Они на связи? — спросил Александр.

— На связи, — ответил военный, — если что, сообщат. Какие шансы?

— Посмотрим, — сказал Александр. — Чего гадать? Давай готовиться.

Военный поставил баул на снег и открыл его. Внутри был пластмассовый футляр, размером и формой похожий на большую дыню. Щелкнули замки, дыня раскрылась, и я увидела лежащий на красном бархате коровий череп, по виду очень старый, в нескольких местах треснувший и скрепленный металлическими пластинами. Снизу череп был оправлен в металл.

Военный вытащил из баула черный цилиндр и

раздвинул его. Получилось что-то вроде телескопической палки для треккинга, которая кончалась круглым утолщением. Размахнувшись, военный воткнул палку острым концом в снег и проверил, крепко ли она держится. Держалась она хорошо. Тогда он поднял череп, приставил его металлическое основание к утолщению на конце палки и с легким щелчком соединил их.

— Готово? — спросил Александр.

Он не следил за этими манипуляциями, а глядел на далекие огни и трубы, словно полководец, осматривающий местность, где скоро начнется битва. Военный навел пустые глазницы черепа на нефтяное поле. Было непонятно, что он собирается снимать этой странной телекамерой.

— Есть.

— Пошли, — сказал Александр.

Мы спустились с холма к людям, ожидавшим нас возле машин.

— Ну что, Михалыч, — сказал Александр, — давай ты сначала? Попробуй. А я подстрахую, если что.

— Сейчас, — сказал Михалыч. — Пара минут. Зайду в машину, чтоб жопу не морозить.

— А без кетамина что, совсем не можешь?

— Как прикажете, товарищ генерал-лейтенант, — сказал Михалыч. — Только я бы по своей системе хотел. И так на внутримышечную инъекцию перешел.

— Ну давай по своей, — недовольно пробормотал Александр, — давай. Посмотрим. Пора бы тебе, Михалыч, приучаться без костылей ходить. Поверь себе! Выплеснись! Wolf-Flow! Что делать будем, если твоего дилера за жопу возьмут? Вся страна на бабки встанет?

Михалыч хмыкнул, но ничего не сказал и пошел

за машины. Проходя мимо, он подмигнул мне. Я притворилась, что ничего не заметила.

— Минутная готовность, — раздался усиленный мегафоном голос. — Всем отойти за периметр.

Люди, толпившиеся в свете фар, быстро ушли в темноту за машинами. С нами рядом остался только военный, который помогал Александру устанавливать череп на холме. Я не знала, относится ли команда ко мне, и вопросительно посмотрела на Александра.

— Садись, — сказал он и показал на раскладной стул рядом. — Сейчас Михалыч выступать будет. Только смотри не засмейся, он застенчивый. Особенно когда уколется.

— Я помню, — сказала я и села.

Александр устроился на соседнем стуле и протянул мне полевой бинокль. Его корпус был обжигающе-холодным.

— Куда смотреть? — спросила я.

Он кивнул в сторону шеста с черепом, отчетливо видным в свете фар.

— Пятнадцать... — сказал за машинами мегафон. — Десять... Пять... Пошел!

Несколько секунд ничего не происходило, а затем я услышала глухой рык, и в пятне света появился волк.

Он сильно отличался от того зверя, в которого превращался Александр. Настолько, что казался принадлежащим к другому биологическому виду. Он был меньше по размерам, коротколап и совершенно лишен грозного обаяния хищника-убийцы. Его продолговатое бочкообразное туловище казалось слишком тяжелым для жизни среди дикой природы, тем более в условиях естественного отбора. Это жирное тело наводило на мысли о древних бесчинствах, о христианских мучениках и римских императорах, скармливающих зверью своих врагов. Он больше всего походил... Да, он больше всего походил на огромную отъевшуюся таксу, которой пересадили волчью шкуру. Я испугалась, что не выдержу и засмеюсь. А от этого мне стало еще смешнее. Но я, к счастью, удержалась.

Михалыч протрусил вверх по холму и остановился возле шеста с черепом. Выдержав паузу, он поднял морду к луне и завыл, покачивая напряженным хвостом, как дирижер палочкой.

У меня возникло то же чувство, что и при трансформациях Александра: словно волчье тело было мнимостью или в лучшем случае пустым резонатором вроде корпуса скрипки, а тайна заключалась в звуке, который издавала невидимая струна между хвостом и мордой. Реальна была лишь эта струна и ее жуткое appassionato, а все остальное мерещилось... Я ощутила родство с этим созданием: Михалыч делал что-то близкое к тому, чем занимаются лисы, и в этом ему точно так же помогал хвост.

Его вой мучительно-осмысленным эхом отдавался сначала в основании моего собственного хвоста, а потом в сознании. В звуке был смысл, и я понимала его. Но этот смысл трудно было выразить человеческим языком — он резонировал с огромным множеством слов, и было непонятно, какие из них выбрать. Очень приблизительно и безо всяких претензий на точность я передала бы его так:

«Пестрая корова! Слышишь, пестрая корова? Это я, старый гнусный волк Михалыч, шепчу тебе в ухо. Знаешь, почему я здесь, пестрая корова? Моя жизнь

стала так темна и страшна, что я отказался от Образа Божия и стал волком-самозванцем. И теперь я вою на луну, на небо и землю, на твой череп и все сущее, чтобы земля сжалилась, расступилась и дала мне нефти. Жалеть меня не за что, я знаю. Но все-таки ты пожалей меня, пестрая корова. Если меня не пожалеешь ты, этого не сделает никто в мире. И ты, земля, посмотри на меня, содрогнись от ужаса и дай мне нефти, за которую я получу немного денег. Потому что потерять Образ Божий, стать волком и не иметь денег — невыносимо и немыслимо, и такого не допустит Господь, от которого я отрекся...»

Зов был полон странной, завораживающей силы и искренности: Михалыча не было жалко, но его претензия звучала вполне обоснованно по всем центральным понятиям русской жизни. Он, если можно так выразиться, не требовал от мира ничего чрезмерного, все было логично и в рамках принятых в России метафизических приличий. Но с черепом, на который я смотрела в бинокль, ничего не происходило.

Михалыч выл еще минут десять, примерно в том же смысловом ключе. Иногда его вой делался жалобным, иногда угрожающим — страшновато становилось даже мне. Но все оставалось по-прежнему. Я, впрочем, не знала, что должно случиться и должно ли вообще — я ждала этого, поскольку Александр велел мне смотреть на череп. Но по коротким репликам, которыми Александр обменялся с военным, стало ясно, что Михалыча постигла неудача.

Может быть, ее причиной была некоторая химическая ненатуральность в его вое. Сначала она не ощущалась, но чем дольше он выл, тем сильнее я ее чувствовала, и под конец его партии дошло до того, что в основании моего горла сгустился неприятный комок.

Вой оборвался, я опустила бинокль и увидела, что волка на вершине холма больше нет. Вместо него там стоял на четвереньках Михалыч. Он был отчетливо виден в свете фар — до последней складочки на шинели. Его лицо, несмотря на холод, покрывали крупные капли пота. Встав на ноги, он поплелся вниз.

— Ну? — спросил он, добравшись до нас.

Военный поднес к уху рацию, послушал немного и опустил ее.

— Без изменений, — сказал он.

— Потому что пятый раз уже этот пласт разводим, — сказал Михалыч. — По второму разу у меня всегда получается. И по третьему почти всегда. Но по пятому... Как-то непонятно уже, о чем тут выть.

— Мужики, надо придумывать, — озабоченно сказал военный. — По отрасли почти все скважины на четвертом цикле. Если на пятый не выйдем, атлантисты из нас за два года бантустан сделают. Александр, есть идеи?

Александр встал с места.

— Сейчас узнаем, — сказал он, встал и посмотрел на череп прищуренным взглядом, прикидывая расстояние. Затем пошел вверх по холму. На полпути к черепу он сбросил шинель с плеч, и она, раскинув рукава, упала в снег.

«Идет, словно Пушкин на дуэли, — подумала я, посмотрела на шинель и додумала, — или как Дантес...»

Из-за военной формы вернее было второе.

Дойдя до шеста, Александр осторожно положил руки на череп и развернул его на сто восемьдесят

градусов, так, что он уставился прямо на меня — я
отчетливо видела в бинокль пустые глазницы и ме-
таллическую скобу, скреплявшую трещину над одной из них. Александр пошел вниз. Дойдя до шинели, он остановился, поднял голову к небу и завыл.

Он начал выть еще человеком, но вой превратил
его в волка даже быстрее, чем любовное возбуждение. Покачнувшись, он выгнулся дугой и повалил-
ся на спину. Трансформация произошла с такой
скоростью, что он был уже почти полностью волком, когда его спина коснулась шинели. Ни на секунду не прекращая выть, этот волк несколько секунд бился в снегу, поднимая вокруг себя белое облако, а затем поднялся на лапы.

В сравнении с бочкообразным и жирным Михалычем особенно бросалось в глаза, как Александр
хорош собой. Это был благородный и страшный
зверь; такого действительно могли бояться северные боги. Но его вой не был жутким, как у Михалыча. Он звучал тише и казался скорее печальным,
чем угрожающим.

*«Пестрая корова! Слышишь, пестрая корова?
Я знаю, надо совсем потерять стыд, чтобы снова просить у тебя нефти. Я и не прошу. Мы не заслужили.
Я знаю, что ты про нас думаешь. Мол, сколько ни
дашь, все равно Хаврошечке не перепадет ни капли, и
все сожрут эти кукисы-юкисы, юксы-пуксы и прочая
саранча, за которой не видно белого света. Ты права,
пестрая корова, так оно и будет. Только знаешь
что... Мне ведь известно, кто ты такая. Ты — это
все, кто жил здесь до нас. Родители, деды, прадеды, и
раньше, раньше... Ты — душа всех тех, кто умер с ве-
рой в счастье, которое наступит в будущем. И вот*

оно пришло. Будущее, в котором люди живут не ради
чего-то, а ради самих себя. И знаешь, каково нам глотать пахнущее нефтью сашими и делать вид, что мы
не замечаем, как тают под ногами последние льдины?
Притворяться, что в этот пункт назначения тысячу
лет шел народ, кончающийся нами? Получается, на
самом деле жила только ты, пестрая корова. У тебя
было ради кого жить, а у нас нет... У тебя были мы, а
у нас нет никого, кроме самих себя. Но сейчас тебе
так же плохо, как и нам, потому что ты больше не
можешь прорасти для своей Хаврошечки яблоней. Ты
можешь только дать позорным волкам нефти, чтобы
кукис-юкис-юкси-пукс отстегнул своему лоеру, лоер
откинул шефу охраны, шеф охраны откатил парик-
махеру, парикмахер повару, повар шоферу, а шофер
нанял твою Хаврошечку на час за полтораста баксов... И когда твоя Хаврошечка отоспится после
анального секса и отгонит всем своим мусорам и бан-
дитам, вот тогда, может быть, у нее хватит на яблоко, которым ты так хотела для нее стать, пестрая корова...»

Мне показалось, что корова смотрит на меня
своими пустыми глазницами. А потом я увидела в
свой бинокль, как на краю этой глазницы появилась и набухла слеза. Она пробежала по черепу и со-
рвалась в снег, а следом появилась вторая, потом
третья...

Александр продолжал выть, но я больше не разбирала смысла. Возможно, его уже не было — вой
превратился в плач. Я тоже заплакала. Все мы плакали... А потом я поняла, что мы не столько пла-
чем, сколько воем — Михалыч, военный, который
устанавливал шест на холме, люди в темноте за ма-

шинами — все выли, подняв лица к луне, выли и плакали о себе, о своей ни на что не похожей стране, о жалкой жизни, глупой смерти и заветном полтиннике за баррель...

— Эй, — услышала я, — очнись!

— А?

Я открыла глаза. Рядом с моим стулом стояли Александр и военный. Чуть поодаль зябко ежился Михалыч.

— Все, — сказал военный. — Нефть пошла.

— Как ты выла! — сказала Александр. — Мы просто заслушались.

— Да, — сказал Михалыч, — пригодилась девка. Я ведь не понял сначала, товарищ генерал-лейтенант, зачем вы ее взяли.

Александр не ответил — к нему подошел один из людей, которые стояли во время сеанса за машинами. Одет он был в военную форму без знаков различия — так же, как и все остальные.

— Это вам, — сказал он и протянул Александру коробочку. — Орден «За заслуги перед Отечеством». Я знаю, у вас таких много. Просто мы хотим, чтобы вы помнили, как вас ценит страна.

— Спасибо, — равнодушно сказал Александр, кладя коробочку в карман. — Служу.

Он взял меня под руку и повел к машине. Когда мы отошли от остальных, я прошептала:

— Скажи мне честно, как волк лисе. Или, если угодно, как оборотень оборотню. Ты действительно думаешь, что Хаврошечке не хватило яблока из-за кукиса-юкиса, а не из-за этой гнилой рыбьей головы, которая выдает себя то за быка, то за медведя?

Он опешил:

— Какого кукиса? Какой рыбьей головы?

Только тут до меня дошло, как дико прозвучали мои слова. Да, это был стресс — я перестала чувствовать разницу между миром и тем, что я о нем думаю. Александр ведь ничего не говорил — он просто выл на коровий череп, а все остальное было моей личной интерпретацией.

— Медведя приплела, — пробормотал он.

Действительно, удивительно глупо вышло. Медведя и рыбью голову я с ним даже не обсуждала.

— Это из-за сказок, — сказала я виновато. — Которые я в самолете читала.

— А. Ясно тогда.

Впрочем, один вопрос можно было задать, не боясь, что он прозвучит дико. На этот раз я заранее взвесила возможное впечатление от своих слов и только потом открыла рот:

— Знаешь, у меня такое чувство, что ты показывал меня черепу в качестве Хаврошечки. Я угадала?

Он усмехнулся.

— Почему бы и нет. Ты такая трогательная.

— Посмотри на меня внимательно, — сказала я. — Ну какая я Хаврошечка?

— Да будь ты хоть Мария Магдалина, — сказал он. — Какая разница? Я прагматик. Мое дело нефть пустить. А для этого надо, чтобы череп заплакал. Что же делать, если от Михалыча он больше не плачет, даже когда тот пять кубов кетамина колет?

— Но ведь это... Это ведь была неправда, — сказала я растерянно.

Он хмыкнул.

— А по-твоему, искусство должно быть правдой?

В ответ я только несколько раз моргнула. Самое смешное, что я действительно так думала. Я вдруг перестала понимать, кто из нас циничный манипулятор чужим сознанием.

— Знаешь, — сказал он, — ты попробуй продать эту концепцию галерее Саатчи. Может, ее там выставят рядом с маринованной акулой. Или, может быть, ее Брайан купит. Который мне тысячу фунтов предлагал.

*

Увы, Брайан уже не мог ничего купить... Впрочем, эта расхожая в отношении мертвого человека фраза в наши дни устарела. Бывает, что клиент помирает, а его брокеры по-прежнему суетятся на бирже. А когда и до них доходит печальная весть, еще долго спекулирует в киберпространстве забытая всеми программа, покупая и продавая фунт и йену по достижении пороговых курсов... Но у меня Брайан скорее всего действительно не мог ничего купить. А мысль о том, что искусство должно быть правдой — и подавно.

Этой печальной новостью встретила меня Москва. Заметка на сайте «слухи.ру», адрес которого мистическим образом снова прописался у меня в стартовой строке, была озаглавлена так:

АНГЛИЙСКИЙ АРИСТОКРАТ
НАЙДЕН МЕРТВЫМ В ХРАМЕ
ХРИСТА СПАСИТЕЛЯ

Похожее на тошноту чувство не дало мне прочесть заметку целиком — меня хватило только проглядеть ее по диагонали, выхватывая суть из-под журналистских штампов: *«застывшая на лице гримаса невыразимого ужаса»*, *«слезы безутешной вдовы»*, «представители посольства», «расследование обстоятельств». За судьбу И Хули я не волновалась — все это было для нее обычным делом. Волноваться стоило за расследователей обстоятельств — как бы эта самая гримаса невыразимого ужаса не застыла на лице у кого-нибудь из них.

Надо было, однако, пожалеть лорда Крикета. Я сосредоточилась, но вместо его лица мне почему-то вспомнились документальные кадры охоты на лис — мчащийся по полю рыжий комочек, такой беззащитный, полный ужаса и надежды, и преследующие его всадники в элегантных кепи... Но заупокойную мантру я все-таки прочла.

Следующим, что привлекло мое внимание, был заголовок колонки:

БОЛЬНОЙ ХИЩНИК ИЩЕТ УБЕЖИЩА В БИТЦЕВСКОМ ПАРКЕ

В этом опусе был один удивительно наглый абзац, касавшийся лично меня:

«Лиса, усеянная множеством проплешин, или, правильнее сказать, в некоторых местах все еще покрытая шерстью, вызвала у свидетелей происшествия не только чувство острой жалости, но и подозрение, что неподалеку находится свалка радиоактивных отходов. Возможно, старое больное животное пришло к людям в надежде на coup de grace, который прервет его страдания. Но от сегодняшних ожесточившихся москвичей не приходится бесплатно ожидать даже такой услуги. Осталось неизвестным, чем завершилась погоня, которую начали за больным животным два конных милиционера».

Вот ведь мерзкий врун, подумала я, ведь ясно, что никто из свидетелей ничего не говорил про свалку радиоактивных отходов, а это он сам все выдумал, чтобы хоть чем-то заполнить свою колонку... Впрочем, интернет-колумнисты про все пишут с одинаковой подлостью — и про политику, и про культуру, и даже про освоение Марса. А теперь вот и про лис... У этого, из «слухов», был личный фирменный номер — он каждый раз упоминал про острую жалость, когда хотел кого-нибудь обгадить с ног до головы. Меня это всегда изумляло: суметь самое высокое из доступных человеку чувств, сострадание, превратить в ядовитое жало. Звучит-то как: «острая жалость».

Впрочем, если разобраться, ничего удивительного в этом не было. Ведь что такое интернет-колумнист? Это существо, несколько возвышающееся над лагерной овчаркой, но очень и очень уступающее лисе-оборотню.

1) сходство интернет-колумниста с лагерной овчаркой заключается в умении лаять в строго обозначенный сектор пространства.

2) различие в том, что овчарка не может сама догадаться, в какой сектор лаять, а интернет-колумнист бывает на это способен.

3) сходство интернет-колумниста с лисой-оборотнем в том, что оба стремятся создавать миражи, которые человек примет за реальность.

4) различие в том, что у лисы это получается, а у интернет-колумниста — нет.

Последнее неудивительно. Разве тот, кто в состоянии создавать правдоподобные миражи, стал бы работать интернет-колумнистом? Вряд ли. Интернет-колумнист не может убедить даже самого себя в реальности своих выдумок, думала я, сжимая кулаки, куда там других. Поэтому сидеть он должен тихо-тихо и гавкать только тогда, когда...

И вдруг я забыла про интернет-колумнистов и лагерных овчарок, потому что в моей голове взошло солнце истины.

— Убедить самого себя в реальности своих выдумок, — повторила я. — Вот оно. Ну конечно!

Совершенно внезапно для себя я решила давно мучившую меня загадку. Многие дни мой ум подбирался к ней то с одной, то с другой стороны — но безрезультатно. А сейчас что-то повернулось, щелкнуло, и все вдруг встало на свои места — как будто я случайно собрала головоломку.

Я поняла, чем мы, лисы, отличаемся от волков-оборотней. Различие, как часто случается, было не чем иным как мутировавшим сходством. Лисы и волки были близкими родственниками — их магия основывалась на манипуляциях восприятием. Но способы манипулирования были разными.

Здесь надо сделать короткое теоретическое отступление, иначе, боюсь, мои слова не будут понятны.

Люди часто спорят — существует ли этот мир на самом деле? Или это что-то вроде «Матрицы»? Глупейший спор. Все подобные проблемы основаны на том, что люди не понимают слов, которыми пользуются. Перед тем как рассуждать на эту тему, следовало бы разобраться со значением слова «существовать». Вот тогда выяснилось бы много интересного. Но люди редко способны думать правильно.

Я не хочу, конечно, сказать, что все люди — полные идиоты. Есть среди них и такие, чей интеллект почти не уступает лисьему. Например, ирландский философ Беркли. Он говорил, что существовать — значит восприниматься, и все предметы существуют только в восприятии. Достаточно спокойно подумать на эту тему три минуты, чтобы понять — все другие взгляды на этот вопрос сродни культу Озириса или вере в бога Митру. Это, на мой взгляд, единственная верная мысль, которая посетила западный ум за всю его позорную историю; всякие Юмы, Канты и Бодрияры лишь вышивают суетливой гладью по канве этого великого прозрения.

Но где существует предмет, когда мы отворачиваемся и перестаем его видеть? Ведь не исчезает же он, как полагают дети и индейцы Амазонии? Беркли говорил, что он существует в восприятии Бога. А катары и гностики полагают, что он существует в восприятии дьявола-демиурга, и их аргументация ничуть не слабее, чем у Беркли. С их точки зрения, материя — зло, сковывающее дух. Кстати, читая ужастики Стивена Хокинга, я часто думала, что, будь у альбигойцев радиотелескопы, они объявили бы Большой Взрыв космической фотографией восстания Сатаны... Есть в этом маразме и серединный путь — считать, что часть мира существует в восприятии Бога, а часть — в восприятии дьявола.

Что тут сказать? С точки зрения лис, никакого Большого Взрыва никогда не было, как не было и нарисованной Брейгелем Вавилонской башни, даже если репродукция этой картины висит в комнате, которая вам снится. А Бог и дьявол — просто понятия, которые существуют в уме того, кто в них верит: птичка вовсе не славит Господа, когда поет, это попик думает, что она его славит. Беркли полагал, что у восприятия непременно должен быть субъект, поэтому закатившиеся под шкаф монеты и упавшие за кровать чулки были торжественно захоронены им в черепе созданного для этой цели Творца. Но как быть с тем, что берклианский Бог, в восприятии которого мы существуем, сам существует главным образом в абстрактном мышлении представителей европеоидной расы с годовым доходом от пяти тысяч евро? И его совсем нет в сознании китайского крестьянина или птички, которая не в курсе, что она Божия? Как быть с этим, если «существовать» действительно означает «восприниматься»?

А никак, говорят лисы. На основной вопрос философии у лис есть основной ответ. Он заключается в том, чтобы забыть про основной вопрос. Никаких философских проблем нет, есть только анфилада лингвистических тупиков, вызванных неспособностью языка отразить Истину.

Но лучше упереться в такой тупик в первом же абзаце, чем через сорок лет изысканий и пять тысяч исписанных страниц. Когда Беркли понял наконец, в чем дело, он стал писать только о чудодейственных свойствах дегтярной настойки, с которой познакомился в Северной Америке. Над ним из-за этого до сих пор смеются разные филистеры — они не знают, что в то далекое время деготь в Америке делали из растения, которое называлось Jimson Weed, или Datura — по-русски «дурман».

И раз уж мы заговорили на эту тему. Религиозные ханжи обвиняют нас, оборотней, в том, что мы дурманим людям мозги и искажаем Образ Божий. Говорящие так не очень хорошо представляют себе Образ Божий, поскольку лепят его с собственных куличных рыл. В любом случае «искажать» и «дурманить» — это слишком оценочный язык, который переводит вопрос в эмоциональную плоскость и не дает понять существо дела. А состоит оно вот в чем (прошу отнестись к следующему абзацу внимательно — я, наконец, перехожу к главному).

Поскольку бытие вещей заключается в их воспринимаемости, любая трансформация может происходить двумя путями — быть либо восприятием трансформации, либо трансформацией восприятия.

В честь великого ирландца я бы назвала это правило законом Беркли. Знать его совершенно необходимо всем искателям истины, бандитам-вымогателям, брэнд-маркетологам и педофилам, желающим остаться на свободе. Так вот, лисы и волки-оборотни в своей практике пользуются разными аспектами закона Беркли.

Мы, лисы, используем *трансформацию восприятия*. Мы воздействуем на восприятие клиентов, заставляя их видеть то, что нам хочется. Наведенный нами морок становится для них абсолютно реален — шрамы на спине незабвенного Павла Ивановича лучшее тому доказательство. Но сами лисы продолжают видеть исходную реальность такой, какой ее, по мысли Беркли, видит Бог. Поэтому нас и обвиняют в том, что мы искажаем Образ Божий.

Это, конечно, ханжеское обвинение, основанное на двойном стандарте. Трансформация восприятия является основой не только лисьего колдовства, но и множества рыночных технологий. Например, фирма «Форд» приделывает к дешевому грузовичку F-150 красивую переднюю решетку, меняет кузов и называет получившийся продукт «Линкольн Навигатор». И никто не говорит, что фирма «Форд» искажает Образ Божий. А про политику я просто промолчу, и так все ясно. Но негодование почему-то вызываем только мы, лисы.

Волки-оборотни в отличие от нас используют *восприятие трансформации*. Они создают иллюзию не для других, а для себя. И верят в нее до такой степени, что иллюзия перестает быть иллюзией. Кажется, в Библии есть отрывок на эту тему — «будь у вас веры с горчичное зерно...» У волков она есть. Их превращение — своего рода цепная алхимическая реакция.

Сначала оборотень заставляет себя поверить, что у него растет хвост. А появляющийся хвост, который у волков является таким же органом внушения, как и у нас, гипнотически воздействует на собственное сознание волка, убеждая его, что с ним действительно происходит трансформация, и так до окончательного превращения в зверя. В технике это называют положительной обратной связью.

Превращение Александра каждый раз начиналось с одного и того же: его тело изгибалось, словно невидимый канат натягивался между хвостом и черепом. Теперь я поняла, в чем было дело. Ту энергию, которую лисы направляли на людей, волки замыкали сами на себя, вызывая трансформацию не в чужом восприятии, а в собственном, и уже потом, как следствие — в чужом.

Можно ли называть такое превращение реальным? Я никогда не понимала смысл этого эпитета до конца, тем более что каждая эпоха вкладывает в него свое значение. Например, в современном русском слове «реальный» имеет четыре основных употребления:

1) боевое междометие, употребляемое бандитами и работниками ФСБ во время ритуала смены крыши.

2) жаргонизм, используемый *upper rat* и *хуй сосаети* при разговоре о своих зарубежных счетах.

3) технический термин, относящийся к недвижимости.

4) общеупотребительное прилагатсльное, означающее «имеющий долларовый эквивалент».

Последнее значение делает термин «реальный» синонимом слова «метафизический», поскольку доллар в наше время есть величина темно-мистическая, опирающаяся исключительно на веру в то, что завтра будет похоже на сегодня. А мистикой должны заниматься не оборотни, а те, кому положено по профессии — политтехнологи и экономисты. Поэтому я не хочу называть превращение волка-оборотня «реальным» — иначе может сложиться ощущение, что в нем присутствует дешевая человеческая чертовщина. Но несомненными были две вещи:

1) трансформация волка качественно отличалась от лисьего морока, хоть и основывалась на том же эффекте.

2) на волчью метаморфозу тратилось огромное количество энергии — куда больше, чем расходовали на клиента мы, лисы.

Из-за этого волки не могли долго оставаться в зверином теле, и фольклор связывал их преображение с различными временными ограничениями — темным временем суток, полнолунием или чем-нибудь похожим. Здесь покойный лорд Крикет был совершенно прав.

Я вспомнила странное переживание, посетившее меня на охоте — когда я впервые в жизни осознала реликтовое излучение хвоста, направленное на меня саму. Но что именно я внушала себе? Что я лиса? Но я и без внушения это знала... В чем же дело? Я чувствовала, что стою на пороге чего-то важного, способного изменить всю мою жизнь и вывести, наконец, из того духовного тупика, в котором я провела последние пять веков. Но, к своему позору, вначале я подумала совсем не о духовной практике.

Стыдно признаться, но первая мысль была о сексе. Я вспомнила жесткий серый хвост Александра и поняла, как вывести наши любовные переживания на новую орбиту. Все было просто. Механизм воздействия на сознание, которым пользовались лисы и волки, совпадал в главном — различалась только интенсивность внушения и его объект. Я, так сказать, угощала своего клиента шампанским, и ему становилось весело. А Александр сам глотал бутылку водки, после чего всем вокруг становилось страшно. Но действующая субстанция, алкоголь, была той же самой.

Так вот, объединив наши возможности, мы могли наделать из шампанского с водкой массу самых разнообразных коктейлей. Ведь секс — не просто стыковка известных частей тела. Это еще и энергетический союз между двумя существами, совместный трип. Если мы научимся складывать наши гипнотические векторы для того, чтобы вместе нырять в любовную иллюзию, думала я, мы устроим себе такой вокзал для двоих, где каждая шпала будет на вес золота.

Была только одна сложность. Вначале нам следовало договориться о том, что мы хотим увидеть. Причем не просто на словах — слова были ненадежной опорой. Основываясь только на них, мы могли очень по-разному представить себе конечный маршрут путешествия. Требовалось готовое изображение, которое стало бы отправной точкой нашей визуализации. Например, картина...

Я попыталась представить себе подходящее классическое полотно. Как назло, ничего интересного не приходило в голову — вспомнился только шедевр раннего Пикассо «Старый еврей и мальчик». Много лет назад я закладывала открыткой с репродукцией этой картины «Психопатологию обыденной жизни» Фрейда, которую никак не могла осилить, и с тех пор две печальных темных фигуры запомнились мне во всех подробностях.

Нет, картины не годились. Они не давали представления о том, как выглядит объект в трехмере. Гораздо лучше подходило видео. У Александра такой большой телевизор, подумала я. Должна же от него быть хоть какая-то польза?

*

Есть сорт турецкой жвачки с картинками-вкладками, на которых изображены влюбленные пары в разных смешных ситуациях. Подписаны такие рисунки «Love is..», и раньше я часто видела их наклеенными на стены в лифтах и кинотеатрах. Если бы мне надо было нарисовать свою версию этого комикса, там были бы волк и лиса со сплетенными хвостами, сидящие перед телевизором.

Технология чуда оказалась проще, чем я предполагала. Достаточно было соединить наши гипнотические органы, устроившись в любой позе, которая позволяла это сделать. Соприкасаться должны были только хвосты: надо было следить за происходящим на экране, и более тесное соседство мешало.

Ритуал выработался у нас на удивление быстро. Обычно он ложился на бок, свешивая ноги на ковер, а я садилась рядом. Мы включали фильм, и я ласкала его до тех пор, пока не начиналась трансформация. Тогда я закидывала ноги на его мохнатый бок, мы соединяли наши антенны, а дальше начиналось нечто безумное, чего никогда не понять бесхвостому существу. Интенсивность переживания бывала такой, что мне приходилось применять специальную технику, чтобы успокоиться и остыть — я отводила глаза от экрана и читала про себя мантру из «Сутры Сердца», прохладную и глубокую, как колодец: в этих слогах санскрита можно было без следа растворить любую душевную суету. Мне нравилось смотреть, как соединяются наши хвосты — рыжий и серый. Словно кто-то поджег трухлявое полено, и его охватил сноп веселого искристого огня... Я, впрочем, не делилась этим сравнением с Александром.

Но если техническая сторона дела оказалась элементарной, то выбор маршрута для наших прогулок каждый раз сопровождался спорами. Наши вкусы не то что различались, они относились к разным вселенным. В его случае вообще сложно было говорить о вкусе в смысле четкой системы эстетических ориентиров. Ему, как восьмикласснику, нравилось все героически-сентиментальное, и он часами заставлял меня смотреть самурайские драмы, вестерны и то, чего я совершенно терпеть не могла — японские мультфильмы про роботов. А затем мы воплощали в мечту побочные любовные линии, которые требовались режиссерам всей этой видеомакулатуры для того, чтобы между убийствами и драками был хоть какой-то перерыв. Впрочем, поначалу это было интересно. Но только поначалу.

Как профессионалу со стажем, мне быстро наскучили стандартные любовные quickies — я навеяла человечеству больше снов на эту тему, чем человечество сняло о себе порнофильмов. Мне нравилось бродить по terra incognita современной сексуальности, исследовать ее пограничные области, ойкумену общественной морали и нравственности. А он не был к этому готов, и, хоть никто в мире не мог стать свидетелем нашей совместной галлюцинации, его всегда останавливал внутренний часовой.

На мои призывы отправиться в какое-нибудь необычное путешествие он отвечал смущенным отказом или, наоборот, предлагал что-нибудь немыслимое для меня. Например, превратиться в пару мультяшных трансформеров, обнаруживающих интерес друг к другу на крыше токийского небоскреба... Жуть. А когда я хотела стать немецким майором из «Касабланки», чтобы взять его, пока он будет негром-пианистом, поющим «It's summer time and the living is easy» [1], он приходил в такой ужас, словно я побуждала его продать родину.

---

[1] «Лето пришло, жить стало легче» — колыбельная из оперы Гершвина «Порги и Бесс».

Это могло бы стать еще одной интересной темой для доктора Шпенглера: большинство русских мужчин гомофобы из-за того, что в русском уме очень сильны метастазы криминального кодекса чести. Любой серьезный человек, чем бы он ни занимался, подсознательно примеривается к нарам и старается, чтобы в его послужном списке не было заметных нарушений тюремных табу, за которые придется расплачиваться задом. Поэтому жизнь русского мачо похожа на перманентный спиритический сеанс: пока тело купается в роскоши, душа мотает срок на зоне.

Я, кстати сказать, знаю, почему дело обстоит именно так, и могла бы написать об этом толстую умную книгу. Ее мысль была бы такой: Россия общинная страна, и разрушение крестьянской общины привело к тому, что источником народной морали стала община уголовная. Распонятки заняли место, где жил Бог — или, правильнее сказать, Бог сам стал одним из «понятиев»: пацан сказал, пацан ответил, как подытожил дискурс неизвестный мастер криминального тату. А когда был демонтирован последний протез религии, советский «внутренний партком», камертоном русской души окончательно стала гитарка, настроенная на блатные аккорды.

Но как ни тошнотворна тюремная мораль, другой ведь вообще не осталось. Кругом с арбузами телеги, и нет порядочных людей — все в точности так, как предвидел Лермонтов. Интересно, что «с арбузами телеги» в современном русском означает «миллиардные иски», о которых я не так давно писала сестре в Таиланд. Арбузы есть, а порядочных людей нет, одни гэбэшные вертухаи да журналисты-спинтрии, специализирующиеся на пропаганде либеральных ценностей...

Ой. Специально не буду зачеркивать последнее предложение, пусть читатель полюбуется. Вот он, лисий ум. Ведь мы, оборотни, — естественные либералы, примерно как душа — природная христианка. И что я пишу? Нет, *что я пишу?* Ужас. Хотя бы ясно, откуда все это взялось. Про журналистов-спинтриев — набралась у гэбэшных вертухаев. А про гэбэшных вертухаев — набралась у журналистов-спинтриев. Ничего не поделаешь: если лиса слышала какое-то суждение, она обязательно его выскажет от первого лица. А как быть? Своих мнений по этим вопросам у нас нет (еще чего не хватало), а жить среди людей надо. Вот и отбиваешь мячики. Нет, хорошо все-таки, что мне не нужно писать книгу о России. Какой из меня Солженицын в Ясной Поляне? *Жить не по лжи. LG.* Но я опять отвлеклась.

Я редко обсуждала с Александром природу его гомофобии (он не любил говорить об этом), но была уверена, что корень надо искать в уголовных катакомбах русского сознания. Гомофобия доходила у него до того, что он отвергал все, хоть немного отливающее голубым. Причем эта голубизна мерещилась ему в самых неожиданных местах: например, он считал, что стихотворение Бунина «Петух на церковном кресте» посвящено тяжелому положению геев в царской России. Когда он сказал про это, мне представился шансонье на колокольне, пытающийся пением выкупить свое очко у пьяного крестного хода («поет о том, что мы живем, что мы умрем, что день за днем...»).

— Почему ты так не любишь геев? — спросила я.

— Потому что они идут против природы.

— Но ведь природа их и создала. Как же они идут против природы?

— А так, — сказал он. — Дети спрятаны в сексе, как семечки в арбузе. А голубые — это те, кто борется за право есть арбуз без семечек.

— С кем борется?

— С арбузом. Всем остальным давно по барабану. Но арбуз не может существовать без семечек. Поэтому я и говорю, что они идут против природы. Разве нет?

— У меня был один знакомый арбуз, — ответила я, — который считал, что размножение арбузов зависит от их способности внушить человеку мысль, будто глотать их косточки полезно. Но арбузы преувеличивают свои гипнотические способности. На самом деле размножение арбузов происходит по причине процесса, о котором арбузы не имеют понятия, потому что не могут стать его свидетелями. Ибо там, где кончается арбуз, этот процесс только начинается.

— Чего-то ты опять такое завернула, рыжая, что я не пойму, — сказал он недовольно. — Короче, давай без этих пидорских фокусов.

Особенно Александр не любил Лукино Висконти. Предложение поставить что-нибудь из этого режиссера (которого я считаю одним из величайших мастеров двадцатого века) каждый раз казалось ему личным оскорблением. У меня сохранился фрагмент одного нашего спора. Если все остальные диалоги в моих записках воспроизведены по памяти, то этот — с абсолютной точностью: разговор случайно записался на диктофон. Я привожу его потому, что мне хочется еще раз услышать голос Александра — пока буду печатать, наслушаюсь.

АС: «Смерть в Венеции»? Ну ты утомила, рыжая. Что я тебе, пидор?

АХ: Давай тогда «Семейный портрет в интерьере»?

АС: Нет. Давай Такеши Китано. Затоичи наказывает гейшу-убийцу... А потом гейша-убийца наказывает Затоичи.

АХ. Не хочу. Давай лучше еще раз «Унесенных ветром».

АС: Да ну. Там лестница длинная.

АХ: Какая лестница?

АС: По которой тебя в спальню тащить надо. А ты ее вдобавок раз в пять длиннее делаешь. Я прошлый раз взмок весь. Серьезно. Хотя вроде с дивана и не вставали.

АХ: Должны же меня иногда носить на руках... Ладно, в этот раз будет короткая лестница. Давай?

АС: Давай лучше... Хочется чего-нибудь со стрельбой.

АХ: Тогда давай «Малхоланд Драйв»! Там стреляют. Ну пожалуйста!

АС: Опять ты за свое. Не буду, сколько раз тебе говорить. Найди себе пидора на бульваре и с ним вместе смотри.

АХ: При чем тут это? Там лесбиянки.

АС: Какая разница?

(Дальше в записи пауза, во время которой слышится шуршание и постукивание. Я роюсь среди рассыпанных на полу кассет.)

АХ: Слушай, а вот по Кингу есть кино. «Dream-catcher». Смотрел?

АС: Нет.

АХ: Давай попробуем. Будем не людьми, а пришельцами.

АС: А какие там пришельцы?

АХ: У них вертикальный зубастый рот во все тело и глаза по бокам. Представляешь, какой может быть поцелуй с кровью? Он же куннилингус. Я думаю, они так и размножаются.

АС: Дорогая, мне чернухи на работе хватает. Давай что-нибудь более романтическое.

АХ: Романтическое... Романтическое... Вот есть «Матрица-2». Хочешь трахнуть Киану Ривза?

АС: Не очень.

АХ: Тогда давай я трахну.

АС: Отказать. А третья «Матрица» есть?

АХ: Есть.

АС: Там интересный вариант может быть с этими машинами.

АХ: Какими?

АС: Ну, там такие человекоподобные роботы, в которых сидят люди. Они от этих черных осьминогов отстреливаются. Вот представь, поймал такой робот черного осьминога, и...

АХ: Слушай, тебе что, двенадцать лет?

АС: Тогда проехали «Матрицу».

(Опять какое-то шуршание. Кажется, я перехожу к залежам компакт-дисков.)

АХ: А «Властелин Колец»?

АС: Ты опять чего-нибудь жуткое выдумаешь.

АХ: Ну уж под хоббита не лягу, это точно. Чего ты так всего боишься? Думаешь, на работе узнают? Моральный облик?

АС: Почему боюсь? Просто не хочу.

АХ: Слушай, тут есть на английском фильмы. Интересная подборка.

АС: Чего там?

АХ: «Midnight Dancers»... «Sex Life in LA»...

АС: Не надо.

АХ: «Versace Murder»?

АС: Нет.

АХ: Почему?

АС: Потому.

АХ: А знаешь, как геи в Майами говорят вместо «vice versa»? «Vice Versace»[1]. Сколько здесь темных змеящихся смыслов...

АС: Сначала один другого пидарасит, а потом меняются. Вот и все змеящиеся смыслы.

АХ: Так я ставлю?

АС: Я тебе сказал уже. Езжай к памятнику Героям Плевны или там в «Дары моря», найди себе педика и резвись.

АХ: Слушай, ну нельзя же быть таким обскурантом. Я сама читала, даже в дикой природе есть гомосексуальные животные. Овцы. Обезьяны.

АС: Насчет обезьян, по-моему, аргумент вообще не в пользу голубых.

АХ: Да, хорошо тебя подковали. Не перекуешь. Что это у тебя за кассета в руках?

АС: «Ромео и Джульетта».

(Слышно, как я презрительно фыркаю.)

АХ: Выкинь ее в мусор.

АС: А давай еще разик посмотрим?

АХ: Ну сколько можно.

---

[1] Vice versa — наоборот, vice — порок.

АС: Самый последний. Давай, а? Ты прямо вылитая Джульетта в этой маечке.

АХ: Что с тобой поделаешь, Ромео. Давай. Только с одним условием.

АС: С каким?

АХ: Потом будет «Малхоланд Драйв».

АС: Р-р-р!

АХ: Милый, ты что? Ты уже?

АС: Р-р-р!

АХ: Сейчас, сейчас. Ставлю. Я этот фильм наизусть скоро выучу. Две равно уважаемых свиньи в Вероне, где встречают нас событья, ведут междоусобные бои и не хотят унять кровопролитья...

АС: У-у-у!

АХ: Это не о тебе, волчина. Расслабься. Это Шекспир. Кстати, насчет свиньи. Я не помню, говорила я тебе или нет. Свинья не может смотреть в небо, у нее шея так устроена. Представляешь, какая метафора? Просто не может, и все. Она даже не знает, наверное, что оно есть...

*

Любовь и трагедия идут рука об руку. Про это писали Гомер и Еврипид, Стендаль и Оскар Уайльд. А теперь вот моя очередь.

Пока я не узнала на собственном опыте, что такое любовь, я считала ее неким специфическим наслаждением, которое бесхвостые обезьяны способны получать от общения друг с другом дополнительно к сексу. Это представление сложилось у меня от множества описаний, которые я встречала в стихах и книгах. Откуда мне было знать, что писатели вовсе не изображают любовь такой, какова она на деле, а конструируют словесные симулякры, которые будут выигрышней всего смотреться на бумаге? Я считала себя профессионалом в любви, поскольку много столетий внушала ее другим. Но одно дело пилотировать летящий на Хиросиму «Б-29», а совсем другое — глядеть на него с центральной площади этого города.

Любовь оказалась совсем не тем, что про нее пишут. Она была ближе к смешному, чем к серьезному — но это не значило, что от нее можно было отмахнуться. Она не походила на опьянение (самое ходкое сравнение в литературе) — но еще меньше напоминала трезвость. Мое восприятие мира не изменилось: Александр вовсе не казался мне волшебным принцем на черном «Майбахе». Я видела все его жуткие стороны, но они, как ни странно, лишь прибавляли ему очарования в моих глазах. Мой рассудок примирился даже с его дикими политическими взглядами и стал находить в них какую-то суровую северную самобытность.

В любви начисто отсутствовал смысл. Но зато она придавала смысл всему остальному. Она сделала мое сердце легким и пустым, как воздушный шар. Я не понимала, что со мной происходит. Но не потому, что поглупела — просто в происходящем нечего было понимать. Могут сказать, что такая любовь неглубока. А по-моему, то, в чем есть глубина — уже не любовь, это расчет или шизофрения.

Сама я не берусь сказать, что такое любовь — наверно, ее и Бога можно определить только по апофазе, через то, чем они не являются. Но апофаза тоже будет ошибкой, потому что они являются всем. А писатели, которые пишут о любви, жулики, и первый из них — Лев Толстой с дубиной «Крейцеровой сонаты» в руках. Впрочем, Толстого я уважаю.

Откуда мне было знать, что наше романтическое приключение окажется для Александра роковым? Оскар Уайльд сказал: «Yet each man kills the thing he loves...»[1] Этот писатель жил в эпоху примитивного антропоцентризма, отсюда и слово «man» (да и сексизм тогда тоже сходил с рук, особенно геям). Но в остальном он попал в точку. Я погубила зверя, the Thing. Красавица убила чудовище. И орудием убийства оказалась сама любовь.

Я помню, как начался тот день. Проснувшись, я долго лежала на спине, поднимаясь из глубин очень хорошего сна, которого никак не могла вспомнить. Я знала, что в таких случаях надо лежать не шевелясь и не открывая глаз, в той самой позе, в которой просыпаешься, и тогда сон может всплыть в памяти. Так и случилось — прошло около минуты, и я вспомнила.

Мне снился фантастический сад, залитый солнцем и полный птичьего щебета. Вдали виднелась полоса белого песка и море. Передо мной была отвесная скала, а в ней пещера, закрытая каменной плитой. Мне следовало сдвинуть эту плиту, но она была тяжелой, и я никак не могла этого сделать. Собравшись с силами, я уперлась ногами в землю, напрягла все мышцы и толкнула ее. Плита отвалилась в сторону, и открылась черная дыра входа. Оттуда потянуло сыростью и застарелым смрадом. А затем из темноты навстречу солнечному дню по-

---

[1] Каждый человек убивает то, что он любит.

шли курочки — одна, другая, третья... Я сбилась со счета, так много их оказалось. Они все шли и шли к свету и счастью, и ничто теперь не могло им помешать — они поняли, где выход. Я увидела среди них ту, свою — коричневую с белым пятном, и помахала ей лапой (во сне вместо рук у меня были лапы, как во время супрафизического сдвига). Она даже не посмотрела на меня, просто пробежала мимо. Но мне совсем не было обидно.

Какой удивительный сон, подумала я и открыла глаза.

На стене дрожало пятнышко солнечного света. Это было мое виртуальное место под солнцем, доставшееся мне безо всякой борьбы — его давало маленькое зеркальце, которое отбрасывало на стену падавший сверху луч. Я подумала об Александре и вспомнила о нашей любви. Она была так же несомненна, как этот подрагивающий желтый зайчик на стене. Сегодня между нами должно было произойти что-то немыслимое, что-то по-настоящему чудесное. Еще не обдумав, что я ему скажу, я потянулась за телефоном.

— Алло, — сказал он.

— Здравствуй. Я хочу тебя видеть.

— Приезжай, — сказал он. — Но у нас мало времени. Вечером я вылетаю на север. Есть всего часа три.

— Мне хватит, — сказала я.

Такси везло меня медленно, светофоры не переключались целую вечность, и на каждом перекрестке мне казалось, что еще несколько секунд ожидания, и мое сердце выскочит из груди.

Когда я вышла из лифта, он снял с лица повязку и втянул носом воздух.

— Я, наверно, никогда не привыкну к тому, как ты пахнешь. Вроде бы я это помню. И все равно каждый раз оказывается, что в моей памяти хранится совсем другое. Надо будет выдрать у тебя несколько волосков из хвоста.

— Зачем? — спросила я.

— Ну... Буду носить их в медальоне на груди, — сказал он. — Иногда доставать и нюхать. Как средневековый рыцарь.

Я улыбнулась — его представления о средневековых рыцарях были явно почерпнуты из анекдотов. Возможно, что именно поэтому они были довольно похожи на правду. Конечно, рыцари носили в медальонах волосы не из хвоста — кто ж им даст, — но в целом картина была достоверной.

Я заметила возле дивана незнакомый предмет — торшер в виде огромной рюмки от мартини. Это был утыканный лампочками конус, поднятый на высокой тонкой ножке.

— Какая красотища. Откуда это?

— Подарок оленеводов, — сказал он.

— Оленеводов? — удивилась я.

— Точнее, руководства оленеводов. Смешные пацаны из Нью-Йорка. Хороший, да? Как глаз стрекозы.

Мне до такой степени захотелось броситься на него и сжать в объятиях, что я еле удержалась на месте. Я боялась — стоит мне сделать к нему еще шаг, и между нами ударит сноп искр. Видимо, он тоже что-то почувствовал.

— Ты сегодня какая-то странная. Случайно ничего не глотала? Или не нюхала?

— Боишься? — спросила я, глядя на него исподлобья.

— Ха, — сказал он. — Видал я вещи пострашнее.

Я медленно пошла вокруг него. Он ухмыльнулся и двинулся в противоположную сторону по той же окружности, не отводя от меня взгляда — словно мы были парой фехтовальщиков из «Аниматрицы», которую он так любил смотреть, зацепившись за меня своим лохматым серым крюком (вот, кстати, где было настоящее подключение — не то что на экране). Потом мы одновременно остановились. Я шагнула к нему, положила руки на его погоны, притянула к себе и первый раз за время нашей связи поцеловала его в губы   так, как делают люди.

Раньше я никогда так не целовалась. Я имею в виду физически, с помощью рта. Это было странное ощущение — мокрое, теплое, с легким стуком зубов о зубы. Я вложила в свой первый поцелуй всю свою любовь. А в следующую секунду с ним началась трансформация.

Сначала все выглядело в точности как обычно — хвост выдвинулся (даже скорее вывалился) из позвоночника, изогнулся, и между ним и головой Александра натянулась невидимая энергетическая нить. Обычно после этого он за несколько мгновений становился волком. Но сейчас что-то разладилось. Он судорожно дернулся и упал на спину, будто его хвост вдруг стал таким тяжелым, что повалил его. Потом он быстро и страшно задрыгал руками и ногами (так бывает с людьми, получившими черепную травму) и за несколько секунд превратился в черную, совершенно уличную, даже какую-то беспризорно-помоечную — *с о б а к у.*

Да, собаку. Она была размером с овчарку, но явно относилась к дворнягам. Ее неблагородные пропорции выдавали смесь множества разных кровей, а глаза были умными, ясно-злыми и почти человечьими, как у бродячих псов, ночующих у дверей метро вместе с бомжами. И еще эта собака была иссиня-черного, даже фиолетово-черного цвета, точь-в-точь как борода Аслана Удоева.

То ли из-за цвета, то ли из-за острых напряженных ушей, словно ловивших далекий звук, в этом псе чудилась чертовщина: приходили мысли о вороньe над виселицей, о чем-то демоническом... Я понимаю — когда существо вроде меня говорит: «приходили мысли о чем-то демоническом», это звучит странно, но что же делать, если так оно и было. Но самым жутким был то ли примерещившийся, то ли действительно донесшийся сразу со всех сторон стон ужаса — как будто застонала сама земля.

Я так перепугалась, что завизжала. Он отскочил от меня, повернулся к зеркалу, увидел, дернулся и заскулил. Только тут я пришла в себя. К этому моменту я уже понимала — с ним случилось что-то страшное, какая-то катастрофа, и я была тому виной. Катастрофу вызвал мой поцелуй, та электрическая цепь любви, которую я замкнула, впившись своими губами в его рот.

Я присела рядом и обняла его за шею. Но он вырвался, а когда я попыталась его удержать, укусил меня за руку. Не так чтобы очень сильно, но в двух местах показалась кровь. Я ойкнула и отскочила. Он бросился к двери в другую комнату, ударил в нее лапами и исчез за ней.

Весь следующий час он не выходил. Я понимала, что он хочет остаться наедине с собой, и не нарушала его одиночества. Мне было страшно —

я боялась, что вот-вот услышу выстрел (один раз он уже обещал застрелиться по совершенно пустяковому поводу). Но вместо выстрела я услышала музыку. Он поставил «I Follow the Sun». Послушав песню один раз, он завел ее снова. Потом еще раз. Потом еще. Видимо, его душе нужен был кислород.

Я так и осталась сидеть на ковре перед диваном. Как только я немного успокоилась, мне в голову стали приходить объяснения того, что произошло. Первым делом я вспомнила покойного лорда Крикета с его лекцией про змеиную силу, опускающуюся по хвосту. Естественно, услышав слово «сверхоборотень», я сочла все его построения бредом, гирляндой зловонных пузырей в болоте профанического эзотеризма. Но один аспект случившегося придал словам лорда некоторый вес.

Перед превращением Александр упал на пол. Так, будто его дернули за хвост. Или как будто хвост стал невероятно тяжелым. В любом случае, произошло что-то необычное, заставшее его врасплох — и это было связано с его органом внушения. А лорд Крикет говорил, что переход от волка к тому, что он назвал «сверхоборотнем», происходит, когда кундалини спускается к самому концу хвоста. Кроме того...

Это было самое неприятное. Кроме того, он говорил про необходимую для этого «инвольтацию тьмы», духовное воздействие «старшей демонической сущности...»

Little me?[1]

Трудно было в это поверить. С другой стороны,

---

[1] Маленькая я?

в словах покойного лорда вполне мог содержаться случайный осколок истины, подобранный этим Алистером Кроули. Мало ли в мире происходит тайных собраний и мистических ритуалов — не все же, в конце концов, полное шарлатанство. Несомненным было одно — я сыграла в случившемся роковую роль. Видимо, я стала катализатором какой-то неясной алхимической реакции. Как говорил Харуки Мураками, исходящая от женщины сила невелика, но может всколыхнуть сердце мужчины...

Самым страшным было понимание необратимости случившегося — такие вещи оборотень видит безошибочно. Я чувствовала, что Александр никогда не станет таким как прежде. И я не просто строила предположения, я знала это хвостом. Как будто я уронила драгоценную вазу, которая разлетелась на тысячи осколков — и теперь ее было уже не склеить.

Собравшись с духом, я подошла к двери, за которой он исчез, и открыла ее.

Я никогда не входила сюда раньше. За дверью оказалась совсем маленькая комнатка, подобие гардеробной, в которой были столик, кресло и полукругом огибающий стены шкаф. На столе лежал маленький цифровой магнитофон. Он в очередной раз играл песню Shocking Blue, обещая преследовать солнце до самого конца времен.

Александр был неузнаваем. Он успел переодеться — теперь на нем была не форма генерала, а темно-серый пиджак и черная водолазка. Я никогда раньше не видела его в таком наряде. Но самое главное, что-то неуловимое произошло с его лицом — глаза словно стали ближе друг к другу и выцвели. И еще изменилось их выражение — в них появилось отчаяние, уравновешенное яростью: думаю, только я смогла бы разложить на эти составные части его внешне спокойный взгляд. Это был и он, и не он. Мне стало страшно.

— Саша, — позвала я его тихо.

Он поднял на меня глаза.

— Помнишь сказку про Аленький цветочек?

— Помню, — сказала я.

— Я только сейчас понял, в чем ее смысл.

— В чем?

— Любовь не преображает. Она просто срывает маски. Я думал, что я принц. А оказалось... Вот она, моя душа.

Я почувствовала, как на моих глазах выступают слезы.

— Не смей так говорить, — прошептала я. — Это неправда. Ты ничего не понял. Душа здесь совершенно ни при чем. Это... Это как...

— Как вылупиться из яйца, — сказал он грустно. — Назад не влупишься.

Он поразительно точно выразил мои ощущения. Значит, перемена действительно была необратима. Я не знала, что сказать. Мне хотелось провалиться сквозь пол, потом сквозь землю, и так до бесконечности... Но он не считал меня виноватой. Наоборот, он ясно дал понять, что видит причину случившегося в себе. Какое все-таки благородное сердце, подумала я.

Он встал.

— Сейчас я лечу на север, — сказал он и нежно провел пальцами по моей щеке. — Будь что будет. Увидимся через три дня.

*

Он появился через два.

Я не ждала его в то утро, и инстинкт ничего мне не подсказал. Стук в дверь был странным, слабым. Если бы пришла милиция, пожарная инспекция, санэпидстанция, районный архитектор или еще какие-нибудь носители национальной идеи, звук был бы не такой: я знаю, как стучат, когда приходят за деньгами. Я решила, что это старушка-уборщица, которая убирает трибуны. Она иногда просила у меня кипятку. Я два раза дарила ей электрочайник, но она все равно приходила — наверно, от одиночества.

Александр стоял за дверью — мертвенно-бледный, с синими кругами под глазами и длинной царапиной на левой щеке. На нем был мятый летний плащ. От него пахло алкоголем — не перегаром, а, словно из водочной бутылки, свежим спиртом. Такого я за ним раньше не замечала.

— Как ты меня нашел? — спросила я.

Вопрос глупее трудно было придумать. Он даже не стал отвечать.

— Нет времени. Ты можешь меня спрятать?

— Конечно, — сказала я. — Заходи.

— Это место не подходит. Про него наши знают. Еще что-нибудь есть?

— Ну есть. Заходи, обсудим.

Он отрицательно покачал головой.

— Идем прямо сейчас. Через пять минут будет поздно.

Я поняла, что дело серьезное.

— Хорошо, — сказала я. — Мы сюда вернемся?

— Вряд ли.

— Тогда я возьму сумку. И велосипед. Зайдешь?

— Я подожду здесь.

Через несколько минут мы уже шли по лесной тропинке прочь от конно-спортивного комплекса. Я вела за руль велосипед; на моем плече висела тяжеленная сумка, но Александр не делал ни малейшей попытки помочь мне. Это было не очень на него похоже — но я чувствовала, что он еле идет.

— Долго еще? — спросил он.

— С полчаса, если не спеша.

— А что за место?

— Увидишь.

— Надежное?

— Надежней не бывает.

Я вела его в свое личное бомбоубежище.

Часто бывает, что приготовления, сделанные на случай войны, оказываются востребованы другой эпохой и по другому поводу. В восьмидесятые годы многие ожидали, что холодная война кончится горячей — на близость такого поворота событий указывало как минимум два предзнаменования:

1) на прилавках магазинов появилась тушенка из сталинских стратегических запасов, сделанных на случай третьей мировой (эти консервы легко было узнать по отсутствию маркировки на банке, особому желтоватому отливу металла, густому слою вазелина и совершенно безвкусному, даже почти бесцветному содержимому),

2) американского президента звали Ronald Wilson Reagan. Каждое слово его имени содержало шесть букв, давая апокалипсическое число зверя — «666», о чем часто писал с тревогой журнал «Коммунист». Вдобавок фамилия «Reagan» произносилась точно так же, как «ray gun», лучевая пушка — последнее я заметила сама.

Как стало ясно через несколько лет, все эти зна-
мения предвещали не войну, а закат СССР: *upper rat*
обосрался, чем и выполнил первую часть своей великой геополитической миссии. Но в ту пору война
казалась вполне вероятной, и я подумывала, что я
буду делать, когда она начнется.

Эти мысли привели меня к простому решению.
Уже тогда я жила рядом с Битцевским парком и
часто находила в его изрезанных оврагами глубинах
таинственные бетонные трубы, колодцы и комму-
никации. Эти подземные недостройки относились
к разным советским эпохам, что было видно по
сортам бетона. Одни были элементами дренажной
системы, другие имели какое-то отношение к под-
земным теплотрассам и кабелям, третьи вообще не
поддавались идентификации, но напоминали что-
то военное.

Большая их часть была на виду. Но одна такая
нора оказалась подходящей. Она располагалась в
непролазных зарослях, слишком далеко от жилья,
чтобы там собиралась пьющая молодежь или па-
рочки. Туда не вели лесные тропинки, и случайно-
му прохожему было трудно оказаться в этом месте
во время прогулки. Выглядело оно так: в узком овраге из земляной стены выходила бетонная труба
диаметром примерно в метр. В нескольких шагах
напротив ее края начинался противоположный
склон оврага, поэтому заметить трубу сверху было
сложно. Под землей она разветвлялась на две небольшие комнатки. В одной из них на стене оказалась распределительная коробка и даже патрон под
лампочку, висящий на вбитом в бетон костыле —
видимо, здесь проходил подземный электрический
кабель.

Когда я обнаружила это место, внутри не было следов жизни, только остатки строительного мусора и резиновый сапог с рваным голенищем. Постепенно я натаскала туда консервов, банок с медом, вьетнамских бамбуковых циновок и одеял. Но вместо войны началась перестройка, и необходимость в бомбоубежище отпала. Время от времени я все же инспектировала это место, которое называла про себя «бункером».

Все запасы, конечно, сгнили, но сама точка осталась незасвеченной: за все демократическое время туда только раз попробовал вселиться бомж (который, видимо, приполз в делириуме по дну оврага, а затем забрался в трубу). Мне пришлось провести жесткий сеанс внушения — боюсь, что бедняга забыл не только об этом овраге, но и о многом другом. После этого я вывесила на входе защитный талисман, чего обычно избегаю, поскольку расплатой за магию, меняющую естественный ход вещей, рано или поздно становится смерть. Но здесь вмешательство было минимальным.

Когда Александр попросил спрятать его, я сразу поняла, что лучше места не придумать. Но добраться туда оказалось непросто — он шел все медленнее, часто останавливаясь, чтобы перевести дыхание.

Наконец мы дошли до оврага. Его скрывали разросшиеся кусты орешника и какие-то растения семейства зонтичных, название которых я постоянно забывала — они всегда вырастали здесь до чудовищных размеров, почти как деревья, и я опасалась, что это из-за радиации или химического заражения. Александр кое-как спустился в овраг, согнулся и влез в трубу.

— Направо, налево?

— Налево, — сказала я. — Сейчас свет включу.

— Ого, тут даже свет есть. Ну и малина, — пробормотал он.

Через минуту я помогла ему снять плащ и уложила на циновки. Только тут я заметила, что его серый пиджак весь пропитан кровью.

— Там пули, — сказал он. — Две или три. Сможешь вынуть?

Я успела кинуть в сумку свой «leatherman». Некоторый медицинский опыт у меня имелся — правда, последний раз я занималась этим очень давно и вынимала из мужского тела не пули, а наконечники стрел. Но разница была непринципиальной.

— Хорошо, — сказала я. — Только не визжи.

За все время процедуры — а она оказалась довольно долгой — он не издал ни звука. После одного особенно неловкого поворота моего инструмента его молчание стало таким гнетущим, что я испугалась, не умер ли он. Но он протянул руку к бутылке с остатками водки и сделал глоток. Наконец, все было кончено. Здорово искромсав его, я вынула все три серебряных комка — в двух остались впечатавшиеся черные шерстинки, и я поняла, что в него стреляли, когда он был... Я не знала, как называть его новый облик — слово «собака» казалось мне обидным.

— Готово, — сказала я. — Теперь надо перевязать чем-нибудь стерильным. Ты полежи здесь, а я схожу в аптеку. Тебе чего-нибудь купить?

— Да. Купи цепь и ошейник.

— Что?

— Да ничего, — сказал он и попытался улыбнуться. — Шучу. Насчет лекарств не волнуйся, заживет, как на собаке. Купи несколько бритв и флакон пены. И воды минеральной. У тебя деньги есть?

— Есть. Не волнуйся.

— И к себе не ходи. Ни в коем случае. Там наверняка уже ждут.

— Это я и без тебя понимаю, — сказала я. — Слушай... Вспомнила. У Михалыча такой прибор есть, который местоположение определяет. По датчику. Вдруг у меня где-нибудь среди вещей такой датчик остался?

— Не бойся. Он тебя на понт брал. Нет у нас никаких датчиков. Тебя через уборщицу пробили, которая к тебе за кипятком ходит. Она у нас с восемьдесят пятого года работает.

Век живи, век учись.

Когда через несколько часов я вернулась с двумя пакетами покупок, он спал. Я села рядом и долго смотрела на его лицо. Оно было спокойным, как у ребенка. А на полу стоял стакан, в котором лежали три окровавленных серебряных бутона. Оборотня убить трудно. Вот Михалыч — сколько ни лупи его по голове, только веселее становится. Шампанское, говорит, в голову ударило... Остряк. Тут, правда, не шампанское, а пули — но все равно моего Сашеньку таким пустяком не возьмешь.

Как помогает нашему коммьюнити этот миф о том, что оборотня может убить только серебряная пуля!

1) Раны никогда не гноятся, и не нужна дезинфекция — серебро природный антисептик.

2) нам достается меньше пуль — люди экономят

дорогой металл и часто выходят на охоту с одним-единственным патроном, полагая, что любое попадание будет смертельно.

Но в реальной жизни выстрел гораздо чаще оказывается смертельным для охотника. Если бы люди пораскинули мозгами, они бы, конечно, догадались, кто распускает эти слухи насчет серебряных пуль. Но люди думают хоть и много, но неправильно, и совсем не о том, о чем надо.

В пакетах, которые я принесла, были продукты и кое-какая хозяйственная мелочь. Когда я спустилась в овраг и поволокла их по темной бетонной трубе, я вдруг подумала, что ничем, в сущности, не отличаюсь теперь от тысяч замужних русских девочек, на хрупкие плечи которых свалилось ведение домашнего хозяйства. Все случилось так неожиданно и было настолько непохоже на те роли, которые мне приходилось играть в жизни раньше, что я даже не могла понять, нравится мне это или нет.

*

Про оборотней принято думать, что духовные проблемы их не волнуют. Мол, обернулся лисой или волком, завыл на луну, порвал кому-нибудь горло, и все великие жизненные вопросы уже решены, и сразу ясно — кто ты, зачем ты в этом мире, откуда сюда пришел и куда идешь... А это совсем не так. Загадки существования мучают нас куда сильнее, чем современного *человека рыночного*. Но кинематограф все равно изображает нас самодовольными приземленными обжорами, неотличимыми друг от друга ничтожествами, убогими и жестокими потребителями чужой крови.

Впрочем, я не думаю, что дело в сознательной попытке людей нанести нам оскорбление. Скорее это просто следствие их ограниченности. Они лепят нас по своему подобию, потому что им некого больше взять за образец.

Даже то немногое, что люди про нас знают, обычно донельзя извращено и опошлено. Например, про лис-оборотней ходят слухи, будто они живут в человеческих могилах. Слыша такое, люди представляют себе кости, зловоние, разложившиеся трупы. И думают — какие, должно быть, мерзкие твари эти лисы, если живут в таком месте... Что-то вроде больших могильных червей.

Это, конечно, заблуждение. Дело в том, что древняя могила была сложным сооружением из нескольких сухих и просторных комнат, солнечный свет в которые попадал через систему бронзовых зеркал (было не очень светло, но для занятий хватало). Такая могила, расположенная вдали от людских жилищ, идеально подходила в качестве дома для существа, равнодушного к мирской суете и склонного к уединенным размышлениям. Сейчас подходящих могил практически не осталось: распаханы плугами, рассечены каналами и дорогами. А в современных загробных коммуналках и самим покойникам тесно.

Но ностальгия до сих пор гонит меня иногда на Востряковское кладбище — просто походить по аллеям, подумать о вечном. Смотришь на кресты и звезды, читаешь фамилии, глядишь на лица с выцветших фотографий и думаешь: сколько понял о жизни Койфер... А сколько Солонян... А сколько поняла о ней чета Ягупольских... Все поняли, кроме самого главного.

И как их, бедных, жаль — ведь главное было так невыразимо близко.

До приезда в Россию я несколько сотен лет прожила в ханьской могиле недалеко от места, где стоял когда-то город Лоян. В могилке было две просторных камеры, в которых сохранились красивые халаты и рубахи, гусли-юй и флейта, масса всякой посуды — в общем, все нужное для хозяйства и скромной жизни. А приближаться к могиле люди боялись, поскольку шел слух, что там живет лютая нечисть. Это было, если отбросить излишнюю эмоциональность оценки, сущей правдой.

В те дни я интенсивно занималась духовными упражнениями и вела общение с несколькими учеными людьми из окрестных деревень (китайские студенты со своими книгами обычно жили в сельской местности, экзамены ездили сдавать в город, а потом, отслужив свой срок чиновником, возвращались в семейный дом). Некоторые из них знали, кто я такая, и докучали мне расспросами о древних временах — правильно ли составлены летописи, нет ли ошибок в хронологии, кто организовал дворцовый переворот три века назад и так далее. Приходилось напрягать память и отвечать, потому что в обмен ученые мужи давали мне старинные тексты, с которыми мне иногда надо было свериться.

Другие, посмелее духом, приходили ко мне в гости поразвратничать среди древних гробов. Китайские художники и поэты ценили уединение с лисой, особенно по пьяной лавочке. А утром любили проснуться в траве у замшелого могильного камня, вскочить и, крича от ужаса, бежать к ближайшему храму с распущенными на ветру волосами. Это было очень красиво — смотришь из-за дерева, смеешься в рукав... А через пару дней приходили опять. Какие тогда жили возвышенные, благородные, тонкие люди! Я и денег с них часто не брала.

Эти идиллические времена пролетели быстро, и от них у меня остались самые хорошие воспоминания. Куда бы меня потом ни бросала жизнь, я всегда слегка тосковала по своей уютной могилке. Поэтому для меня было радостно переселиться в этот лесной уголок. Мне казалось, что вернулись старые дни. Двойная пора, где мы жили, даже планировкой напоминала мое древнее прибежище — правда, комнаты были поменьше, и теперь мои дни проходили не в одиночестве, а с Александром.

Александр освоился на новом месте быстро. Его раны зажили — оказалось достаточно обернуться собакой на ночь. Утром он так и остался ею — отправился на прогулку по оврагу. Я была рада, что он не стесняется этого тела — оно его, похоже, даже развлекало, как новая игрушка. Нравилась ему, видимо, не сама эта форма, а ее устойчивое постоянство: волком он мог быть только короткий промежуток времени, а собакой — сколько угодно.

Больше того, эта черная собака даже могла кое-как говорить — правда, она выговаривала слова очень смешно, и сначала я хохотала до слез. Но Александр не обижался, и вскоре я привыкла. В первые дни он много бегал по лесу — знакомился с окрестностями. Я опасалась, что из-за своих амбиций он может пометить слишком большой кусок леса, но побоялась оскорбить его самолюбие, сказав ему об этом. Да и постоять за себя в случае чего мы могли. «Мы»... Я никак не могла привыкнуть к этому местоимению.

Наверно, потому, что наше жилье напоминало о месте, где я столько лет совершенствовала свой дух, мне захотелось объяснить Александру главное из понятого мною в жизни. Мне следовало хотя бы попробовать — иначе чего стоила моя любовь? Разве я могла бросить его одного в ледяном гламуре этого развивающегося ада, который начинался сразу за кромкой леса? Мне следовало протянуть ему хвост и руку, потому что, кроме меня, этого не сделал бы никто.

Я решила открыть ему сокровенную суть. Для этого требовалось, чтобы он усвоил несколько новых для себя идей — и по ним, как по ступеням, поднялся к высшему. Но разъяснить даже эти начальные истины было трудно.

Дело в том, что слова, которые выражают истину, всем известны — а если нет, их несложно за пять минут найти через Google. Истина же не известна почти никому. Это как картинка «magic eye» — хаотическое переплетение цветных линий и пятен, которое может превратиться в объемное изображение при правильной фокусировке взгляда. Вроде бы все просто, но сфокусировать глаза вместо смотрящего не может даже самый большой его доброжелатель. Истина — как раз такая картинка. Она перед глазами у всех, даже у бесхвостых обезьян. Но очень мало кто ее видит. Зато многие думают, что понимают ее. Это, конечно, чушь — в истине, как и в любви, нечего понимать. А принимают за нее обычно какую-нибудь умственную ветошь.

Однажды я обратила внимание на крохотный

серый мешочек, висевший у Александра на груди
на такой же серой нитке. Я догадалась, что цвет
был подобран в тон волчьей шерсти — чтобы мешочек не был виден, когда он превращался в волка.
Но теперь, на черном, он был заметен. Я решила
спросить его об этом вечером, когда он будет в бла-
годушном настроении.

Он имел привычку выкуривать перед сном во-
нючую кубинскую сигару, Montecristo III или
Cohiba Siglo IV, я знала названия, потому что бегать
за ними приходилось мне. Это было лучшее время
для разговора. Если кто не знает, курение приводит
к мозговому выбросу допамина — вещества, которое отвечает за ощущение благополучия: куриль-
щик берет это благополучие в долг у своего будущего и превращает его в проблемы со здоровьем. Вечером мы устроились на пороге нашего жилища, и
он закурил (дымить внутри я ему не разрешала).
Дождавшись, когда сигара сгорит наполовину, я
спросила:

— Слушай, а что у тебя в этом мешочке на
груди?

— Крест, — сказал он.

— Крест? Ты носишь крест?

Он кивнул.

— А зачем ты его прячешь? Ведь теперь можно.

— Можно-то можно, — сказал он. — Только он
мне грудь прожигает, когда превращаюсь.

— Больно?

— Не то чтобы больно. Просто каждый раз пале-
ной шерстью пахнет.

— Хочешь, я тебя мантрочке одной научу, —
сказала я. — Тогда никакой крест тебе ничего больше прожигать не будет.

— Ну вот еще. Стану я твои бесовские мантрочки читать, чтобы крест мне грудь не жег. Ты чего, не понимаешь, какой это грех будет?

Я поглядела на него с недоверием.

— Погоди-ка. Ты, может быть, и верующий?

— А то, — сказал он. — Конечно, верующий.

— В смысле православного культурного наследия? Или всерьез?

— Не понимаю такого противопоставления. Это ведь про нас в Священном Писании сказано «Веруют и трепещут». Вот и я — верую и трепещу.

— Но ведь ты оборотень, Саша. Значит, по всем православным понятиям, тебе дорога одна — в ад. Зачем, интересно, ты себе такую веру выбрал, по которой тебе в ад идти надо?

— Веру не выбирают, — сказал он угрюмо. — Как и родину.

— Но ведь религия нужна, чтобы дать надежду на спасение. На что же ты надеешься?

— Что Бог простит мне темные дела.

— И какие же у тебя темные дела?

— Известно какие. Образ Божий потерял. И ты вот...

Я чуть не задохнулась от негодования.

— Значит, ты считаешь меня не самым светлым и чистым, что есть в твоей волчьей жизни, а, наоборот, темным делом, которое тебе искупать придется? Это меня? Тебе, волчина позорный?

Он пожал плечами.

— Я тебя люблю, ты знаешь. Дело не в тебе лично. Просто живем мы с тобой, того...

— Что — того?

Он выпустил клуб дыма.

— Во грехе...

Мой гнев моментально угас. Вместо этого мне стало так весело, как давно уже не было.

— Так, интересно, — сказала я, чувствуя, как по горлу поднимаются пузырьки смеха. — Я, значит, твой грех, да?

— Не ты, — сказал он тихо, — а это...

— Что?

— Хвостоблудие, — сказал он совсем тихо и опустил глаза.

Я укусила себя за губу. Я знала, что смеяться ни в коем случае нельзя — он делился со мной самым сокровенным. И я не засмеялась. Но усилие было таким, что из-за него на моем хвосте вполне мог появиться новый серебряный волосок. Он, значит, и термин придумал.

— Только не обижайся, — сказал он. — Я тебе честно все говорю, как чувствую. Хочешь, я врать буду. Только тогда ведь смысла не будет друг с другом говорить.

— Да, — сказала я, — ты прав. Просто все это как-то неожиданно.

Несколько минут мы молчали, глядя, как покачиваются под ветром верхушки разросшихся зонтиков.

— И давно ты это... веруешь? — спросила я.

— Уже лет пять как.

— А я, если честно, думала, ты больше по нордическому пантеону. Фафнир там, Нагльфар. Фенрир, Локи. Сны Бальдра...

— Это все тоже, — смущенно улыбнулся он. —

Только это внешнее, шелуха. Как бы обрамление, эстетика. Ну, знаешь, как сфинксы на берегу Невы.

— И как же ты дошел до такой жизни?

— Я в юности Кастанедой увлекался. А потом прочел у него в одной из книг, что осознание является пищей Орла. Орел — это какое-то мрачное подобие Бога, так я понял. Я вообще-то не трус. Но от этого мне страшно стало... В общем, пришел к православию. Несмотря на определенную двусмысленность ситуации. Я ведь тогда уже волком был, три года как приняли в стаю. Тогда у нас стая еще была, полковник Лебеденко жив был...

Он махнул рукой.

— Осознание является пищей Орла? — переспросила я.

— Да, — сказал Александр. — В это верили маги древнего Юкатана.

Все-таки какой еще мальчишка, подумала я с нежностью.

— Глупый. Это не осознание является пищей Орла. Это Орел является пищей осознания.

— Какой именно Орел?

— Да любой. И маги древнего Юкатана тоже, вместе со всем своим бизнесом — семинарами, workshop'ами, видеокассетами и пожилыми мужественными нагвалями. Все без исключения является пищей осознания. В том числе я и ты.

— Это как? — спросил он.

Я взяла у него сигару и выпустила облако дыма.

— Видишь?

Он проследил взглядом за его эволюцией.

— Вижу, — сказал он.

— Осознаешь?

— Осознаю.

— Оборотень — как это облако. Живет, меняет форму, цвет, объем. Потом исчезает. Но когда дым рассеивается, с осознанием ничего не происходит. В нем просто появляется что-то другое.

— А куда осознание идет после смерти?

— Ему нет надобности куда-то идти, — сказала я. — Вот ты разве идешь куда-то? Сидишь, куришь. Так и оно.

— А как же рай и ад?

— Это кольца дыма. Осознание никуда не ходит. Наоборот, все, что куда-то идет, сразу становится его пищей. Вот как этот дым. Или как твои мысли.

— А чье это осознание? — спросил он.

— И это тоже является пищей осознания.

— Нет, ты вопрос не поняла. Чье оно?

— И это тоже, — терпеливо сказала я.

— Но ведь должен...

— И это, — перебила я.

— Так кто...

Тут до него, наконец, дошло — он взялся за подбородок и замолчал.

Все-таки объяснять такие вещи в отвлеченных терминах трудно. Запутаешься в словах: «В восприятии нет ни субъекта, ни объекта, а только чистое переживание трансцендентной природы, и таким переживанием является все — и физические объекты, и ментальные конструкты, к числу которых относятся идеи воспринимаемого объекта и воспринимающего субъекта...» Уже после третьего слова непонятно, о чем речь. А на примере просто — пыхнул пару раз дымом, и все. Он вот понял. Или почти понял.

— Что же это все, по-твоему, вокруг? — спросил он, забирая у меня сигару. — Как в «Матрице»?

— Почти, но не совсем.

— А в чем разница?

— В «Матрице» есть объективная реальность — загородный амбар с телами людей, которым все это снится. Иначе портфельные инвесторы не дали бы денег на фильм, они за этим следят строго. А на самом деле все как в «Матрице», только без этого амбара.

— Это как?

— Сон есть, а тех, кому он снится — нет. То есть они тоже элемент сна. Некоторые говорят, что сон снится сам себе. Но в строгом смысле «себя» там нет.

— Не понимаю.

— В «Матрице» все были подключены через провода к чему-то реальному. А на самом деле все как бы подключены через GPRS, только то, к чему они подключены, — такой же глюк, как и они сами. Глюк длится только до тех пор, пока продолжается подключение. Но когда оно кончается, не остается никакого hardware, которое могли бы описать судебные исполнители. И никакого трупа, чтобы его похоронить.

— Вот тут ты не права. Это как раз бывает сплошь и рядом, — сказал он убежденно.

— Знаешь, как сказано — пусть виртуальные хоронят своих виртуалов. Погребающие и погребаемые реальны только друг относительно друга.

— Как такое может быть?

Я пожала плечами.

— Погляди вокруг.

Он некоторое время молчал, размышляя. Потом хмуро кивнул.

— Жаль, не было тебя рядом, чтобы объяснить. А теперь уж чего... Жизнь сделана.

— Да, попал ты, бедолага, — вздохнула я. — Двигай теперь точку сборки в позицию стяжания Святаго Духа.

— Смеешься? — спросил он. — Смейся, рыжая, смейся. Глупо, я не спорю. А ты сама в Бога веришь?

Я даже растерялась.

— Веришь? — повторил он.

— Лисы уважают религию Адонаи, — ответила я дипломатично.

— Уважают — это не то. Ты можешь сказать, веришь ты или нет?

— У лис своя вера.

— И во что они верят?

— В сверхоборотня.

— Про которого лорд Крикет говорил?

— Лорд Крикет только звон слышал. И то недолго. Он о сверхоборотне не имел никакого понятия.

— А кто это — сверхоборотень?

— Существует несколько уровней понимания. На самом примитивном это мессия, который придет и объяснит оборотням самое главное. Такая интерпретация навеяна человеческой религией, и главный профанический символ, который ей соответствует, тоже взят у людей.

— А что это за главный профанический символ?

— Перевернутая пятиконечная звезда. Люди ее неправильно понимают. Вписывают в нее козлиную голову, так что сверху получаются рога. Им лишь бы черта во всем увидеть, кроме зеркала и телевизора.

— А что эта звезда значит на самом деле?

— Это лисье распятие. Типа как андреевский крест с перекладиной для хвоста. Распинать, конечно, мы никого не собираемся, не люди. Здесь имеется в виду символическое искупление лисьих грехов, главный из которых — неведение.

— И как сверхоборотень искупит лисьи грехи?

— Он передаст лисам Священную Книгу Оборотня.

— Что это за книга?

— Как считается, в ней будет раскрыта главная тайна оборотней. Каждый оборотень, который ее прочитает, сумеет пять раз понять эту тайну.

— А как эта книга будет называться?

— Я не знаю. И никто не знает. Говорят, что ее названием будет магическое заклинание-пентаграмматон, уничтожающее все препятствия. Но это просто легенды. У понятия «сверхоборотень» есть истинный смысл, который не имеет никакого отношения ко всем этим байкам.

Я ждала вопроса об этом истинном смысле, но он спросил о другом:

— Как так — сумеет понять тайну пять раз? Если ты что-то понял, зачем тебе понимать это еще четыре раза? Ведь ты уже в курсе.

— Совсем наоборот. В большинстве случаев, если ты что-то понял, ты уже никогда не сумеешь понять этого снова, именно потому, что ты все как бы уже знаешь. А в истине нет ничего такого, что можно понять раз и навсегда. Поскольку мы видим ее не глазами, а умом, мы говорим «я понимаю». Но когда мы думаем, что мы ее поняли, мы ее уже потеряли. Чтобы обладать истиной, надо ее постоянно видеть — или, другими словами, понимать вновь и вновь, секунда за секундой, непрерывно. Очень мало кто на это способен.

— Да, — сказал он, — понимаю.

— Но это не значит, что ты будешь понимать это через два дня. У тебя останутся мертвые корки слов, а ты будешь думать, что в них по-прежнему что-то завернуто. Так считают все люди. Они всерьез верят, что у них есть духовные сокровища и священные тексты.

— Что же, по-твоему, слова не могут отражать истину?

Я отрицательно покачала головой.

— Дважды два четыре, — сказал он. — Это ведь истина?

— Не обязательно.

— Почему?

— Ну вот, например, у тебя два яйца и две ноздри. Дважды два. А четырех я здесь не вижу.

— А если сложить?

— А как ты собираешься складывать ноздри с яйцами? Оставь это людям.

Он задумался. Потом спросил:

— А когда должен прийти сверхоборотень?

— Сверхоборотень приходит каждый раз, когда ты видишь истину.

— А что есть истина?

Я промолчала.

— Что? — повторил он.

Я молчала.

— А?

Я закатила глаза. Мне ужасно идет эта гримаска.

— Я тебя спрашиваю, рыжая.

— Неужели не понятно? Молчание и есть ответ.

— А словами можно? Чтоб понятно было?

— Там нечего понимать, — ответила я. — Когда тебе задают вопрос «что есть истина?», ты можешь только одним способом ответить на него так, чтобы не солгать. Внутри себя ты должен увидеть истину. А внешне ты должен сохранять молчание.

— А ты видишь внутри себя эту истину? — спросил он.

Я промолчала.

— Хорошо, спрошу по-другому. Когда ты видишь внутри себя истину, что именно ты видишь?

— Ничего, — сказала я.

— Ничего? И это истина?

Я промолчала.

— Если там ничего нет, почему мы тогда вообще говорим про истину?

— Ты путаешь причину и следствие. Мы говорим про истину не потому, что там что-то есть. Наоборот — мы думаем, что там должно что-то быть, поскольку существует слово «истина».

— Вот именно. Ведь слово существует. Почему?

— Да потому. Распутать все катушки со словами не хватит вечности. Вопросов и ответов можно придумать бесконечно много — слова можно приставлять друг к другу так и сяк, и каждый раз к ним будет прилипать какой-то смысл. Толку-то. Вот у воробья вообще ни к кому нет вопросов. Но я не думаю, что он дальше от истины, чем Лакан или Фуко.

Я подумала, что он может не знать, кто такие Лакан и Фуко. Хотя у них вроде был этот курс контрпромывания мозгов... Но все равно, говорить следовало проще.

— Короче, именно из-за слов люди и оказались в полной жопе. А вместе с ними мы, оборотни. Потому что хоть мы и оборотни, говорим-то мы на их языке.

— Но ведь есть причина, по которой слова существуют, — сказал он. — Если люди оказались в полной жопе, надо ведь понять почему.

— Находясь в жопе, ты можешь сделать две вещи. Во-первых — постараться понять, почему ты в ней находишься. Во-вторых — вылезти оттуда. Ошибка отдельных людей и целых народов в том, что они думают, будто эти два действия как-то связаны между собой. А это не так. И вылезти из жопы гораздо проще, чем понять, почему ты в ней находишься.

— Почему?

— Вылезти из жопы надо всего один раз, и после этого про нее можно забыть. А чтобы понять, почему ты в ней находишься, нужна вся жизнь. Которую ты в ней и проведешь.

Некоторое время мы молчали, глядя в темноту. Потом он спросил:

— И все-таки. Зачем людям язык, если из-за него одни беды?

— Во-первых, чтобы врать. Во-вторых, чтобы ранить друг друга шипами ядовитых слов. В-третьих, чтобы рассуждать о том, чего нет.

— А о том, что есть?

Я подняла палец.

— Чего? — спросил он. — Чего ты мне фингер делаешь?

— Это не фингер. Это палец. О том, что есть, рассуждать не надо. Оно и так перед глазами. На него достаточно просто указать пальцем.

Больше в тот вечер мы не говорили, но я знала, что первые семена упали в почву. Оставалось ждать следующего случая.

*

Если наш способ заниматься любовью кажется кому-то извращенным («хвостоблудие», сказал же, а? захочешь — не забудешь), то я советую внимательнее приглядеться к тому, что делают друг с другом люди. Сначала они моют свои тела, удаляют с них волоски, опрыскивают себя жидкостями, уничтожающими их естественный запах (помню, это особенно возмущало графа Толстого) — и все для того, чтобы ненадолго стать fuckable[1]. А после акта любви вновь погружаются в унизительные подробности личной гигиены.

Мало того, люди стыдятся своих тел или недовольны ими: мужчины качают бицепсы, женщины изо всех сил худеют и ставят себе силиконовые протезы. Пластические хирурги даже придумали болезнь: «микромастия», это когда груди меньше двух арбузов. А мужчинам стали удлинять половой член и продавать специальные таблетки, чтобы он потом работал. Без рынка болезней не было бы и рынка лекарств — это та самая тайна Гиппократа, которую клянутся не выдавать врачи.

Человеческое любовное влечение — крайне нестойкое чувство. Его может убить глупая фраза,

---

[1] Способными вызвать симпатию.

дурной запах, неверно наложенный макияж, случайная судорога кишечника, что угодно. Причем
произойти это может мгновенно, и ни у кого из людей нет над этим власти. Больше того, как и во всем
человеческом, в этом влечении скрыт бездонный
абсурд, трагикомическая пропасть, которую ум
преодолевает с такой легкостью лишь потому, что
не знает о ее существовании.

Эту пропасть лучше всего на моей памяти опи-
сал один красный командир осенью 1919 года —
после того, как я угостила его грибами-хохотушка-
ми, которые нарвала прямо возле колес его броне-
поезда. Он выразился так: «Чего-то я перестал понимать, почему это из-за того, что мне нравится
красивое и одухотворенное лицо девушки, я должен е...ть ее мокрую волосатую п...у!» Сказано грубо и по-мужицки, но суть схвачена точно. Кстати,
перед тем как навсегда убежать в поле, он высказал
еще одну интересную мысль: «Если вдуматься, женская привлекательность зависит не столько от при-
чески или освещения, сколько от моих яиц».

Но люди все равно занимаются сексом — правда, в последние годы в основном через резиновый
мешочек, чтобы ничего не нарушало их одиночества. Этот и без того сомнительный спорт стал похож
на скоростной спуск: риск для жизни примерно такой же, только следить надо не за поворотами трас-
сы, а за тем, чтобы не соскочил лыжный костюм.
Человек, который предается этому занятию, смешон мне в качестве моралиста, и не ему судить, где
извращение, а где нет.

Влечение оборотней друг к другу не так зависит
от переменчивой внешней привлекательности. Но

и она, конечно, играет роль. Я догадывалась, что случившееся с Александром скажется на наших интимных отношениях. Но я не думала, что травма будет такой глубокой. Александр был по-прежнему нежен со мной, но только до определенной границы: там, где эта нежность раньше перетекала в близость, теперь словно протянули колючую проволоку. Видимо, он думал, что в своем новом облике уже не представляет для меня интереса. Отчасти он был прав — я не могла сказать, что эта черная собачка вызывает во мне те же чувства, что и могучий северный волк, от одного вида которого у меня перехватывало дыхание. Собачка была очень милой, да. Но не более. Она могла рассчитывать на мою симпатию. Но не на страсть.

Только это не играло никакой роли. Мы отказались от вульгарного секса по-человечьи еще тогда, когда поняли, как далеко в сказку нас могут унести переплетенные хвосты. Поэтому его метаморфоза была не более серьезным препятствием для нашей страсти, чем, допустим, черное нижнее белье, которое он стал бы надевать вместо серого. Но он, кажется, не понимал этого, думая, что я отождествляю его с физическим вместилищем. Или, может быть, шок от случившегося и иррациональное чувство вины были в нем так сильны, что он просто запретил себе думать о наслаждении — ведь мужчины, с хвостом и без, психологически куда уязвимее нас, несмотря на всю свою внешнюю брутальность.

Я не проявляла инициативы. Но не потому, что он стал мне неприятен. Принято, чтобы первый шаг делал мужчина, и я инстинктивно следовала этому правилу. Возможно, думала я, у него мрачное настроение, и ему нужно время прийти в себя. Но по одному заданному мне вопросу я догадалась наконец о его проблемах.

— Ты тут рассказывала про философа Беркли, — сказал он как-то. — Который считал, что все существует исключительно в качестве восприятия.

— Было такое, — согласилась я.

Я действительно пыталась объяснить ему это и, кажется, добилась некоторого успеха.

— Выходит секс и мастурбация — одно и то же? Я оторопела.

— Почему?

— Раз все существует только в качестве восприятия, значит, заниматься любовью с настоящей девушкой — это то же самое, что воображать себе эту девушку.

— Не совсем. Беркли говорил, что объекты существуют в восприятии Бога. Мысль о красивой девушке — это просто твоя мысль. А красивая девушка — это мысль Бога.

— И то и другое — мысли. Почему заниматься любовью с мыслью Бога — хорошо, а со своей собственной мыслью — плохо?

— А это уже категорический императив Канта.

— Я смотрю, у тебя все схвачено, — пробормотал он недовольно и пошел в лес.

После этого разговора я поняла, что надо срочно прийти ему на помощь. Следовало сделать это, не задев его самолюбия.

Когда он вернулся с прогулки по лесу и лег на циновку в углу моей комнатки, я сказала:

— Слушай, я тут диски перебирала, которые с

собой успела взять. Оказывается, у нас кино есть, которого ты не видел.

— А на чем мы его будем смотреть? — спросил он.

— На моем ноутбуке. Экран маленький, зато качество хорошее. Сядем поближе.

Он некоторое время молчал. Потом спросил:

— А какое кино?

— «Любовное настроение», Вонг Карвай. Стилизация под Гонконг шестидесятых.

— И про что там?

— Прямо про нас, — сказала я. — Там двое живут в соседних комнатах. И постепенно проникаются нежностью друг к другу.

— Шутишь?

Я взяла коробку от DVD и прочла вслух короткую аннотацию:

«Су и Чоу снимают в доме соседние комнаты. Их супруги все время в отъезде. Чоу узнает сумочку Су, подаренную ей мужем. У его жены такая же. А Су узнает галстук Чоу, подаренный ему женой. У ее мужа такой же. Без слов понятно, что их супруги изменяют им друг с другом. Что делать? Может быть, просто погрузиться в сладкую музыку любовного настроения?»

— Я что-то ничего не понял, — сказал он. — Ну ладно, давай погрузимся...

Я поставила ноутбук на пол и вставила диск в дисковод.

Первые минут двадцать или около того он молча смотрел фильм, не проявляя никакой реакции. Я знала это кино наизусть, поэтому смотрела не столько на экран, сколько — краем глаза — на него. Он выглядел расслабленным и спокойным. Улучив минуту, я подвинулась к нему поближе, запустила лапу ему в шерсть и повернула его на бок, так, чтобы он лег хвостом ко мне. Не отрываясь от экрана, он тихо зарычал, но не сказал ничего.

Ничего себе фразочка — «тихо зарычал, но не сказал ничего». Но так и было. Стараясь не спугнуть его, я спустила джинсы, высвободила хвост, и...

Ах, какой это был вечер! Мы никогда не ныряли в бездну так глубоко. Раньше во время любовной галлюцинации я сохраняла память о том, где я и что происходит. А сейчас переживания были такими, что в некоторые моменты я совершенно переставала понимать, кто я на самом деле — гонконгская женщина с русским именем Су или русская лиса с китайским именем А Хули. Несколько раз я испытала самый настоящий ужас, как если бы купила билет на слишком крутые американские горки.

Причина была в Александре — теперь от него исходила такая мощная гипнотическая волна, что противостоять ей я не могла. Хоть ненадолго, но я становилась жертвой наваждения сама и проваливалась в иллюзию без остатка. Один раз он легонько куснул меня за мочку уха и сказал:

— Не кричи.

Я и не заметила, что кричала... Словом, это был полный улет. Теперь я понимала, что переживают наши клиенты каждый раз, когда мы пускаем хвост в дело. Действительно, у людей имелись причины относиться к нам настороженно. С другой стороны, если бы я знала, какие запредельные ощущения мы им дарим, я брала бы минимум втрое больше.

Когда все кончилось, я осталась лежать на циновке рядом с ним, постепенно приходя в себя. Я словно отлежала все тело — следовало дождаться, пока восстановится кровоток. Наконец я почувствовала, что могу говорить. Он к этому времени уже стал человеком.

— Тебе понравилось? — спросила я.

— Ничего. Хорошая оперативная работа. Я хотел сказать, операторская. И режиссер тоже не дурак.

— Нет, я не про фильм.

— А про что тогда? — спросил он и поднял бровь.

Я поняла, что он в хорошем настроении.

— Про это, Саша, про это.

— Если про это, то очень песня понравилась. Давай еще разик поставим?

— Какая именно песня?

— Пацан Лос Диас.

Я наморщила лоб.

— Чего?

— Ну там слова такие, — сказал он чуть смущенно. — Там, конечно, что-то другое, просто звучит похоже.

— Пацан? Где там? А, поняла. «Y así pasan los días y yo desesperando...» Это по-испански: «И так проходят дни, и я в отчаянии...»

— Да?

— А ты, наверно, думал, «мальчик хочет в Тамбов», часть вторая? Типа не попал пацан в Тамбов, пока был молодой, состарился и поет теперь о своей грусти.

— Все б тебе издеваться, — сказал он миролюбиво. — Так поставим? Или, может, лучше все кино по новой?

На следующий день мы посмотрели фильм еще раз, потом еще и еще. И каждый раз этот вихрь так же сладостно опустошал душу, как в самом начале. Мы долго отдыхали, лежа рядом. Мы не говорили — говорить было не о чем, да и не оставалось сил.

Мне нравилось класть на него ступни, когда он сворачивался в черный бублик, — для вида он иногда рычал, но я знала, что ему это так же приятно, как и мне. С какой нежностью я вспоминаю сейчас эти дни! Прекрасно, когда два существа находят способ принести друг другу счастье и радость. И каким ханжой надо быть, чтобы осуждать их за то, что они чем-то не похожи на других!

Сколько их было, этих блаженных мгновений отдыха, когда мы лежали на циновке, не в силах пошевелиться? Думаю, в сумме они дают вечность. Каждый раз время исчезало, и приходилось дожидаться, пока оно раскрутится до своей обычной скорости. До чего мудро устроена жизнь, думала я с ленивым удовлетворением, слушая, как поет нашу любимую песню Nat King Cole. Был такой большой, серый, грубый. Собирался солнце сожрать. И сожрал бы, наверное. А теперь лежит у моих ног мирная черная собачка, спокойная и тихая, и просит над ней не подтрунивать. Вот оно, облагораживающее влияние хранительницы очага. Отсюда и пошли цивилизация и культура. А ведь я даже не предполагала, что могу оказаться в этой роли.

Ах, милый Саша, думала я, ты никогда про это не говоришь. А я не решаюсь спросить... Но ты ведь не жалеешь о своей прошлой жизни — одинокой, неустроенной и волчьей? Ведь со мной тебе лучше, чем одному — правда, милый?

А?

...Y tú, tú contestando:
Quizás, quizás, quizás...[1]

*

Я часто задумывалась, что это за собака, которая отстоит от волка так же далеко, как волк от лисы. Мифологических параллелей было множество, но сама я никогда не встречала такой странной разновидности оборотня. Этот иссиня-черный пес казался безобидным существом, но я нутром чуяла грозную тайну, которая в нем крылась. Все выяснилось случайно.

День начался с легкой ссоры. Мы выбрались в лес погулять, уселись на поваленное дерево, и я решила развлечь его, исполнив старинную китайскую песню на стихи Ли Бо «Луна над горной заставой». Я спела ее очень даже неплохо, только, пожалуй, слишком высоким голосом — в древнем Китае это особенно ценилось. Но мое мастерство расшиблось о кросс-культурный барьер — когда я кончила петь, он покачал головой и пробормотал:

— И как я, русский офицер, дошел до такой жизни?

Я так обиделась, что даже покраснела.

— Да ладно тебе, какой ты русский офицер? Так, бригадир мокрушников.

---

[1] Ты, ты отвечаешь: может быть, может быть, может быть...

— Мы невиновных не убиваем, — сказал он сухо.

— А пушкиниста Говнищера кто на смерть послал? Думаешь, не знает никто?

— Какого пушкиниста Говнищера?

— Или как его звали... Ну этого, который еще за сигарету минет делал...

— Слушай, у тебя, по-моему, что-то с психикой. То у тебя рыбья голова медведем работает, то какой-то Говнищер гибнет, а я во всем виноват.

— Я просто хотела сказать, что рыльце у тебя в пушку, и я в курсе. Только я тебя и с этим пушком люблю.

— Вот оттого у меня все проблемы, — сказал он тихо, — что ты меня любишь.

Я не поверила своим ушам.

— Что? Ну-ка повтори!

— Шучу, шучу, — торопливо сказал он. — Ты все время шутишь, ну и я пошутил.

Самое ужасное, что его слова были чистой правдой. И мы оба это понимали. Установилось тяжелое молчание.

— А Говнищера мы не на смерть посылали, а на подвиг, — сказал он через минуту. — И память его марать не надо.

Правильно, надо было сменить тему.

— То есть что, он знал? — спросила я.

— Какой-то частью сознания наверняка.

— Значит, упрекнуть себя не в чем?

Александр пожал плечами.

— Во-первых, — сказал он, — у нас заявление есть, которое он в сумасшедшем доме написал: «Хочу увидеть Лондон и умереть», дата и подпись. А во-вторых, нас по гуманитарным аспектам эксперт консультировал. Сказал, что все нормально.

— Это Павел Иванович? — догадалась я.

Александр кивнул.

— А как он вообще стал на вас работать? Я имею в виду, Павел Иванович?

— Ему показалось важным, чтобы мы узнали о его покаянии. Странно, конечно, но зачем отталкивать человека. Особенно если искренне покаялся. Нам ведь всегда нужна информация — ну там по культуре, чтоб знать, кто с нами, а кто нет. Консультации опять же. Так и прижился... Ладно, замнем. Бог с ним, с этим Говнищером. Если, конечно, не врут имамы.

После этого мы не обменялись ни единым словом до самого вечера — я дулась на него, а он на меня: сказано с обеих сторон было достаточно. Вечером, когда молчание надоело, он начал спрашивать у меня подсказки для кроссворда.

Он в тот вечер был в человеческом теле, и от этого в комнате делалось особенно уютно. Я лежала на циновке под лампой и читала очередную книгу Стивена Хаукинга — «Теория Всего» (не больше и не меньше). Вопросы Александра отвлекали меня от чтения, но я терпеливо отвечала на них. Некоторые веселили меня даже больше, чем книга.

— А как правильно пишется — «ги-е-некологическая» или «гинекологическая»?

— Гинекологическая.

— Тьфу ты. Тогда все сходится. А я думал, там «е» после «и».

— Это потому, что ты подсознательно считаешь женщин гиенами.

— Неправда, — сказал он и вдруг засмеялся. — Надо же...

— Что там еще?

— Гинекологическая стоматология.

— Что — «гинекологическая стоматология»?

— Два слова в кроссворде стоят в линию. «Гинекологический» и «стоматология». Если вместе прочитать, смешно.

— Это тебе от необразованности смешно, — сказала я. — А такая культурологическая концепция существует на самом деле. Есть американская писательница Камилл Палья. У нее... То есть не у нее. Скажем так, она оперирует понятием «vagina dentata». Зубастая вагина — это символ бесформенного всепожирающего хаоса, противостоящего аполлоническому мужскому началу, для которого характерно стремление к четкой оформленности.

— Я знаю, — сказал он.

— Откуда?

— Читал. Причем много раз.

— У Камилл Палья? — спросила я с недоверием.

— Да нет.

— А где?

— В Академии ФСБ.

— Контрпромывание мозгов?

— Нет.

— Где же именно? — не отставала я.

— В стенгазете, — сказал он неохотно. — Там был раздел «улыбки разных широт». А в нем такая шутка: «Что страшней атомной войны? Пизда с зубами».

Чего-то подобного я и ожидала.

— А почему много раз?

— А ее три года не меняли, стенгазету.

— Да, — сказала я. — Ясная картина.

Видимо, моя интонация его задела.

— Что ты меня все время необразованностью

попрекаешь, — сказал он раздраженно. — Ты, конечно, про все эти дискурсы больше знаешь. Только я ведь тоже не дурак. Просто мои знания относятся к другой области, практической. И поэтому, кстати, они гораздо ценнее твоих.

— Как посмотреть.

— А как ни смотри. Допустим, я бы эту Камилл Палья наизусть выучил. И что бы я потом с ней делал?

— Это зависит от твоих наклонностей, воображения.

— Ты можешь мне привести хоть один пример того, как чтение Камилл Палья помогло кому-нибудь в реальной жизни?

Я задумалась.

— Могу.

— Ну?

— У меня был один клиент-спирит. Он эту Камилл Палья читал во время спиритических сеансов духу поэта Игоря Северянина. А Игорь Северянин ему отвечал через блюдце, что ему очень нравится, и он сам о чем-то подобном всегда догадывался, только не мог сформулировать. Даже стихи надиктовывал. «Наша встреча, vagina dentata, лишь однажды, в цвету. До и после нее жизнь солдата одиноко веду...»

— Ну вот, — сказал он, — а я эту жизнь одинокого солдата нормально вел и без твоей гинекологической стоматологии. И помог родине.

— А она тебе отплатила. Как обычно.

— За это не мне должно быть стыдно.

— За это никому не будет стыдно. Ты что, не понял еще, где живешь?

— Не понял, — сказал он. — И не буду понимать. Тот мир, где я живу, я создаю сам. Тем, что я в нем делаю.

— Ух ты, какой Павлик Морозов. Если б тебя твои мусора сейчас слышали — наверно, дали б тебе еще один орден. Значит, это место ты нам создал?

— Скорее уж ты.

Я опомнилась.

— Да, извини. Ты прав. Извини, пожалуйста.

— Ничего, — сказал он и углубился в кроссворд.

Мне стало стыдно. Я подошла, села рядом и обняла его.

— Ну что мы с тобой ссоримся, Саш. Давай, может, повоем?

— Не сейчас, — сказал он, — ночью, как луна выйдет.

Я так и осталась сидеть рядом с ним, обняв его за плечи. Он молчал. Через минуту или две я почувствовала, что его тело еле заметно вздрагивает.

Он плакал. Раньше я такого не видела.

— Что случилось? — спросила я ласково. — Кто моего мальчика обидел?

— Никто, — сказал он. — Это я так. Из-за твоей Камилл Палья, у которой там зубы.

— А тебе-то чего из-за нее рыдать?

— А того, — сказал он, — что у нее там зубы, а у меня теперь там когти.

— Где?

— Там, — сказал он. — Когда превращаюсь. Как пятая лапа. Все не решался тебе сказать.

Только теперь все стало понятно — и его новая замкнутость, и та аура иррациональной жути, которая окружала его, когда он становился собакой. Да, все встало на свои места. Бедный, как он, должно быть, страдал, подумала я. Прежде всего надо было дать ему почувствовать, что он дорог мне и такой — если он не видел этого сам.

— Глупый, — сказала я. — Да ну и что? Пусть у тебя там хоть кактус вырастет. Лишь бы хвостик был целый.

— Тебе это правда не важно? — спросил он.

— Конечно, милый.

— И тебе хватает... Ну, так, как мы делаем?

— Более чем.

— Честно?

— Ну, раз уж ты про это заговорил, я бы хотела, чтобы мы менялись. Чтобы иногда ты был Су, а я Чоу. А то Су все время я.

— Нет, извини, еще и пидора из меня делать не надо. Хватит с меня и этих когтей...

— Как знаешь, — сказала я, — я же и не требую. Ты спросил, я сказала.

— Мы с тобой откровенно сейчас говорим?

Я кивнула.

— Скажи, а почему ты мне за весь Гонконг ни разу минет не сделала? Потому что я на самом деле черная собака?

Я сосчитала про себя до десяти. То, что я терпеть не могла слова «минет», было, в конце концов, не его проблемой, а моей — и обижаться не следовало.

— Так ты считаешь, что ты на самом деле черная собака? — спросила я.

— Нет, — сказал он, — это черная собака считает, что на самом деле я — это она.

— И поэтому ты теперь так редко бываешь человеком?

Он кивнул.

— Да мне и не хочется. Ведь у меня здесь ничего не осталось, кроме тебя. Все теперь там... И не у меня, а у нее. То есть у него... Правильно ты про слова говорила, от них одна путаница в голове. Так как насчет минета?

Я опять сосчитала до десяти, но все-таки не выдержала:

— Можно тебя попросить не употреблять при мне этого слова?

Он пожал плечами и криво улыбнулся.

— Теперь уж и слова употреблять нельзя. Только тебе можно, да? Что-то ты меня совсем притесняешь, рыжая.

Я вздохнула. Все-таки по большому счету все мужики одинаковы, и нужно им от нас только одно. И еще хорошо, если нужно, сказал один из моих внутренних голосов.

— Ладно, включай кино. Только не с начала, а с третьего трека...

Как всегда, после безумного и бесстыдного гонконгского рандеву мы долго отдыхали. Я глядела в потолок, на щербатый бетон, казавшийся в резком электрическом свете поверхностью древнего небесного тела. Он лежал рядом. Лапочка, думала я, какой он трогательный в любви. Для него ведь все это такое новое. Если сравнивать со мной, конечно. Надо только следить, чтобы случайно не назвать его лапочкой вслух, а то не так поймет, обидится. Да, не повезло парню с этими когтями. А я ведь слышала про собаку с пятой лапой... Только вот что именно? Забыла.

— Эй, — позвал он. — Ты как?

— Нормально, — ответила я. — Тебе понравилось?

Он поглядел на меня.

— Честно?

— Честно.

— Это просто пиздец.

Я так и села.

— Слушай, я вспомнила!

— Что вспомнила?

— Вспомнила, кто ты.

— И кто я?

— Я читала про такую собаку с пятью лапами. Пес Пиздец. Он спит среди снегов, а когда на Русь слетаются супостаты, просыпается и всем им наступает... Точно. И еще вроде бы в северных мифах его называют «Гарм». Ты не слышал? Нордический проект — это твой профиль.

— Нет, — сказал он. — Не слышал. Интересно. Говори.

— Такой жуткий пес, двойник волка Фенрира. Ярко себя проявит во время Рагнарека. А пока сторожит дом мертвых.

— Какая еще информация?

— Что-то такое смутное... Типа он должен подглядеть, как мужчины делают огонь, и передать секрет женщинам...

— Отказать, — буркнул он. — Что еще?

— Это все, что я помню.

— И какие здесь практические следствия?

— Насчет Гарма не знаю. Это тебе надо в Исландию ехать консультироваться. А вот насчет Пиздеца... Попробуй чему-нибудь наступить.

Я сказала это в шутку, но он отнесся к моим словам совершенно серьезно.

— Чему?

Его серьезность вдруг передалась мне. Я обвела глазами окружающее пространство. Ноутбук? Нет. Электрочайник? Нет. Лампочка?

— Попробуй наступить лампочке, — сказала я.

Прошла секунда. Вдруг лампочка ярко вспыхнула голубоватым огоньком и погасла. Наступила темнота, но сфотографированная сетчаткой спираль еще несколько секунд освещала мой внутренний мир эхом угасшего света. Когда этот отпечаток стерся, темнота сделалась полной. Я встала, нашарила фонарик на деревянном ящике, который служил нам вместо стола, и включила его. Кроме меня, в комнате никого не было.

*

Он не приходил двое суток. Я извелась от тревоги и неопределенности. Но когда он вошел, я не сказала ему ни слова упрека. Увидеть на его лице улыбку оказалось достаточной наградой за все мои переживания. Прав был Чехов: женская душа по своей природе — пустой сосуд, который заполняют печали и радости любимого.

— Ну как? Рассказывай!

— Чего тут рассказывать, — сказал он. — Тут надо показывать.

— Научился?

Он кивнул.

— И чему ты можешь наступить?

— А всему, — сказал он.

— Всему-всему?

Он снова кивнул.

— И мне?

— Ну разве что ты очень попросишь.

— А самому себе можешь?

Он как-то странно хмыкнул.

— Это я сделал в первую очередь. Сразу после лампочки. Иначе какой я Пиздец?

Я была заинтригована и даже немного испугана — ведь речь шла о серьезном метафизическом акте.

— А какой ты Пиздец? — спросила я тихим от уважения голосом.

— Полный, — ответил он.

В эту минуту он дышал такой романтической силой и тайной, что я не удержалась и потянулась к нему, чтобы поцеловать. Он побледнел и отшатнулся, но, видимо, понял, что мачо так себя не ведут, и позволил мне завершить начатое. Все мышцы его тела напряглись, но ничего страшного не случилось.

— Как я за тебя рада, милый! — сказала я.

Мало кто из оборотней знает, что такое радость за другого. А бесхвостые обезьяны не знают этого и подавно, они умеют только широко улыбаться, чтобы повысить свою социальную адаптивность и поднять объем продаж. Имитируя радость за другого, бесхвостая обезьяна испытывает зависть или в лучшем случае сохраняет равнодушие. Но я действительно испытала это чувство, чистое и прозрачное, как вода из горного ручья.

— Ты не представляешь себе, как я за тебя рада, — повторила я и поцеловала его еще раз.

На этот раз он не отстранился.

— Правда? — спросил он. — А почему?

— Потому что у тебя наконец хорошее настроение. Тебе лучше. А я тебя люблю.

Он чуть помрачнел.

— Я тебя тоже люблю. Но я все время думаю, что ты от меня уйдешь. Наверно, тебе после этого будет лучше. Но я не испытаю за тебя никакой радости.

— Во-первых, я никуда не собираюсь от тебя уходить, — сказала я. — А во-вторых, то чувство, о котором ты говоришь, — это не любовь, а проявление эгоизма. Для самца-шовиниста в тебе я просто игрушка, собственность и статусный символ-трофей. И ты боишься меня потерять, как собственник боится расстаться с дорогой вещью. Так ты никогда не сможешь испытать за другого радость.

— А как испытать радость за другого?

— Для этого надо ничего не хотеть для себя.

— Ты что, ничего не хочешь для себя? — спросил он недоверчиво.

Я отрицательно покачала головой.

— А почему?

— Я уже как-то тебе говорила. Когда долго смотришь вглубь себя, понимаешь, что там ничего нет. Как можно чего-то хотеть для этого ничего?

— Но ведь если в тебе ничего нет, то в других и подавно.

— Если разобраться, нигде нет ничего настоящего, — сказала я. — Есть только тот выбор, которым ты заполняешь пустоту. И когда ты радуешься за другого, ты заполняешь пустоту любовью.

— Чьей любовью? Если нигде никого нет, чья это тогда любовь?

— А пустоте это безразлично. И ты тоже не парься по этому поводу. Но если тебе нужен смысл жизни, то лучшего тебе не найти.

А любовь — это что, не пустота?

— Пустота.

— Тогда какая разница?

— А разница — тоже пустота.

Он немного подумал.

— А можно заполнить пустоту... справедливостью?

— Если ты начнешь заполнять пустоту справедливостью, ты быстро станешь военным преступником.

— Чего-то ты здесь путаешь, рыжая. Почему это военным преступником?

— Ну а кто будет решать, что справедливо, а что нет?

— Люди.

— А кто будет решать, что решат люди?

— Придумаем, — сказал он и поглядел на летевшую мимо него муху. Муха упала на пол.

— Ты чего, озверел? — спросила я. — Хочешь быть, как они?

И я кивнула головой в сторону города.

— А я и есть как они, — сказал он.

— Кто они?

— Народ.

— Народ? — переспросила я недоверчиво.

Кажется, его самого смутил пафос этой фразы, и он решил сменить тему.

— Я вот думаю, не сходить ли на работу. Узнать, как там и что.

Я опешила.

— Ты серьезно? Тебе что, мало трех пуль? Еще хочешь?

— Бывают служебные недоразумения.

— Какие недоразумения, — простонала я, — это

же система! Ты думал, системе нужны солисты? Ей нужен хрюкающий хор.

— Если надо, хрюкну хором. Ты сама подумай, что мы делать будем, когда деньги кончатся?

— Ой, ну уж это не проблема. Не переживай. Тут до людей меньше километра. Как пойду в магазин, заскочу на панель.

Он нахмурил брови.

— Не смей так даже говорить!

— А ты не смей говорить мне «не смей», понял?

— Моя девушка пойдет на панель... В голове не укладывается.

— «Моя девушка, моя девушка...» Когда это ты меня приватизировал?

— Будешь деньги зарабатывать проституцией? А я на них питаться? Прямо какой-то Достоевский.

— Да е... я твоего Достоевского, — не выдержала я.

Он поглядел на меня с интересом.

— Ну и как?

— Ничего особенного.

Мы оба засмеялись. Не знаю, чему смеялся он, а у меня причина была. Из уважения к русской литературе я не стану приводить ее на этих страницах, скажу только, что красный паучок из «Бесов» полз в свое время по подолу моего сарафана... Ах, скольким титанам духа я сделала свой маленький смешной подарок! Единственное, чего мне по-настоящему жаль — что не довелось поднести к губам Владимира Владимировича Набокова так мастерски расписанного им кубка. Но в совке были проблемы с выездом. Пусть же это повиснет еще одним злодеянием на совести мрачного коммунистического режима.

К счастью, зарождающаяся ссора кончилась смехом. Я чуть не совершила ошибку — никогда не следует прямо перечить мужчине, особенно если его обуревают сомнения в собственной значимости. Надо было сперва понять, что у него на уме.

— Хочешь вернуться на нефтекачку? — спросила я.

— Нет. Не туда. Теперь там Михалыч воет.

Я догадалась, что за время своего отсутствия он установил контакт с внешним миром — возможно, виделся с кем-то или говорил по телефону. Но я не стала проявлять лишнего любопытства на этот счет.

— Михалыч? Но ведь когда он выл, череп не плакал.

— А они новую технологию придумали. К пяти кубам кетамина добавляют три куба перевитина, а после укола пускают ток.

— Через череп?

— Через Михалыча.

— Вот извращенцы.

— Не говори, — сказал он. — Так они его за год угробят.

— Михалыча?

— Да этому Михалычу все один хрен. Череп угробят. Он и так уже от слез весь в трещинах... Временщики. Нефть идет, деньги капают — и ладно. А что завтра будет, никто даже думать не хочет.

— Слушай, а что это за череп? — решилась я задать давно мучивший меня вопрос.

— А вот этого я сказать не могу, — сразу поскучнел он. — Государственная тайна. И вообще, не надо о моей работе.

Меня не удивляло, что он до сих пор считал контору своей работой. Есть места, откуда нельзя уволиться по собственному желанию. Но я не ожидала, что он захочет вернуться к людям, пославшим в него три серебряных пули. Впрочем, я ведь даже не знала, кто и почему это сделал — он ничего не рассказал.

— Куда же ты пойдешь, если не на нефть? — спросила я.

— Сверхоборотню работа найдется.

— Чего? — наморщилась я. — Какому сверхоборотню?

— Мне, — ответил он удивленно.

— Когда это ты стал сверхоборотнем?

— Как когда? А то ты не видела.

— Ты думаешь, что ты сверхоборотень?

— Что значит — думаю? Я знаю.

— Откуда?

— А вот отсюда, — сказал он. — Гляди.

И еще одна летавшая под потолком муха упала на пол. Это выглядело занятно — мухи падали не вертикально, а по параболе, продолжая движение, и походили на микроскопических камикадзе, пикирующих с высоты на врага.

— Кончай быковать, — сказала я. — Какое отношение одно имеет к другому?

— То есть?

— Ну, допустим, валишь ты этих мух. Допустим, ты Пиздец и Гарм. Но почему ты вдруг решил, что вдобавок ко всему ты еще и сверхоборотень?

— А кто же тогда сверхоборотень, если не я?

— Я тебе уже говорила, — сказала я. — Сверхоборотень — это метафора. Называть какое-то отдельное существо сверхоборотнем — значит опускаться на очень примитивный уровень.

— Вот на этом примитивном уровне я им и буду, — сказал он примирительно. — Тебе что, жалко, рыжая?

— Нет, так у нас не пойдет. Давай-ка разберемся с этим вопросом.

Он вздохнул.

— Ну давай.

— Вот представь себе, куплю я на Арбате мундир и начну ходить в нем по городу, представляясь генералом ФСБ. Ты мне скажешь, что я не генерал. А я тебя попрошу — ну давай я побуду генералом, что тебе, жалко?

— Это совсем другое дело. Генерал — звание, которое дает определенная структура.

— Вот. О чем я и говорю. Теперь подумай, откуда ты узнал про сверхоборотня. Ведь не от Михалыча услышал, верно?

— Верно.

— Есть, наверно, некая система взглядов, откуда пришло это слово. Сверхоборотень — точно такое же звание, как генерал. Только дает его традиция. И ты к этой традиции имеешь такое же отношение, как я к твоей конторе. Понял, серый?

— А ты, рыжая, конечно, имеешь к этой традиции отношение, да?

— Не просто имею, — сказала я. — Я держатель традиции. Держатель линии, как это правильно называют.

— Какой еще линии?

— Линии передачи.

— То есть ты и тут в полном авторитете? — спросил он. — А не широко ты пальцы раскинула, а? Сможешь столько сразу удержать?

— Не путай мистическую традицию с казино «Шангри-Ла». Держатели линии называются так не потому, что они ее держат, а потому, что они за нее держатся.

Похоже, мой ответ его озадачил.

— А что это такое — линия передачи? — спросил он. — Что по ней передается?

— Ничего.

— Как?

— Так. Ничего. Я столько раз тебе объясняла, что скоро этот чайник поймет.

— А за что же тогда они держатся, эти держатели линии?

— В линии передачи нет ничего, за что можно было бы держаться.

— Я не понимаю.

— Понимать там тоже нечего. Видеть это и означает держаться за линию.

— Хорошо, — сказал он, — а скажи мне тогда вот что, по-простому. Кто-нибудь в мире имеет формальное право называться сверхоборотнем по этой традиции? Пускай даже на самом примитивном уровне?

— Имеет, — сказала я.

— И кто же это?

Я скромно потупила глаза.

— Кто? — повторил он вопрос.

— Я знаю, что это будет ударом по твоему самолюбию, — сказала я. — Но мы ведь условились говорить друг другу только правду...

— Опять ты?

Я кивнула. Он тихо выругался.

— И от кого идет эта линия передачи?

— Потом как-нибудь расскажу.

— Нет, давай прямо сейчас. Чтоб выдумать не успела.

Ну что ж, подумала я, правды не скрыть. Когда-нибудь он все равно ее узнает.

— Хорошо. Тогда слушай и не перебивай. Однажды вечером, примерно тысячу двести лет тому назад, в стране, которую сейчас называют Китай, я ехала в своем паланкине из одного города в другой. Что это были за города и зачем я путешествовала, сейчас совершенно не важно. Важно, что в тот вечер мы остановились возле ворот монастыря на Желтой Горе...

*

Случались иногда в древнем Китае туманные тихие вечера, когда мир словно открывал свое детское лицо, показывая, каким он был в самом начале. Все вокруг — дома, заборы, деревья, заросли бамбука, шесты с горящими на них лампами — менялось самым чудесным образом, и начинало казаться, что ты сама только что вырезала все это из цветной бумаги и аккуратно разложила вокруг, а потом притворилась, будто перед тобой и впрямь большой-большой мир с живущими в нем людьми, по которому ты сейчас пойдешь на прогулку... Как раз в такой вечер двенадцать веков тому назад я сидела в паланкине возле ворот монастыря на Желтой Горе. Мир вокруг был прекрасен, и я то ли радовалась, глядя в окошко, то ли грустила, но в глазах у меня стояли слезы.

Так сильно на меня подействовала музыка. Неподалеку уже долгое время пела флейта — о том самом, что было у меня на сердце. Что когда-то в детстве мы жили в огромном доме и играли в волшебные игры. А потом так заигрались, что сами поверили в свои выдумки — пошли понарошку гулять среди кукол и заблудились, и теперь никакая сила не вернет нас домой, если мы сами не вспомним, что просто играем. А вспомнить про это почти невозможно, такой завораживающей и страшной оказалась игра...

Не знаю, может ли музыка быть «о чем-то» или нет — это очень древний спор. Первый разговор на эту тему, который я помню, произошел при Цинь Шихуане. А через много веков, когда я приехала в Ясную Поляну под видом нигилистической курсистки, Лев Николаевич Толстой весь ужин издевался над этой идеей, особенно налегая на Бетховена — мол, почему *лунная* соната? В общем, не стану утверждать, что звуки флейты содержали именно такой смысл. Или что смысл вообще в них присутствовал. Но я поняла, что мне прямо сейчас надо поговорить с играющим.

Конечно, если рассуждать здраво, мне вообще не следовало выходить из паланкина. Когда рядом красиво играет флейта, лучше просто слушать ее звук, а не искать общества флейтиста. Если заговорить с ним, музыка на этом точно кончится. А вот скажет ли он что-нибудь интересное, неизвестно. Но все сильны задним умом. Особенно мы, лисы — в силу своей анатомии.

Вокруг был туман; народ сидел по домам, и особой опасности для себя я не ожидала. Выскочив из паланкина, я направилась к источнику звука, иногда останавливаясь и буквально поджимая хвост от удивительной, ни с чем не сравнимой красоты вечера. После восемнадцатого века таких уже не бывает — говорят, изменился химический состав воздуха. А может, и что посерьезней.

Монастырь состоял из множества построек, которые теснились возле главных ворот, огромных, красивых и очень дорогих. Забора при воротах не было. Ученые монахи объясняли, что это аллегорически выражает доктрину секты: ворота символизируют путь, который ведет туда, откуда начинается, а начинается он в любой точке. Врата не есть врата, полная открытость и лучезарный простор во все стороны, даже иероглифы помню. Но я предполагала, что на забор просто не хватило денег. Я думаю, пожертвуй им кто на забор, и в доктрине произошли бы изменения.

На флейте играли в главном здании, там, где был Зал Передачи Учения. Соваться туда мне не пришло бы в голову, даже несмотря на романтический лиловый туман, но музыка придала мне смелости.

«Тигров бояться, в горы не ходить, — подумала я, — будь что будет...»

Подняв полы халата, чтобы хвост был готов к любой неожиданности, я пошла вперед. В древнем Китае носили все широкое и просторное, так что случайная встреча с одним или двумя зеваками, да еще в тумане, ничем опасным мне не грозила — они меня даже заметить не успели бы. Я в таких случаях не наводила никакого особенного морока — показывала тот же мир вокруг, только без маленькой А Хули.

Бывает, увидит кто меня, выпучит глаза на лоб от вида моей рыжей гордости, а в следующую секунду и сам уже не понимает, что это за дрожь его прошибла — ничего ведь нет кругом, только голое поле, над которым ветер крутит сухие листья... Звучит просто, а по сложности один из самых продвинутых лисьих трюков, и если встречных больше трех, начинаются проблемы. Кстати, по этой самой причине со времен Сунь Цзы в военное время было положено ставить на входе в крепость не меньше четырех часовых: боялись нашу сестру, и не зря.

В главном здании светилось одно окно. Флейта играла именно там, ошибки быть не могло. Это была угловая комната второго этажа, забраться в которую не составляло труда — следовало запрыгнуть на черепичный козырек и пройти по нему мимо темных окон. Я сделала это без труда — походка у меня легкая. У окна, за которым играла флейта, ставни были подняты. Я присела на корточки и осторожно в него заглянула.

Игравший на флейте сидел на полу спиной ко мне. На нем был халат из синего шелка, а на голове — маленькая соломенная шляпа конусом. Видно было, что голова у него побрита, хотя одежда не походила на монашескую. Плечи у него были широкие, а тело сухое, легкое и сильное — такие вещи я чувствую сразу. На полу перед ним я заметила чайную чашку, тушечницу и кипу бумаги. На стене горели две масляные лампы.

«Видимо, — подумала я, — занимался каллиграфией, а потом решил отдохнуть и взялся за флейту... И что, интересно, я ему скажу?»

Надо сказать, никакого плана у меня не было — так, вертелись в голове смутные соображения: сначала поговорить по душам, а потом заморочить, иначе с людьми нельзя. Хотя поразмысли я спокойно минуту, поняла бы, что ничего из этого не выйдет: говорить со мной по душам никто не будет, зная, что все равно потом заморочу. А если с самого начала заморочить, по каким душам тогда говорить?

Но мне не дали обдумать этот вопрос — внизу заплясали отблески факелов, раздались шаги и голоса. Людей было около десяти — стольких сразу перевоспитать я не могла. Не раздумывая больше ни секунды, я сиганула в окно.

Я решила быстро заморочить флейтиста, затаиться, а когда народ разойдется, вернуться к своему паланкину, благо на дворе было уже почти темно. Я бесшумно приземлилась на четвереньки, подняла хвост и тихо позвала сидевшего в комнате:

— Почтенный господин!

Он спокойно положил флейту на пол и обернулся. Я тут же напружинила свой хвостик, сосредоточив в его верхушке весь свой дух, и тогда произошло нечто совсем для меня новое и неожиданное. Вместо податливого шипучего студня, которым моему хвосту представляется человеческий ум (тут бесполезно объяснять, если нет личного опыта), я не встретила вообще ничего.

Я встречала много людей, сильных и слабых духом. Работать с ними — все равно что сверлить стены из разного материала: сверлятся все, только чуть по-разному. Но тут я не обнаружила ничего такого, к чему можно было приложить усилие воли, сосредоточенной в трещащих от электричества шерстинках над моей головой. Я от неожиданности в буквальном смысле потеряла равновесие и как дура села на пол, поджав хвост и неприлично выставив перед собой ноги. Чувствовала я себя в эту минуту как базарный жонглер, у которого все шары и ленты шлепнулись в жидкую грязь.

— Здравствуй, А Хули, — сказал человек и склонил голову в вежливом приветствии. — Очень рад, что ты нашла минуту, чтобы заглянуть ко мне. Можешь называть меня Желтым Господином.

«Желтый Господин, — подумала я, поджимая ноги, — наверно, от Желтой Горы, на которой стоит монастырь. А может, метит в императоры».

— Нет, — улыбнулся он, — императором я быть не хочу. А насчет Желтой Горы ты угадала.

— Я что, говорила вслух?

— Твои мысли так отчетливо отражаются на твоем личике, что их совсем несложно прочесть, — сказал он и засмеялся.

Смутившись, я закрыла лицо рукавом. А потом вспомнила, что на рукаве у меня прореха, и совсем застыдилась — закрыла одну руку другой. Халат у меня тогда был красивый, с плеча императорской наложницы, но уже не новый, и кое-где на нем зияли дыры.

Но мое смущение, конечно, было притворством. На самом деле я лихорадочно искала выход, и лицо спрятала специально, чтобы он не прочел по нему, о чем я думаю. Не могло такого быть, чтобы меня победил один-единственный человек. Я нигде не могла нащупать его ум. Но это не значило, что этого ума не было вообще. Видимо, он знал какой-то хитрый волшебный трюк... Может быть, он показывал себя не там, где находился в действительности? Я про такое слышала. Только трюки знал не он один.

У лис есть метод, позволяющий посылать наваждение во все стороны сразу, мгновенно подавляя человеческую волю. При этом мы не настраиваемся на конкретного клиента, а как бы становимся большим и тяжелым камнем, который падает на гладкое зеркало «здесь и сейчас», посылая во все стороны рябь, из-за которой у людей мутится в голове. А потом дезориентированный человеческий ум сам хватается за первую предложенную ему соломинку. Не знаю, понятно ли? Называется эта техника «Гроза над Небесным Дворцом».

Тут же я ее и применила — вскочила на четвереньки, откинула халат и яростно затрясла хвостом над головой. Трясти надо не только вершиной хвоста, но и его корнем, то есть местом, откуда он растет, поэтому выглядит это двусмысленно и даже не вполне пристойно, особенно когда халат задран. Однако мы, лисы, преодолеваем свою врожденную стыдливость, потому что человек ничего толком не успевает увидеть.

Нормальный человек, я имею в виду. Желтый Господин не только все увидел, он еще и обидно захохотал.

— Какая ты хорошенькая, — сказал он. — Но не забывай, что я монах.

Не желая сдаваться, я напрягла свою волю до самой последней крайности, и тогда, наморщившись, как от головной боли, он снял с головы шляпу и кинул ее в мою сторону. Шляпа зацепилась за мой хвост своим черным шнуром и вдруг прижала его к полу — словно это был не конус из сухой соломы, а тяжеленный мельничный жернов.

Вслед за этим Желтый Господин поднял два исписанных иероглифами листа, свернул их и кинул в мою сторону. Прежде чем я успела что-нибудь сообразить, они, как две железные скобы, прижали к полу мои запястья. Я попыталась дотянуться до одного листа зубами (от сильного испуга с нами происходит то же, что и во время куриной охоты — наше человеческое лицо удлиняется, превращаясь на несколько секунд в милую зубастую мордочку), но не смогла. Это, конечно, было какое-то колдовство. Я успела прочесть несколько иероглифов, написанных на бумаге — «нет старости и смерти... так же нет от них и избавленья...»

От сердца у меня чуть отлегло — это была буддийская Сутра Сердца, и значит, передо мной не даос. Все еще могло обойтись. Я перестала метаться и затихла.

Желтый Господин поднял чашку с часм и отхлебнул из нее, разглядывая меня, словно художник близкую к завершению картину — раздумывая, где не хватает последнего завитка туши. Я поняла, что лежу на спине и вся нижняя часть моего тела неприлично оголена. Я даже покраснела от такого унижения. А потом мне стало страшно. Кто его знает, что у этого колдуна на уме. Жизнь страшна и безжалостна. Иногда, когда людям удается поймать нашу сестру, они с ней проделывают такое, что лучше лишний раз не вспоминать.

— Предупреждаю, — сказала я срывающимся голосом, — если вы задумали надругаться над девственницей, от этого греха содрогнется земля и небо! И в старости вам не будет покоя.

Он так захохотал, что чай из его чашки пролился на пол. От невыносимого стыда я отвернула голову и снова увидела иероглифы на бумажном листе, сковавшем мою руку. Теперь это был другой лист, и иероглифы на нем тоже были другие: «взяв опорой... и нет преград в уме...»

— Поговорим? — спросил Желтый Господин.

— Я не певичка из веселого квартала, чтобы разговаривать, когда у меня задран подол, — отозвалась я.

— Но ты же сама его задрала, — сказал он невозмутимо.

— Возможно, — ответила я, — но вот опустить его я не в состоянии.

— Ты обещаешь, что не будешь пытаться убежать?

Я изобразила на лице мучительную внутреннюю борьбу. Потом вздохнула и сказала:

— Обещаю.

Желтый Господин тихо пробормотал последнюю фразу из Сутры Сердца на китайском. Все ученые мужи, которых я знала, утверждали, что эту мантру надо читать только на санскрите, поскольку именно так ее впервые произнес голос Победоносного. Тем не менее, обручи вокруг моих запястий вмиг разжались, превратившись в две обыкновенных мятых бумажки.

Я оправила подол, с достоинством села на пол и сказала:

— Как поучительно! Господин использует одну и ту же сутру как замок и как ключ. Или смысл здесь в том, что эта мантра, как обещал Будда, действительно избавляет от всех страданий?

— Ты читала Сутру Сердца? — спросил он.

— Читала кое-что, — ответила я. — Форма есть пустота, а пустота есть форма.

— Может быть, ты даже знаешь смысл этих слов?

Я смерила взглядом расстояние до окна. До него было два прыжка. Да будь он даже императорским телохранителем, подумала я, ему меня ни за что не схватить.

— Конечно знаю, — сказала я, собираясь в тугую пружину. — Вот, например, сидит перед вами лиса А Хули. Вроде бы она самая настоящая, имеет форму. А приглядеться, никакой А Хули перед вами нет, а одна сплошная пустота!

И с этими словами я яростно рванулась к черному квадрату свободы, в котором уже горели первые звезды.

Забегая вперед, хочу сказать, что именно этот опыт помог мне впоследствии понять картину Казимира Малевича «Черный квадрат». Я бы только дорисовала в нем несколько крохотных сине-белых точек. Однако Малевич, хоть и называл себя супрематистом, был верен правде жизни — света в российском небе чаще всего нет. И душе не остается ничего иного, кроме как производить невидимые звезды из себя самой — таков смысл полотна. Но эти мысли посетили меня через много веков. А в ту секунду я просто повалилась на пол от невыносимого, ни с чем не сравнимого стыда. Мне было так плохо, что я даже не могла закричать.

Желтый Господин убрал оковы с моих рук. Окно было совсем близко. Но я забыла про шляпу, которая прижимала мой хвост к полу.

*

Никакая физическая и даже нравственная боль не сравнится со страданием, которое я испытала. Все, что отшельники переживают за годы покаяния, уместилось в единственную секунду небывало интенсивного чувства — словно удар молнии осветил темные углы моей души. Как горсть праха, я осыпалась на пол, и из моих глаз хлынул поток слез. Перед моим лицом оказался мятый лист Сутры Сердца, с которого на меня глядели равнодушные знаки, говорящие, что и я, и мой неудавшийся побег, и невыразимые муки, которые я испытывала в ту секунду — лишь пустая мнимость.

Желтый Господин не смеялся и смотрел на меня вроде бы даже с участием, но я чувствовала, что он еле сдерживает смех. От этого мне было еще сильнее жаль себя, и я все плакала и плакала, пока знаки, на которые капали мои слезы, не потеряли форму, превратившись в черные расплывающиеся кляксы.

— Так больно? — спросил Желтый Господин.

— Нет, — ответила я сквозь слезы, — мне... мне...

— Что — тебе?

— Я не привыкла говорить с людьми откровенно.

— При твоем промысле это неудивительно, — усмехнулся он. — И все же, почему ты плачешь?

— Мне стыдно... — прошептала я.

Я так мерзко ощущала себя в ту минуту, что ни о каких хитростях уже не думала, и участие, которое проявлял ко мне Желтый Господин, казалось мне незаслуженным — я-то хорошо знала, что полагалось за мои дела. Если бы он принялся заживо сдирать с меня кожу, я, наверное, не очень бы возражала.

— За что тебе стыдно?

— За все, что я натворила... Я боюсь.

— Чего?

— Боюсь, что духи возмездия пошлют меня в ад, — сказала я еле слышно.

Это было чистой правдой — среди видений, которые только что пронеслись перед моим внутренним взором, мелькнуло такое: в ледяном мешке какое-то черное колесо наматывало на себя мой хвост, выдирая его из меня, но хвост никак не отрывался, а все рос и рос, словно паутина из паучьего брюшка, и каждая секунда этого кошмара причиняла мне невыносимые муки. Но ужаснее всего было понимание, что так будет продолжаться целую вечность... Ада страшнее не может представить себе ни одна лиса.

— А разве лисы верят в возмездие? — спросил Желтый Господин.

— Нам не надо верить или не верить. Возмездие наступает каждый раз, когда нас сильно дергают за хвост.

— Так вот оно что, — сказал он задумчиво, — значит, надо было дернуть ее за хвост...

— Кого?

— Несколько лет назад сюда приезжала замаливать грехи одна весьма развитая лиса из столицы. В отличие от тебя она совершенно не боялась ада — наоборот, она доказывала, что туда попадут абсолютно все. Она рассуждала так: даже люди иногда бывают добры, насколько же небесное милосердие превосходит земное! Ясно, что Верховный Владыка простит всех без исключения и немедленно направит их в рай. Люди сами превратят его в ад — точно так же, как превратили в него землю...

Обычно я любопытна, но в ту минуту мне было так плохо, что я даже не спросила, кто эта лиса из столицы. Но аргумент показался мне убедительным. Сглотнув слезы, я прошептала:

— Так что же, выходит, надежды нет совсем?

Желтый Господин пожал плечами.

— Понимание того, что все создано умом, разрушает самый страшный ад, — сказал он.

— Понимать-то я это понимаю, — ответила я. — Я читала священные книги и разбираюсь в них очень даже неплохо. Но мне кажется, что у меня злое сердце. А злое сердце, как правильно сказала эта лиса из столицы, обязательно создаст вокруг себя ад. Где бы оно ни оказалось.

— Если бы у тебя было злое сердце, ты не пришла бы на звуки моей флейты. Сердце у тебя не злое. Оно у тебя, как у всех лис, хитрое.

— А хитрому сердцу можно помочь?

— Считается, что при праведной жизни хитрое сердце может исцелиться за три кальпы.

— А что такое кальпа?

— Это период времени, который проходит между возникновением вселенной и ее гибелью.

— Но ведь ни одна лиса не проживет столько времени! — сказала я.

— Да, — согласился он. — Хитрое сердце сложно излечить, заставляя его следовать нравственным правилам. Именно потому, что оно хитрое, оно непременно отыщет способ обойти все эти правила и всех одурачить. А за три кальпы оно может понять, что дурачит только себя.

— А быстрее никак нельзя?

— Можно, — ответил он. — Если есть сильное желание и решимость, то можно.

— Как?

— Будда дал много разных учений. Есть среди них учения для людей, есть для духов, есть даже учения для богов, не желающих низвергнуться в нижние миры. Учение для волшебных лис, идущих сверхземным путем, тоже есть, но отнесешься ли ты к нему с доверием, если тебе расскажет о нем человек?

Я приняла самую почтительную позу и сказала:

— Поверьте, я с глубоким уважением отношусь к людям! Если мне и приходится иногда подрывать их жизненную силу, это лишь потому, что такой создала меня природа. Иначе мне не удалось бы добыть себе пропитание.

— Хорошо, — сказал Желтый Господин. — Я по счастливой случайности знаком с тайным учением для бессмертных лис и готов передать его тебе. Больше того, я обязан это сделать. Я скоро покину мир, и будет жалко, если это удивительное знание исчезнет вместе со мной. А другую лису я вряд ли успею встретить.

— А как же ваша гостья из столицы? Почему вы не передали учение ей?

— И Хули не годится, — сказал он.

Так вот кто была эта лиса из столицы! Оказывается, тайком приезжала сюда замаливать грехи. А на словах даже не соглашается, что грехи бывают.

— Почему сестричка И не подходит? — спросила я. — Ведь вы сами сказали — она приезжала покаяться в содеянном.

— Она чересчур лукава. Она кается тогда, когда замышляет совсем уж мрачное злодеяние. Старается облегчить душу для того, чтобы та могла вместить еще больше зла.

— Я тоже способна на такое, — ответила я честно.

— Я знаю, — сказал Желтый Господин. — Но ты при этом будешь помнить, что собираешься совершить преступление, поэтому мошенничество с фальшивым покаянием у тебя не пройдет. А вот И Хули, запланировав следующее злодейство, может настолько искренне покаяться в предыдущем, что действительно облегчит свою душу. Она слишком уж хитрая для того, чтобы когда-нибудь войти в *Радужный Поток*.

Он выделил эти два слова интонацией.

— Куда? — спросила я.

— В Радужный Поток, — повторил он.

— А что это?

— Ты говоришь, ты читала священные книги. Тогда ты должна знать, что жизнь — это прогулка по саду иллюзорных форм, которые кажутся реальными уму, не видящему своей природы. Заблуждающийся ум может попасть в мир богов, мир демонов, мир людей, мир животных, мир голодных духов и ад. Пройдя все эти миры, Победоносные оставили их жителям учение о том, как излечиться от смертей и рождений...

— Простите, — перебила я, желая показать свою ученость, — но ведь в сутрах говорится, что самым драгоценным является человеческое рождение, поскольку только человек может достичь освобождения. Разве не так?

Желтый Господин улыбнулся.

— Я бы не стал открывать эту тайну людям, но, поскольку ты лиса, ты должна знать, что во всех мирах утверждается то же самое. В аду говорят, что только житель ада может достичь освобождения, поскольку во всех остальных местах существа проводят жизнь в погоне за удовольствиями, которых в аду практически нет. В мире богов, наоборот, говорят, что освобождения могут достичь только боги, потому что для них прыжок к свободе короче всего, а страх перед падением в нижние миры — самый сильный. В каждом мире говорят, что он самый подходящий для спасения.

— А как насчет животных? Там ведь этого не говорят?

— Я говорю про те миры, у обитателей которых существует концепция спасения. А там, где такой концепции нет, по этой самой причине спасать никого не надо.

Вот как, подумала я. Умный, как лис.

— А спасение, о котором идет речь — оно для всех миров одно и то же или в каждом разное?

— Для людей освобождение — уйти в нирвану. Для жителей ада освобождение — слиться с лиловым дымом. Для демона-асуры — овладеть мечом пустоты. Для богов — раствориться в алмазном блеске. Если речь идет о форме, спасение в каждом мире разное. Но по своей внутренней сути оно везде одно и то же, потому что природа ума, которому грезятся все эти миры, не меняется никогда.

— А как обстоят дела с лисами?

— Формально оборотни не попадают ни в одну из шести категорий, о которых я говорил. Вы — это особый случай. Считается, что иногда родившийся в мире демонов ум пугается его жестокости и уходит жить на его окраину, туда, где демоническая реальность соприкасается с миром людей и животных. Такое существо не относится ни к одному из миров, поскольку перемещается между всеми тремя — миром людей, животных и демонов. Волшебные лисы относятся именно к этой категории.

— Да, — сказала я грустно, — так оно и есть. Сидим между трех стульев, и все от ужаса перед жизнью. Так есть ли для нас выход?

— Есть. Однажды Будду и его учеников вкусно накормила одна лиса, которая, правда, действовала не вполне бескорыстно и имела на учеников виды. Но Будда был очень голоден и в благодарность оставил этой лисе учение для оборотней, которое способно привести их к освобождению за одну жизнь — учитывая, что оборотни живут до сорока тысяч лет. Времени у Будды было мало, поэтому учение получилось коротким. Но, поскольку его дал сам Победоносный, оно обладает волшебной силой несмотря ни на что. Если ты будешь следовать ему, А Хули, ты сможешь не только спастись сама, но и показать путь к освобождению всем живущим на земле оборотням.

От волнения у меня закружилась голова. О чемто подобном я и мечтала всю жизнь.

— О чем же говорится в этом учении? — спросила я шепотом.

— О Радужном Потоке, — таким же шепотом ответил Желтый Господин.

Я догадалась, что он подшучивает надо мной, но не обиделась.

— Радужный Поток? — спросила я нормальным голосом. — Что это?

— Это конечная цель сверхоборотня.

— А кто такой сверхоборотень?

— Это оборотень, которому удастся войти в Радужный Поток.

— А что еще о нем можно сказать?

— Внешне он такой же, как другие оборотни, а внутренне отличается. Но остальные никак не могут об этом догадаться по его внешнему виду.

— И как же можно им стать?

— Надо войти в Радужный Поток.

— Так что это?

Желтый Господин удивленно поднял брови.

— Я же только что сказал. Конечная цель сверх-оборотня.

— А можно как-нибудь описать Радужный По-ток? Чтобы представить себе, куда стремиться?

— Нельзя. Природа Радужного Потока такова, что любые описания только помешают, создав о нем ложное представление. О нем нельзя сказать ничего достоверного, там можно только быть.

— А что должен делать сверхоборотень, чтобы войти в Радужный Поток?

— Он должен сделать только одно. Войти в него.

— А как?

— Любым способом, каким ему это удастся.

— Но ведь должны быть, наверное, какие-то ин-струкции, которые получает сверхоборотень?

— В этом они и состоят.

— Что, и все?

Желтый Господин кивнул.

— То есть выходит, сверхоборотень — это тот, кто входит в Радужный Поток, а Радужный По-ток — это то, куда входит сверхоборотень?

— Именно.

— Но тогда получается, первое определяется че-рез второе, а второе определяется через первое. Ка-кой же во всем этом смысл?

— Самый глубокий. И Радужный Поток, и путь сверхоборотня лежат вне мира и недоступны обы-денному уму — даже лисьему. Но зато они имеют самое непосредственное отношение друг к другу. Поэтому о первом можно говорить только приме-нительно ко второму. А о втором — только приме-нительно к первому.

— А можно что-нибудь к этому добавить?

— Можно.

— Что?

— Радужный Поток на самом деле совсем не поток, а сверхоборотень — никакой не оборотень. Привязываться к словам не следует. Они нужны только как мгновенная точка опоры. Если ты попытаешься понести их с собой, они увлекут тебя в пропасть. Поэтому их следует сразу же отбросить.

Некоторое время я обдумывала услышанное.

— Интересно получается. Выходит, высшее учение для лис состоит всего из двух слов, которые имеют отношение только друг к другу и не подлежат никакому объяснению. Кроме того, даже эти слова следует отбросить после того, как они будут произнесены... Похоже, у той лисы, которая накормила Будду, была не очень хорошая карма. А ей самой удалось войти в Радужный Поток?

Желтый Господин кивнул.

— Правда, это случилось совсем недавно. И она не оставила после себя указаний для других оборотней. Поэтому передать тебе учение должен я.

— В достоверность такого учения трудно поверить.

— Высшие учения потому и называются высшими, что отличаются от тех, к которым ты привыкла. А все, что кажется тебе достоверным, уже в силу этого можно считать ложью.

— Почему?

— Потому что иначе ты не нуждалась бы ни в каких учениях. Ты уже знала бы правду.

В этом была логика. Но его объяснения напоминали те философские силлогизмы, главная цель которых — поставить ум в тупик.

— И все-таки, — не сдавалась я, — как учение может состоять только из двух слов?

— Чем выше учение, тем меньше слов, на которые оно опирается. Слова подобны якорям — кажется, что они позволяют надежно укрепиться в истине, но на деле они лишь держат ум в плену. Поэтому самые совершенные учения обходятся без слов и знаков.

— Это, конечно, так, — сказала я. — Но даже для того, чтобы объяснить преимущества бессловесного учения, вам пришлось произнести много-много слов. Как же всего двух слов может хватить, чтобы руководствоваться ими в жизни?

— Высшие учения предназначены для существ с высшими способностями. А для тех, у кого они отсутствуют, имеются многотомные собрания чепухи, в которой можно ковыряться всю жизнь.

— А у меня есть высшие способности? — тихонько спросила я.

— Иначе ты бы здесь не сидела.

Это несколько меняло ситуацию.

— А много в мире сверхоборотней?

— Только один. Теперь это ты. Если захочешь, ты сможешь войти в Радужный Поток. Но тебе надо будет постараться.

Кто не будет польщен, услышав, что у него высшие способности? А от перспективы стать единственным в мире исключительным существом вообще дух захватывало. Я задумалась.

— А та лиса, которая сумела войти в Радужный Поток — что про нее известно?

— Совсем мало. Твоя предшественница жила в одной горной деревушке, практиковала крайнюю аскезу и совсем отказалась от общения с людьми.

— Как же она кормилась?

— Она использовала свой хвост, чтобы внушить тыквенной грядке, что наступила весна. А потом впитывала жизненную силу тыкв...

— Какой ужас, — прошептала я. — И что с ней произошло?

— Однажды она просто исчезла, и все.

— А она не оставила никаких записей?

— Нет.

— Довольно эгоистично с ее стороны.

— Может быть, их оставишь ты.

— А мне обязательно переходить с мужчин на овощи?

— Будда не оставил на этот счет указаний. Слушай, что говорит сердце. И не сворачивай с пути.

Я дважды поклонилась.

— Я обещаю упорно стремиться к цели, если вы дадите мне передачу, о которой говорили.

— Ты уже получила передачу.

— Когда? — спросила я.

— Только что.

— И все?

Должно быть, вид у меня был очень растерянный.

— Этого вполне достаточно. Все остальное только внесет путаницу в твою рыжую голову.

— Так что же мне делать?

Желтый Господин вздохнул.

— Будь ты человеком, я просто дал бы тебе палкой по лбу, — сказал он, кивнув на свой узловатый посох, — и отправил тебя работать на огород. Выше такого учения нет ничего, и когда-нибудь ты это поймешь. Но у сверхоборотня особый путь. И раз ты так настойчиво просишь сказать, что тебе делать, я скажу. Тебе надо найти ключ.

— Ключ? От чего?

— От Радужного Потока.

— А что это за ключ?

— Не имею понятия. Я же не сверхоборотень. Я простой монах. А теперь иди — тебя ждет твой паланкин.

*

— Вот с тех пор и иду, — сказала я и замолчала. Кажется, мой рассказ произвел на Александра сильное впечатление.

— Ну? — спросил он. — Ты нашла ключ?

— Конечно.

— И что это?

— Правильное понимание собственной природы. Все то, что я пыталась тебе объяснить.

— Значит, ты уже вошла в Радужный Поток?

— Можно сказать, — ответила я.

— И чем он оказался?

— Сначала тебе надо понять, что такое сверхоборотень.

— А что это такое?

— Это ты.

— Так я же тебе и говорю, — сказал он жалобно. — А ты меня с толку сбиваешь. Говоришь, что это на самом деле ты. Всюду ты.

— Ты опять не понял. Ты думаешь, ты сверхоборотень, потому что можешь взглядом портить лампочки и валить мух...

— Не только мух, — сказал он. — И не только взглядом. Ты и представить себе не можешь, что я могу.

— Что ты можешь?

— Мне даже смотреть не надо, поняла? Задуматься достаточно. Вот, например, вчера вечером я наступил политтехнологу Татарскому. Слышала про такого?

— Слышала. Он что, умер?

— Зачем. Забормотал во сне и перевернулся на другой бок. Я его всухую замочил.

— А что это значит?

— Его теперь приглашать никуда не станут, и все. Будет сидеть у себя в фонде, пока с обоями не сольется. Если, конечно, помещение ему оставим.

— Какой ты у меня крутой, — сказала я. — А как ты это делаешь?

Он задумался.

— Это как секс, только наоборот. Трудно объяснить. Как говорится, глаза боятся, руки делают. Хотя руки тут ни при чем — дело, сама понимаешь, в хвосте. Но в детали я пока не вник... Так ты все-таки признаешь, что я сверхоборотень?

— Ты все неправильно понимаешь. Сверхоборотнем тебя делает вовсе не способность вредить политтехнологам и мухам. Ты пока даже не имеешь права считать, что ты сверхоборотень.

— А ты имеешь право так считать, да?

— Да, я имею, — сказала я скромно, но твердо.

— Что-то ты со всех сторон нависла, рыжая. Мне совсем места в мире не остается.

— Весь этот мир твой. Только пойми, кто ты на самом деле.

— Я сверхоборотень.

— Правильно. Но что такое сверхоборотень?

— Это я.

— Вот опять. Я думала, ты остроглазый лев, а ты слепая собака.

Он вздрогнул, как от удара плетью.

— Чего?

— Ну это учение о львином взоре, — заторопилась я, чувствуя, что наговорила лишнего. — Считается, если бросить палку собаке, она будет глядеть на эту палку. А если бросить палку льву, то он будет, не отрываясь, смотреть на кидающего. Это формальная фраза, которую говорили во время диспутов в древнем Китае, если собеседник начинал цепляться за слова и переставал видеть главное.

— Ладно, — сказал он, — замнем. Может, ты сама скажешь, что такое сверхоборотень?

— Сверхоборотень — это тот, кого ты видишь, когда долго глядишь вглубь себя.

— Но ведь ты говорила, что там ничего нет.

— Правильно. Там ничего нет. Это и есть сверхоборотень.

— Почему?

— Потому что это ничего может стать чем угодно.

— Как это?

— Смотри. Ты оборотень, поскольку можешь стать, э-э-э, волком. Я оборотень, потому что я лиса, которая притворяется человеком. А сверхоборотень по очереди становится тобой, мной, этим пакетом яблок, этой чашкой, этим ящиком — всем, на что ты смотришь. Это первая причина, по которой его называют сверхоборотнем. Кроме того, любого оборотня можно, фигурально выражаясь, взять за хвост.

— Допустим, — сказал он.

— А сверхоборотня взять за хвост нельзя. Потому что у него нет тела. И это вторая причина, по которой его так называют. Понял?

— Не совсем.

— Помнишь, ты рассказывал, что в детстве ты мечтал о скафандре, в котором можно опускаться на Солнце, нырять на дно океана, прыгать в черную дыру и возвращаться назад?

— Помню.

— Так вот, сверхоборотень как раз носит такой скафандр. Это просто пустота, которую можно заполнить чем угодно. К этой пустоте ничего не может прилипнуть. Ее ничего не может коснуться, потому что стоит убрать то, чем ее заполнили, и она снова станет такой как раньше. Участковому некуда поставить в ней штамп о прописке, а твоему Михалычу не к чему прикрепить своего клопа.

— Понял. Вот теперь понял, — сказал он и побледнел. — Круто. Такого оборотня ни одной спецслужбе не взять!

— Рада, что ты оценил.

— И как им стать?

— Никак, — сказала я.

— Почему?

— Подумай.

— Потому что сверхоборотень может быть только один и это уже ты? Правильно я понял, рыжая?

— Нет, серый, нет. Ты не можешь им стать, потому что и так всегда им был. Сверхоборотень — это твой собственный ум, тот самый, которым ты с утра до вечера думаешь всякую чушь.

— Так значит, сверхоборотень все-таки я?

— Нет.

— Но ведь это мой ум. В чем тогда проблема?

— В том, что твой ум на самом деле не твой.

— А чей же?

— Про него нельзя сказать, что он чей-то. Или что он такой-то и находится там-то. Все эти понятия возникают в нем самом, то есть он предшествует всему без исключения. Понимаешь? Что себе ни представляй, делать это все равно будет он.

— Ты говоришь про мозг?

— Нет. Мозг — это одно из понятий, которые есть в уме.

— Но ведь ум возникает потому, что есть мозг, — сказал он неуверенно.

— Как тебя напугали эти негодяи, — вздохнула я. — Люди вообще не знают, что такое ум, они вместо этого изучают то мозг, то психику, то любовные письма Фрейда к Эйнштейну. А ученые всерьез думают, что ум возникает оттого, что в мозгу происходят химические и электрические процессы. Вот ведь мудаки на букву «у»! Это все равно что считать телевизор причиной идущего по нему фильма. Или причиной существования человека.

— Экономисты так и думают.

— Правильно. И пусть себе думают. Пусть себе генерируют электрические импульсы, воруют кредитные транши, выражают официальный протест, измеряют амплитуду и скорость, берут минет и производную, а потом определяют свой рейтинг. К счастью для этого мира, в нем есть не только клоуны, но и мы, лисы. Мы знаем тайну. Теперь ты тоже ее знаешь. Ну или почти что знаешь.

— Да уж, — сказал он. — А кто ее знает, кроме лис?

— Знать ее положено только избранным.

— А ты не боишься раскрывать ее мне?

— Нет.

— Почему? Потому что я тоже избранный?

— Потому, что знать эту тайну может только ум. А уму ее скрывать все равно не от кого. Он один.

— Один?

— Да, — сказала я, — один во всех, и все из одного.

— А кто тогда эти избранные?

— Избранные — это те, кто понимает, что любой червяк, бабочка или даже травинка на краю дороги — такие же точно избранные, просто временно об этом не знают, и вести себя надо очень осмотрительно, чтобы случайно не обидеть кого-нибудь из них.

— Я так и не понял, что такое ум, — сказал он.

— А этого никто не понимает. Хотя с другой стороны, все это знают. Потому что именно ум слышит сейчас мои слова.

— Ага, — сказал он. — Понятно... То есть опять не до конца, но конца там, как я понимаю, и нет...

— Вот! — сказала я. — Всегда бы так.

— Допустим, со сверхоборотнем разобрались. А что такое Радужный Поток?

— Просто мир вокруг, — сказала я. — Видишь цвета — синий, красный, зеленый? Они появляются и исчезают в твоем уме. Это и есть Радужный Поток. Каждый из нас — сверхоборотень в Радужном Потоке.

— То есть мы уже вошли в Радужный Поток?

— И да и нет. С одной стороны, сверхоборотень с самого начала в Радужном Потоке. А с другой стороны, он никогда не сможет в него войти, потому что Радужный Поток — просто иллюзия. Но противоречие здесь только кажущееся, потому что ты и этот мир — одно и то же.

— Ага, — сказал он. — Интересно. Ну, давай дальше.

— Сверхоборотень — небесное существо. Небесное существо никогда не теряет связи с небом.

— Что это значит?

— В этом мире нет ничего кроме пыли. Но небесное существо помнит про свет, который делает пыль видимой. А бесхвостая обезьяна просто пускает пыль в глаза себе и другим. Поэтому, когда умирает небесное существо, оно становится светом. А когда умирает бесхвостая обезьяна, она становится пылью.

— Свет, пыль, — сказал он, — значит, все-таки что-то там есть! Есть какая-то личность. У тебя, например, она точно имеется, рыжая. Я это за последнее время хорошо ощутил. Скажешь, нет?

— Эта личность со всеми своими вывертами и глупостями просто пляшет как кукла в ясном свете моего ума. И чем глупее выверты этой куклы, тем яснее свет, который я узнаю вновь и вновь.

— Теперь ты сама говоришь «мой ум». А только что говорила, что он не твой.

— Так уж устроен язык. Это корень, из которого растет бесконечная человеческая глупость. И мы, оборотни, тоже ею страдаем, потому что все время говорим. Нельзя открыть рот и не ошибиться. Так что не стоит придираться к словам.

— Хорошо. Но личность, которая пляшет как кукла — это ведь ты и есть?

— Нет. Я не считаю эту личность собой, потому что я — вовсе не кукла. Я — это свет, который делает ее видимой. Но свет и кукла — просто сравнения, и к ним не следует цепляться.

— Да, рыжая, — сказал он. — Долго ж ты эти во-

просы изучала... Слушай, так сколько тебе все-таки
лет?

— Сколько надо, — сказала я и покраснела. —
А насчет собаки и льва — не обижайся, пожалуйста.
Это классическая аллегория, причем очень древняя, честное слово. Собака смотрит на палку, а
лев — на того, кто ее кинул. Кстати, когда это понимаешь, становится намного легче читать нашу
прессу...

— Насчет собак и львов я понял, могла бы не
повторять, — ответил он с сарказмом. — А насчет
прессы и без тебя знаю. Лучше скажи, куда смотрят
лисы?

Я виновато улыбнулась.

— Мы, лисы, одним глазком глядим на палку, а
другим на того, кто ее кидает. Потому что существа
мы несильные, а хочется не только усовершенство-
вать душу, но и пожить немного. Вот поэтому глаза
у нас чуть-чуть косые...

— Надо будет кинуть тебе пару палок, проверить, куда ты смотришь.

— Сегодня вы в ударе, поручик.

Александр почесал подбородок.

— Ну а где главный вывод? — спросил он.

— Какой?

— Ну, как все это контролировать? Чтоб пользу
приносило?

— Контролировать довольно трудно, — сказала я.

— Почему?

— Замучаешься искать контролера.

— Да, так вроде и выходит, — сказал он. — Не
уверен, что это мне нравится.

— А что не так?

— Радужный Поток, сверхоборотень — все хорошо. Допустим, с контролем тоже вопрос решили. Но я главного не пойму. Кто все это создает? Бог?

— Мы сами, — сказала я. — Мало того, мы и Бога создаем.

— Ну ты залепила, рыжая, — усмехнулся он. — Тебе лишь бы без Бога обойтись. Чем создаем? Хвостом, что ли?

Я так и замерла на месте.

Трудно описать эту секунду. Все догадки и прозрения последних месяцев, все мои хаотические мысли, все предчувствия — вдруг сложились в ослепительно-ясную картину истины. Я еще не понимала всех последствий своего озарения, но уже знала, что тайна теперь моя. От волнения у меня закружилась голова. Наверно, я побледнела.

— Что с тобой? — спросил он. — Тебе плохо?

— Нет, — сказала я и через силу улыбнулась. — Просто мне надо побыть одной. Прямо сейчас. Пожалуйста, не отвлекай меня. Это очень, очень важно.

*

Мир устроен загадочно и непостижимо. Желая защитить лягушек от детской жестокости, взрослые говорят, что их нельзя давить, потому что пойдет дождь — и в результате все лето идут дожди из-за того, что дети давят лягушек одну за другой. А бывает и так — стараешься изо всех сил объяснить другому истину и вдруг понимаешь ее сам.

Впрочем, последнее для лис скорее правило, чем исключение. Я уже говорила — чтобы понять что-то, мы, лисы, должны кому-нибудь это объяснить. Это связано с особенностями нашего разума, который по своему назначению есть симулятор человеческих личностей, способный к мимикрии в любой культуре. Говоря проще, наша сущность в том, чтобы постоянно притворяться. Когда мы что-то объясняем другим, мы притворяемся, что сами все уже поняли. А поскольку существа мы умные, обычно приходится понять это на самом деле, как ни уворачивайся. Говорят, что серебряные волоски у нас в хвосте появляются именно по этой причине.

Когда я притворяюсь, у меня все всегда получается натурально. Поэтому я притворяюсь всегда — так выходит гораздо правдоподобнее, чем если я вдруг начну вести себя искренне. Ведь что значит вести себя искренне? Это значит непосредственно выражать в поведении свою сущность. А если моя сущность в том, чтобы притворяться, значит, единственный путь к подлинной искренности для меня лежит через притворство. Я не хочу сказать, что никогда не веду себя непосредственно. Наоборот, я изображаю непосредственность со всей искренностью, которая есть в моем сердце. В общем, слова опять подводят — я говорю об очень простой вещи, а кажется, что я фальшивое существо с двойным дном. Но это не так. Дна у меня нет совсем.

Поскольку лиса может притвориться чем угодно, она постигает высшую истину в тот момент, когда притворяется, что она ее постигла. А делать это лучше всего в беседе с менее развитой сущностью. Но, говоря с Александром, я совершенно не думала о себе. Я действительно изо всех сил старалась помочь ему. А получилось, что он помог мне. Какой

удивительный, непостижимый парадокс... Но этот
парадокс и есть главный закон жизни.

Я приближалась к истине постепенно:

1) наблюдая за Александром, я поняла, что волк-
оборотень направляет гипнотический удар в собственное сознание. Оборотень внушает себе, что превращается в волка, и после этого действительно в
него превращается;

2) во время куриной охоты я заметила, что мой
хвост насылает наваждение на меня саму. Но я не
понимала, что именно я себе внушаю: возможно,
думала я, это своего рода обратная связь, которая
делает меня лисой. Я была уже в двух шагах от истины, но все равно не видела ее;

3) во время своих объяснений я сказала Александру, что он и этот мир — одно и то же. У меня
было все необходимое для окончательного прозрения. Но понадобилось, чтобы Александр вслух назвал вещи своими именами. Только тогда я постигла истину.

Я и мир — одно и то же... Что же я внушаю себе
своим хвостом? Что я лиса? Нет, поняла я за одну
ослепительную секунду, я внушаю себе весь этот
мир!

Оставшись одна, я села в лотос и ушла в глубокое сосредоточение. Не знаю, сколько прошло времени — возможно, несколько дней. В таком состоянии нет особой разницы между днем и часом. Теперь, когда я увидела главное, стало ясно, почему я
раньше не могла заметить этого уробороса (не зря
ведь я постоянно повторяла это слово). Я не видела

истины, потому что не видела ничего, кроме нее. Гипнотический импульс, который хвост посылал в мое сознание, и был всем миром. Точнее, я принимала этот импульс за мир.

Я всегда подозревала, что Стивен Хокинг не понимает слов «реликтовое излучение», встречающихся в его книгах на каждой второй странице. Реликтовое излучение — вовсе не радиосигнал, который можно поймать с помощью сложной и дорогой аппаратуры. Реликтовое излучение — это весь мир, который мы видим вокруг, не важно, кто мы, оборотни или люди.

Теперь, когда я поняла, как именно я создаю мир, следовало научиться хоть как-то управлять этим эффектом. Но, сколько я ни концентрировала свой дух, ничего не выходило. Я применяла все известные мне техники — от шаманических визуализаций, которые в ходу у горных варваров Тибета, до сокровенного огня микрокосмической орбиты, практикуемого приверженцами Дао. Все впустую — это было похоже на попытку сдвинуть с места гору, упершись в нее плечом.

И тут я вспомнила про ключ. Действительно, Желтый Господин говорил про ключ... Я всегда считала, что это просто метафора верного понимания сути вещей. Но если я так опростохвостилась насчет самого главного, я ведь могла ошибаться и тут. Чем он мог быть, этот ключ? Я не знала. Выходит, я так ничего и не поняла?

Моя концентрация нарушилась, и мысли начали блуждать. Я вспомнила об Александре, который терпеливо ждал в соседней комнате — за время моей медитации он не издал ни единого звука, боясь нарушить мой покой. Мысль о нем, как всегда, вызвала во мне горячую волну любви.

И тогда наконец я поняла самое-самое главное:

1) ничего сильнее этой любви во мне не было — а раз я создавала своим хвостом весь мир, значит, ничего сильнее не было и в мире.

2) в том потоке энергии, который излучал мой хвост, а ум принимал за мир, любовь отсутствовала начисто — и потому мир казался мне тем, чем казался.

3) любовь и была ключом, которого я не могла найти.

Как я не поняла этого сразу? Любовь была единственной силой, способной вытеснить реликтовое излучение хвоста из моего сознания. Я вновь сосредоточилась, визуализировала свою любовь в виде ярко пылающего сердечка и стала медленно опускать его к хвосту. Я довела огненное сердце почти до его основания, и вдруг...

И вдруг случилось невероятное. Внутри моей головы, где-то между глаз, разлилось радужное сияние. Я воспринимала его не физическим зрением — скорее это напоминало сон, который мне удалось контрабандой пронести в бодрствование. Сияние походило на ручей под весенним солнцем. В нем играли искры всех возможных оттенков, и в этот ласковый свет можно было шагнуть. Чтобы радужное сияние затопило все вокруг, следовало опустить пылающий шар любви еще ниже, заведя его за точку великого предела, которая у лис находится в трех дюймах от основания хвоста. Это можно было сделать. Но я почувствовала, что потом уже никогда не сумею найти среди потоков радужного света этот крохотный город с оставшимся в нем Александром. Мы должны были уйти отсюда вместе — иначе чего стоила наша любовь? Ведь это он дал мне ключ от новой вселенной — сам не зная об этом...

Я решила немедленно рассказать ему обо всем. Но встать оказалось непросто — пока я сидела в лотосе, ноги затекли. Дождавшись, пока кровообращение восстановится, я кое-как поднялась и пошла во вторую комнатку. Там было темно.

— Сашенька, — позвала я. — Эй! Саша! Ты где?

Никто не отозвался. Я вошла внутрь и зажгла свет. В комнате никого не было. На деревянном ящике, который служил нам вместо стола, лежал исписанный лист бумаги. Я взяла его в руки и, щурясь от резкого электрического света, прочла:

«Адель!

Я не обращал внимания на то, что ты скрываешь свой возраст, хотя в последнее время стал догадываться, что тебе больше семнадцати — уж больно ты умная. Мало ли, думал я, может быть, ты просто хорошо сохранилась, а на самом деле тебе уже лет двадцать пять или даже под тридцатник, и ты комплексуешь по этому поводу, как большинство девчонок. Я был готов и к тому, что тебе окажется чуть больше тридцатника. Наверно, я бы смирился и с сороковником. Но тысяча двести лет! Лучше я скажу тебе прямо и честно — больше я никогда не смогу заниматься с тобой сексом. Извини. А я извиню тебе эту слепую собаку. Может, я и слепой по сравнению с тобой. Но уж какие есть.

С завтрашнего утра я выхожу на работу. Возможно, я пожалею об этом решении. Или даже не успею о нем пожалеть. Но если все пройдет, как я заду-

мал, сначала я разъясню некоторые вопросы, назревшие в нашем отделе. А потом я начну разъяснять вопросы, назревшие во всех остальных местах. Дивную силу, полученную от тебя в дар, я направлю на служение своей стране. Спасибо тебе за нее — от меня и от всей нашей организации, к которой у тебя предвзятое и несправедливое отношение. И еще спасибо за все то удивительное, что ты помогла мне понять — хотя, наверно, не до конца и ненадолго. Я всегда буду любить тебя как родственную душу. Прощай навсегда. И спасибо, что до самого конца ты называла меня Серым.

Саша Черный».

Голова моя темный фонарь с перебитыми стеклами... Помню ту секунду. Растерянности не было. Я всегда понимала: мне его не удержать, и этот миг придет. Но я не думала, что будет так больно.

Мой лунный мальчик... Ну поиграй, поиграй, подумала я с покорной нежностью. Когда-нибудь ты все равно возьмешься за ум. Жаль только, что ты не узнаешь от меня самой главной тайны. Хотя... Может быть, мне тоже оставить тебе записку? Она будет длиннее, чем твоя, и, прочитав ее до конца, ты поймешь, что именно я не успела тебе сказать перед самым твоим уходом. Разве что этим я смогу отплатить тебе за свободу, которую ты мне нечаянно подарил.

Решено, думала я. Я напишу книгу, и она обязательно когда-нибудь до тебя дойдет. Ты узнаешь из нее, как освободиться из ледяного мрака, в котором скрежещут зубами олигархи и прокуроры, либералы и консерваторы, пидарасы и натуралы, интернет-колумнисты, оборотни в погонах и портфельные инвесторы. И, может быть, не только ты, но и дру гие благородные существа, у которых есть сердце и хвост, сумеют извлечь из этой книги пользу... А пока — спасибо тебе за главное, что ты мне открыл. Спасибо тебе за любовь...

Я больше не могла сдерживаться — по моим щекам хлынули слезы, и я долго-долго плакала, сидя на ящике и глядя на белый квадратик бумаги с ровными строчками его слов. Я до последнего дня называла его серым, боясь сделать ему больно. Но он был сильным. Он не нуждался в жалости.

Вот так. Встретились в душной Москве два одиночества. Одно рассказало, что ему две тысячи лет, другое призналось, что у него когти на причинном месте. Сплелись ненадолго хвостами, поговорили о высшей сути, повыли на луну и разошлись, как в море корабли...

Je ne regrette rien[1]. Но я знаю, что никогда больше не буду так счастлива, как в Гонконге шестидесятых на краю Битцевского леса, со счастливой пустотой в сердце и его черным хвостом в руке.

*

Когда эта книга была уже почти дописана, я встретила Михалыча во время велосипедной прогулки. Устав крутить педали, я села отдохнуть на одной из массивных бревенчатых скамеек, стоящих на пустыре возле Битцевского леса. Мое внимание привлекли прыгающие с велосипедного трамплина ребята, и я надолго загляделась на них. Почему-то у их велосипедов были очень низкие седла. Наверно, думала я, специальные велосипеды для прыжков. Хотя во всем остальном это были обычные маун-

[1] Я не жалею ни о чем.

тин-байки. Когда я отвернулась от прыгунов, Михалыч уже стоял рядом.

Он сильно изменился за время, пока мы не виделись. Теперь у него была модная стрижка, и одет он был не в ретро-бандитский наряд, а в стильный черный костюм из коллекции «rebel shareholder»[1] фирмы «Дизель». Под пиджаком была черная футболка с надписью «I Fucked Andy Warhol»[2]. Из-под футболки выглядывала золотая цепочка — не так чтобы толстая или тонкая, а как раз такая, как надо. Круглые часы в простом стальном корпусе, на ногах черный «Nike Air», как у Мика Джаггера. Какой все-таки огромный путь прошли органы с тех времен, когда я ездила на дачу к Ежову за последним Набоковым...

— Здорово, Михалыч, — сказала я.

— Здравствуй, Адель.

— Ты как меня нашел?

— По прибору.

— Да нет у тебя никакого прибора. Не гони. Мне Саша рассказывал.

Он сел на скамейку рядом.

— Есть прибор, Адель, есть, девочка. Просто он секретный. И товарищ генерал-полковник говорил с тобой как положено по инструкции. А вот я, когда тебе его показал, эту инструкцию нарушил. И товарищ генерал-полковник меня потом поправил, ясно? Сейчас я, кстати, снова инструкцию нарушаю. А вот товарищ генерал-полковник всегда действует строго по ней.

---

[1] «Восставший миноритарный акционер».

[2] Энди Уорхол — известный американский художник, основатель поп-арта.

Я уже не понимала, кто из них врет.

— А уборщица с конно-спортивного комплекса правда у вас работает?

— У нас много разных методов, — сказал он уклончиво. — Иначе нельзя. Страна-то вон какая большая.

— Это да.

Минуту или две мы молчали. Михалыч с интересом наблюдал за прыгунами с трамплина.

— А как Павел Иванович? — спросила я неожиданно для себя. — Все консультирует?

Михалыч кивнул.

— Он тут приходил к нам давеча. Книгу одну рекомендовал, как ее... — Он вынул из кармана пиджака бумажку и показал мне. На ней было написано шариковой ручкой: «Martin Wolf. Why Globalization Works»[1]. — Говорил, на самом деле все не так уж и плохо.

— Да? — сказала я. — Ну вот и славно, а то я уже волноваться начинала. Слушай, давно хотела спросить. Все эти деятели, Вулфенсон из Мирового банка, Волфовитц из Департамента обороны — они что, тоже?

— Волки, как и люди, разные бывают, — сказал Михалыч. — Только теперь они нам не в уровень. Совсем другие возможности у отдела. Нагваль Ринпоче в мире один.

— Кто?

— Это мы так товарища генерал-полковника называем.

— Как он, кстати? — не выдержала я.

---

[1] «Мартин Вулф. Почему глобализация работает».

— Хорошо.

— Чем занят?

— Дел невпроворот. А после работы сидит в архиве. Изучает опыт.

— Чей опыт?

— Товарища Шарикова.

— А, этого. Который зав подотделом очистки...

— Не знаешь, так лучше не говори, — сказал Михалыч строго. — Много про него вранья ходит, клеветы, сплетен. А правды никто не знает. Когда товарищ генерал-полковник первый раз в новой форме на работу вышел, старейшие сотрудники всплакнули даже. Они такого с пятьдесят девятого года не видели. С тех пор как товарищ Шариков погиб. Это потом все посыпалось. А держалось на нем.

— А как он погиб?

— Да в космос захотел первым полететь. И полетел, как только кабину такую сделали, чтоб собака влезть могла. Разве ж такого удержишь... Риск огромный — на первых полетах каждый второй запуск бился. А он все равно решил. Вот и...

— Идиот, — сказала я. — Тщеславное ничтожество.

— Тщеславие тут вообще ни при чем. Товарищ Шариков зачем в космос полетел? Он хотел пустоте наступить раньше, чем она ему наступит. Но не успел. Трех угловых секунд не хватило...

— Александр знает про Шарикова? — спросила я.

— Теперь да. Я ж говорю, сутками в архиве сидит.

— И что он сказал?

— Товарищ генерал-полковник сказал так: даже у титанов есть свои границы.

— Понятно. А ко мне какие вопросы у титанов?

— Да, в общем, никаких. Велено тебе кое-что передать на словах.

— Передавай.

— Ты вроде как предъяву кидаешь, что ты сверхоборотень...

— Ну и что?

— А то. Страна у нас такая, что все понимать должны, под кем ходят. И люди, и оборотни.

— А чем я мешаю?

— Ты не мешаешь. Но сверхоборотень может быть только один. Иначе какой он сверхоборотень?

— Такое убогое понимание слова «сверхоборотень», — сказала я, — отдает тюремным ницшеанством. Я...

— Слушай, — поднял ладонь Михалыч, — меня же не тереть послали. А объявить.

— Понимаю, — вздохнула я. — И что мне теперь делать? Валить отсюда?

— Почему валить? Просто отфильтровывать. Помнить, кто здесь сверхоборотень. И никогда на этом базаре не спотыкаться. Чтобы путаницы в головах не было... Ясно?

— Я бы тут поспорила, — сказала я, — насчет того, у кого в голове путаница. Сначала...

— А вот спорить мы не будем, — снова перебил Михалыч. — Как говорит Нагваль Ринпоче, встретишь Будду — убивать не надо, но не дай себя развести.

— Ну что ж, не будем спорить так не будем. У тебя все?

— Нет, еще один вопрос. Личный.

— Какой?

— Выходи за меня замуж.

Это было неожиданно. Я поняла, что он не шутит, и окинула его внимательным взглядом.

Передо мной сидел мужик на шестом десятке, еще крепкий, собравшийся для последнего жизненного рывка, но так и не понявший пока (к счастью для себя), куда он, этот рывок. Я таких много похоронила. Они всегда видят во мне свой последний шанс. Взрослые мужчины, а не понимают, что их последний шанс только в них самих. Впрочем, они ведь даже не в курсе, что это за шанс. Саша хоть что-то понял. А этот... Вряд ли.

Михалыч смотрел на меня с сумасшедшей надеждой. Такой взгляд я тоже знала. Сколько времени я провела в этом мире, подумала я с грустью.

— Будешь жить как на собственном острове, — проговорил Михалыч хрипло. — А захочешь, можно без «как» — реально на собственном острове. Будет свое личное кокосовое Баунти. Все для тебя сделаю.

— А как остров называется? — спросила я.

— В каком смысле?

— У острова должно быть название. Ультима Туле, например. Или Атлантида.

— Да как хочешь, так и назовем, — осклабился он. — Это разве проблема?

Пора было сворачивать беседу.

— Ладно, Михалыч, — сказала я. — Это ведь серьезное решение. Я подумаю, ладно? Недельку или две.

— Подумай, — сказал он. — Только ты вот что

учти. Во-первых, теперь по нефти я самый главный в аппарате. Реально. Все эти олигархи у меня сосут. Я имею в виду, из крана. Да и так тоже, если брови нахмурить. А во-вторых, ты вот о чем вспомни. Тебе ведь волки нравятся, да? Я в курсе. Так я волк, реальный волк. А товарищ генерал-полковник... Он, конечно, на особом посту — сверхответственнейшем. Весь отдел на него молится. Но елдачок-то, сказать между нами, у меня поглавнее будет.

— Я бы просила без деталей.

— Без деталей так без деталей. А все-таки ты подумай — может, с нормальной деталью оно и лучше? Ведь насчет товарища генерал-полковника ты сама все знаешь...

— Знаю, — сказала я.

— И еще учти, он зарок дал. Сказал, что не будет в человека превращаться, пока у страны остаются внешние и внутренние враги. Как товарищ Шариков когда-то... Весь отдел плакал. Но, если честно, я думаю, что здесь не во врагах дело. Просто скучно ему теперь человеком.

— Понимаю, Михалыч. Все понимаю.

— Я знаю, — сказал он, — ты баба умная.

— Ладно. Ты иди сейчас. Я одна хочу побыть.

— Ты б меня научила этому, — сказал он мечтательно, — ну, хвостом это самое...

— Он и про это рассказал?

— Да ничего он не рассказывал. Нам не до тебя сейчас. Дел выше крыши, понимать должна.

— А что у вас за дела?

— Стране нужно очищение. Пока всех офшорных котов не отловим, болтать некогда.

— Как же вы их отловите, если они офшорные?

— У Нагваля Ринпоче нюх. Он их сквозь стену чует. А насчет хвостов он правда ничего не говорил. Я по прибору слышал. Вы про них спорили, как их, это, сплетать.

— По прибору слышал, понятно. Ладно, иди, волчина позорный.

— Буду ждать звонка. Ты контакта с нами не теряй смотри. Не забывай, где живешь.

— Забудешь тут.

— Ну давай тогда. Звони.

Встав, он пошел к лесу.

— Слышь, Михалыч, — окликнула я его, когда он отошел на несколько метров.

— А? — обернулся он.

— Ты майку такую не носи. Энди Уорхол в восемьдесят седьмом году умер. Сразу видно, что ты уже не очень молод.

— Да я слышал, у тебя самой по этой части проблемы, — сказал он невозмутимо. — Только ты мне и такая нравишься. Какое мне дело, сколько тебе лет? Я же не паспорт ебать буду, верно? Тем более что он у тебя фальшивый.

Я улыбнулась. Все-таки ему нельзя было отказать в обаянии — оборотень есть оборотень.

— Верно, Михалыч, не паспорт. Ебать ты будешь мертвого Энди Уорхола.

Он засмеялся.

— Я, собственно, и не против, — продолжала я. — Но то, что ты хочешь найти его во мне, несколько обескураживает. Несмотря на всю симпатию к тебе как к *человеку*.

Я нанесла ему самое страшное в наших кругах оскорбление, но он просто заржал как жеребец. До него, наверно, даже не дошло. Надо было говорить яснее.

— Так что не носи такую майку, Михалыч, правда. Она тебя позиционирует в качестве виртуального гей-некрофила.

— А по-русски можно?

— Можно. Педрилы-мертвожопника.

Он хмыкнул, высунул язык, непристойно пошевелил его кончиком в воздухе и повторил:

— Звони, буду ждать. Глядишь, и ответ придумаем всем отделом.

Потом он повернулся и пошел к лесу. Я глядела на черный квадрат его спины до тех пор, пока он не растворился в зелени. Malevich sold here...[1]. Впрочем, кому они теперь нужны, эти сближенья.

*

Мне осталось сказать совсем немного. Я долго жила в этой стране и понимаю, что значат такие встречи, беседы и советы не терять контакта с органами. Несколько дней я разбирала старые рукописи и жгла их. Собственно, все мое разбирательство сводилось к тому, что я по диагонали проглядывала исписанные страницы перед тем, как бросить в огонь. Особенно много у меня накопилось стихов:

> *Не будь бескрылой мухой с Крайней Туле,*
> *Не бойся ночи, скрывшей все вокруг.*
> *В ней рыщут двое — я, лиса А Хули,*
> *И пес Пиздец, таинственный мой друг...*

---

[1] Здесь продается Малевич.

Стихи я жгла с особой грустью: я так и не успела их никому прочесть. Но что делать — таинственный мой друг слишком занят. Теперь у меня осталось только одно дело, которое уже близится к завершению (вот почему мое повествование переходит от прошедшего времени к настоящему). То самое дело, о котором сказал мне двенадцать веков назад Желтый Господин. Я должна открыть всем лисам, как обрести свободу. Собственно, я почти уже сделала это — осталось только свести все сказанное в четкую и ясную инструкцию.

Я уже говорила, что лисы сами внушают себе иллюзию этого мира с помощью хвоста. Символически это выражает знак *уроборос*, вокруг которого мое сознание вертелось столько веков, чувствуя великую тайну, которая в нем скрыта. Змея кусает себя за хвост...

Ненарушимая связь хвоста и сознания — фундамент, на котором покоится мир, как мы его знаем. Ничто не может вмешаться в это причинно-следственное кольцо и разорвать его. Кроме одного. Любви.

Мы, оборотни, значительно превосходим людей во всех отношениях. Но, подобно им, мы почти не знаем истинной любви. Поэтому тайный путь выхода из этого мира скрыт от нас. А он настолько прост, что трудно поверить: разорвать цепь самогипноза можно одним движением ума.

Сейчас я передам это непревзойденное учение в надежде, что оно послужит причиной освобождения всех тех, у кого есть сердце и хвост. Эта техника, утерянная в незапамятные времена, была вновь открыта мною, лисой А Хули, ради блага всех существ при обстоятельствах, описанных в этой книге. Вот полное изложение тайного метода, известного в древности как «хвост пустоты».

1) Сначала оборотень должен постичь, что такое любовь. Мир, который мы по инерции создаем день за днем, полон зла. Но мы не можем разорвать порочный круг, потому что не умеем создавать ничего другого. Любовь имеет совсем иную природу, и именно поэтому ее так мало в нашей жизни. Вернее, наша жизнь такая именно потому, что в ней нет любви. А то, что принимают за любовь люди — в большинстве случаев телесное влечение и родительский инстинкт, помноженные на социальное тщеславие. Оборотень, не становись похожим на бесхвостую обезьяну. Помни, кто ты!

2) Когда оборотень постигнет, что такое любовь, он может покинуть это измерение. Но предварительно он должен закрыть свои счета: отблагодарить тех, кто помог ему на пути, и помочь тем, кто нуждается в помощи. Затем оборотень должен десять дней поститься, думая о непостижимой тайне мира и его бесконечной красоте. Кроме того, оборотень должен вспомнить свои черные дела и раскаяться в них. Надо вспомнить хотя бы десять самых главных черных дел и раскаяться в каждом. При этом на глазах оборотня не менее трех раз должны выступить искренние слезы. Дело здесь не в пустой сентиментальности — при плаче происходит очищение психических каналов, которые будут задействованы на третьем этапе.

3) Когда подготовительная практика закончена, оборотень должен дождаться дня, следующего за

полнолунием. В этот день он должен встать рано утром, совершить омовение и уйти в отдаленное место, где его не увидит никто из людей. Там он должен выпустить хвост и сесть в позу лотоса. Если кто-то не может сидеть в лотосе — ничего страшного, можно сесть на стул или на пенек. Главное, чтобы спина была прямой, а хвост свободно покоился в расслабленном состоянии. Затем надо сделать несколько глубоких вдохов и выдохов, зародить в своем сердце истинную любовь максимальной силы и, громко выкрикнув свое имя, направить ее в хвост, так далеко, как возможно.

Любой оборотень сразу поймет, что значат эти слова — «направить любовь в хвост». Но для оборотня это нечто настолько дикое, немыслимое и выходящее за рамки всех конвенций, что меня могут счесть за сумасшедшую. Тем не менее, все обстоит именно так — здесь и проходит тайная дорога к свободе. Произойдет примерно то же, что бывает, когда пузырек воздуха попадает в идущий к сердцу кровеносный сосуд. Этого будет достаточно, чтобы остановился мотор самовоспроизводящегося кошмара, в котором мы блуждаем с начала времен.

Если зарожденная в сердце любовь была истинной, то после крика хвост на секунду перестанет создавать этот мир. Эта секунда и есть мгновение свободы, которого более чем достаточно, чтобы навсегда покинуть пространство страдания. Когда эта секунда наступит, оборотень безошибочно поймет, что ему делать дальше.

Я постигла и то, как может сбежать из этого мира бесхвостая обезьяна. Сначала я собиралась оставить подробную инструкцию и для нее, но не успеваю. Поэтому коротко скажу о главном. Ключевые точки учения здесь те же, что и выше. Сперва бесхвостая обезьяна должна зародить в своей душе любовь, начиная с самых простых ее форм и постепенно поднимаясь к истинной любви, у которой нет ни субъекта, ни объекта. Потом она должна переосмыслить всю свою жизнь, поняв ничтожество своих целей и злокозненность своих путей. А поскольку ее раскаяние обычно лживо и недолговечно, ей следует прослезиться по поводу своих черных дел не менее тридцати раз. И, наконец, обезьяна должна совершить магическое действие, аналогичное тому, которое описано в пункте три, только с поправкой на то, что у нее нет хвоста. Поэтому бесхвостая обезьяна должна сначала разобраться, как она создает мир и чем наводит на себя морок. Все здесь довольно просто, но у меня совсем не осталось времени на этом останавливаться.

Скажу о более важном. Если оборотень, идя по Пути, найдет новую дорогу к истине, ему не следует маскировать ее в разных путаных символах и ритуалах, как это делают бесхвостые обезьяны. Он должен немедленно поделиться своим открытием с другими оборотнями в наиболее простой и ясной форме. Но ему следует помнить, что единственный верный ответ на вопрос «что есть истина?» — это молчание, а тот, кто начинает говорить, просто не в курсе.

Ну вот, пожалуй, и все. Сейчас доиграет Nat King Cole, и пацан Лос Диас поедет в Тамбов, о котором он мечтал столько долгих столетий. Выглядеть это будет так: я допечатаю страницу, сделаю сэйв, брошу ноутбук в рюкзак и сяду на велосипед. Ранним утром у трамплина на опушке Битцевского леса совсем не бывает людей. Я долго хотела прыгнуть с него, но сомневалась, что смогу приземлиться. А сейчас я поняла, как это сделать.

Я выеду в самый центр пустого утреннего поля, соберу в сердце всю свою любовь, разгонюсь и взлечу на горку. И как только колеса велосипеда оторвутся от земли, я громко прокричу свое имя и перестану создавать этот мир. Наступит удивительная секунда, не похожая ни на одну другую. Потом этот мир исчезнет. И тогда, наконец, я узнаю, кто я на самом деле.

Литературно-художественное издание

Пелевин Виктор Олегович
СВЯЩЕННАЯ КНИГА ОБОРОТНЯ

Издано в авторской редакции
Ответственный редактор *Д. Малкин*
Художественный редактор *А. Марычев*
Технический редактор *Н. Носова*
Компьютерная верстка *А. Щербакова*
Корректор *И. Федорова*

ООО «Издательство «Эксмо»
127299, Москва, ул. Клары Цеткин, д. 18, корп. 5. Тел.: 411-68-86, 956-39-21.
Home page: www.eksmo.ru   E-mail: info@eksmo.ru

По вопросам размещения рекламы в книгах издательства «Эксмо»
обращаться в рекламный отдел. Тел. 411-68-74.

Оптовая торговля книгами «Эксмо» и товарами «Эксмо-канц»:
109472, Москва, ул. Академика Скрябина, д. 21, этаж 2.
Тел./факс: (095) 378-84-74, 378-82-61, 745-89-16, многоканальный тел. 411-50-74.
E-mail: reception@eksmo-sale.ru

Мелкооптовая торговля книгами «Эксмо» и товарами «Эксмо-канц»:
117192, Москва, Мичуринский пр-т, д. 12/1. Тел./факс: (095) 411-50-76.
127254, Москва, ул. Добролюбова, д. 2. Тел.: (095) 745-89-15, 780-58-34.
www.eksmo-kanc.ru   e-mail: kanc@eksmo-sale.ru

Полный ассортимент продукции издательства «Эксмо» в Москве
в сети магазинов «Новый книжный»:
Центральный магазин — Москва, Сухаревская пл., 12
(м. «Сухаревская»,ТЦ «Садовая галерея»). Тел. 937-85-81.
Москва, ул. Ярцевская, 25 (м. «Молодежная», ТЦ «Трамплин»). Тел. 710-72-32.
Москва, ул. Декабристов, 12 (м. «Отрадное», ТЦ «Золотой Вавилон»). Тел. 745-85-94.

ООО Дистрибьюторский центр «ЭКСМО-УКРАИНА». Киев, ул. Луговая, д. 9.
Тел. (044) 531-42-54, факс 419-97-49; e-mail: **sale@eksmo.com.ua**

Полный ассортимент книг издательства «Эксмо» в Санкт-Петербурге:
РДЦ СЗКО, Санкт-Петербург, пр-т Обуховской Обороны, д. 84Е.
Тел. отдела реализации (812) 265-44-80/81/82/83.

Сеть книжных магазинов «Буквоед»:
«Книжный супермаркет» на Загородном, д. 35. Тел. (812) 312-67-34
и «Магазин на Невском», д. 13. Тел. (812) 310-22-44.

Сеть магазинов «Книжный клуб «СНАРК» представляет самый широкий ассортимент книг
издательства «Эксмо». Информация о магазинах и книгах в Санкт-Петербурге по тел. 050.

Полный ассортимент книг издательства «Эксмо» в Нижнем Новгороде:
РДЦ «Эксмо НН», г. Н. Новгород, ул. Маршала Воронова, д. 3. Тел. (8312) 72-36-70.

Подписано в печать с готовых диапозитивов 18.10.2004.
Формат 84×108 $^1/_{32}$. Гарнитура «Таймс». Печать офсетная.
Бум. тип. Усл. печ. л. 20,16. Уч.-изд. л. 15,2.
Тираж 150 100 экз. Заказ № 5047.

Отпечатано в полном соответствии
с качеством предоставленных диапозитивов
в ОАО «Можайский полиграфический комбинат».
143200, г. Можайск, ул. Мира, 93.